힘이 붙는 수학

연산

단계별 학습 내용

1 초1 수준

A	B
1단계 9까지의 수	1단계 100까지의 수
2단계 9까지의 수를 모으기, 가르기	2단계 덧셈과 뺄셈(1)
3단계 덧셈과 뺄셈	3단계 덧셈과 뺄셈(2)
4단계 50까지의 수	4단계 덧셈과 뺄셈(3)

2 초2 수준

A	B
1단계 세 자리 수	1단계 네 자리 수
2단계 덧셈과 뺄셈	2단계 곱셈구구
3단계 덧셈과 뺄셈의 관계	3단계 길이의 계산
4단계 세 수의 덧셈과 뺄셈	4단계 시각과 시간
5단계 곱셈	

3 초3 수준

A	B
1단계 덧셈과 뺄셈	1단계 곱셈
2단계 나눗셈	2단계 나눗셈
3단계 곱셈	3단계 분수
4단계 길이와 시간	4단계 들이
5단계 분수와 소수	5단계 무게

전체 학습 설계도를 보고 초등 수학의 과정을 알 수 있습니다.

4
초4 수준

A	B
1단계 큰 수	1단계 분수의 덧셈
2단계 각도	2단계 분수의 뺄셈
3단계 곱셈	3단계 소수
4단계 나눗셈	4단계 소수의 덧셈
	5단계 소수의 뺄셈

5
초5 수준

A	B
1단계 자연수의 혼합 계산	1단계 수의 범위
2단계 약수와 배수	2단계 어림하기
3단계 약분과 통분	3단계 분수의 곱셈
4단계 분수의 덧셈과 뺄셈	4단계 소수의 곱셈
5단계 다각형의 둘레와 넓이	5단계 평균

6
초6 수준

A	B
1단계 분수의 나눗셈	1단계 분수의 나눗셈
2단계 소수의 나눗셈	2단계 소수의 나눗셈
3단계 비와 비율	3단계 비례식
4단계 직육면체의 부피와 겉넓이	4단계 비례배분
	5단계 원의 넓이

이렇게 공부해 봐

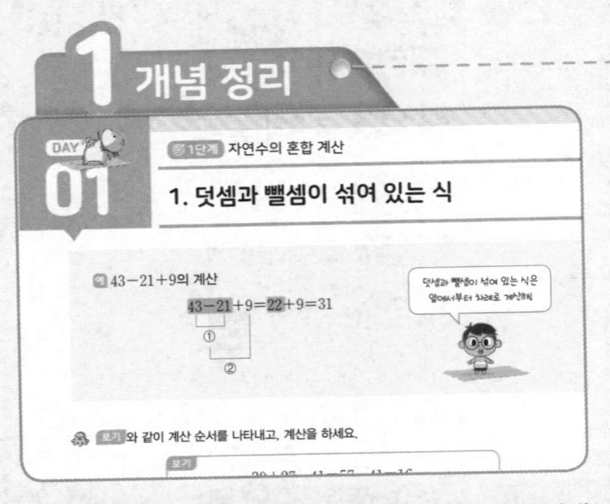

개념 정리 내용을 확인하며 계산 원리를 충분히 이해해요.

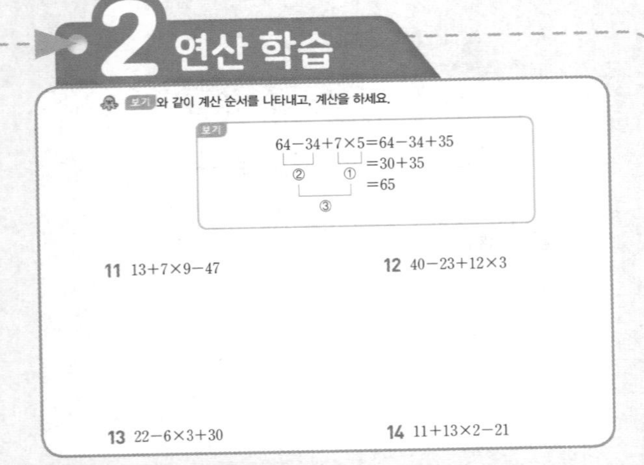

다양한 유형의 연산 문제를 통해 연산력을 강화해요. 매일 연산 학습을 반복하면 더 효과적으로 학습할 수 있어요.

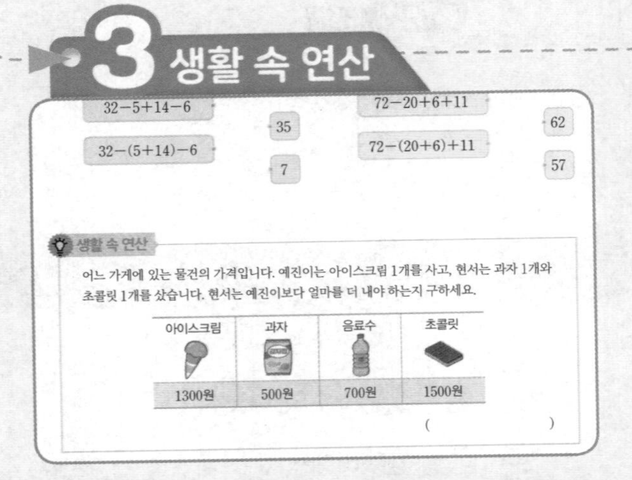

다양한 실생활 속 상황에서 연산력을 키워 문제를 해결해요.

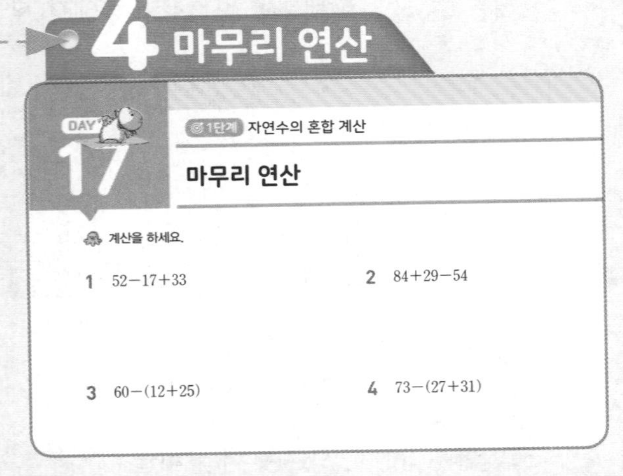

연산 학습을 잘했는지 문제를 풀어 보며 확인해요.

Contents 차례

1

자연수의 혼합 계산

학습 결과와 시간을 써 보세요!

학습 내용	학습 회차	맞힌 개수/걸린 시간
1. 덧셈과 뺄셈이 섞여 있는 식	DAY 01	/
	DAY 02	/
	DAY 03	/
2. 곱셈과 나눗셈이 섞여 있는 식	DAY 04	/
	DAY 05	/
	DAY 06	/
3. 덧셈, 뺄셈, 곱셈이 섞여 있는 식	DAY 07	/
	DAY 08	/
	DAY 09	/
4. 덧셈, 뺄셈, 나눗셈이 섞여 있는 식	DAY 10	/
	DAY 11	/
	DAY 12	/
5. 덧셈, 뺄셈, 곱셈, 나눗셈이 섞여 있는 식	DAY 13	/
	DAY 14	/
	DAY 15	/
	DAY 16	/
마무리 연산	DAY 17	/
	DAY 18	/

1단계 자연수의 혼합 계산

1. 덧셈과 뺄셈이 섞여 있는 식

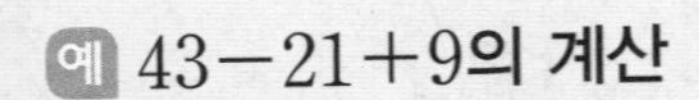

예 43−21+9의 계산

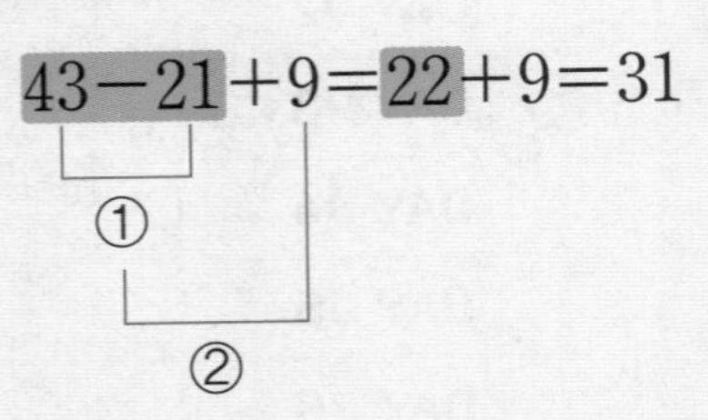

덧셈과 뺄셈이 섞여 있는 식은 앞에서부터 차례로 계산해!

보기 와 같이 계산 순서를 나타내고, 계산을 하세요.

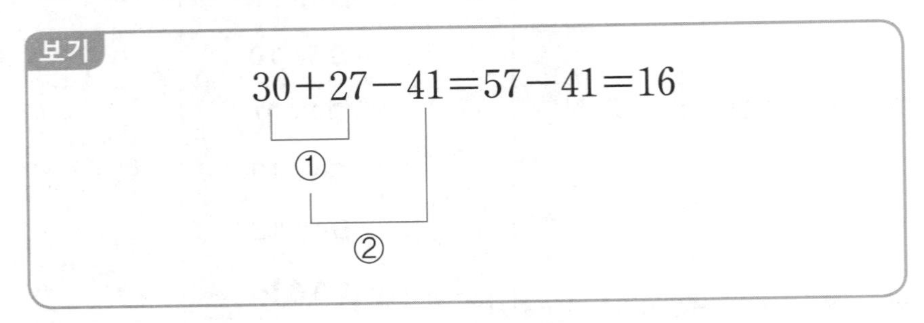

1 $45+11-33$

2 $36+12-19$

3 $22-15+60$

4 $78-32+22$

5 $64+7-43+15$

6 $23-9+17-12$

계산을 하세요.

7 $62-33+28$

8 $78+25-44$

9 $46+9-17$

10 $11+38-20$

11 $70-54+16$

12 $55-17+8$

13 $31+10-27$

14 $49+14-33$

15 $22-13+36-18$

16 $52+8-23-11$

17 $90-46+22-8$

18 $67+15-35+21$

19 $72-37+13+21$

20 $12+49-9-37$

DAY 02

1단계 자연수의 혼합 계산

1. 덧셈과 뺄셈이 섞여 있는 식

예 $43-(21+19)$의 계산

$$43-(21+19)=43-40=3$$

① $21+19$

② $43-40$

덧셈과 뺄셈이 섞여 있고
( )가 있는 식에서는
( ) 안을 먼저 계산해!

보기 와 같이 계산 순서를 나타내고, 계산을 하세요.

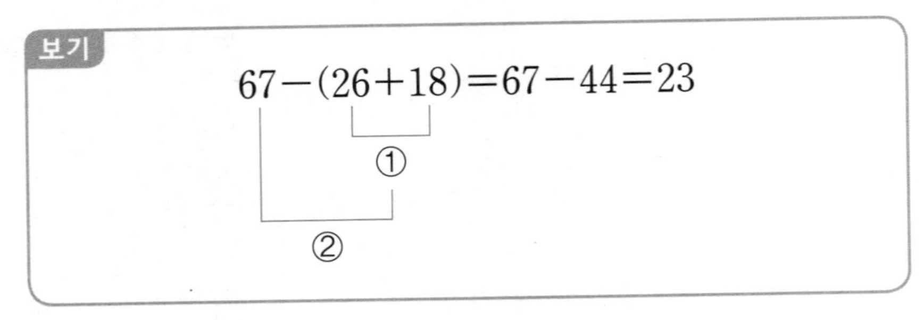

1 $44-(17+8)$

2 $62-(22+15)$

3 $87-(25+32)$

4 $54-23+(12+9)$

5 $75-21-(6+34)$

6 $32+(63-47)-29$

계산을 하세요.

7 $38-(7+19)$

8 $55-(26+8)$

9 $42-(12+11)$

10 $83-(30+21)$

11 $67-(25+18)+13$

12 $97-(33+6)-43$

13 $26+19-(11+5)$

14 $59-9-(13+23)$

15 $57-13-(7+16)$

16 $62-(14+16)-7$

17 $80-(28+22)-13$

18 $77-35-(5+21)$

19 $60-(7+33-12)$

20 $42-(33+9-17)$

1. 덧셈과 뺄셈이 섞여 있는 식

 계산을 하세요.

1 $28-12+21-9=\square$

① 16

② 37

③ $\square$

2 $18+23-(20-4)=\square$

② 41 ① 16

③ $\square$

3 $29+15-37$

4 $44-(11+13)$

5 $57-32+27-16$

6 $72-(20+6)+10$

7 $43+21-8+12$

8 $33+13-(16+14)$

9 $75-55+13-28$

10 $67-(44+18-32)$

계산 결과를 찾아 선으로 이으세요.

11

$56-14+8$

$56-(14+8)$

34 · 42 · 50

12

$32-5+12$

$32-(5+12)$

44 · 39 · 15

13

$66-31+19$

$66-(31+19)$

16 · 38 · 54

14

$41-22+9$

$41-(22+9)$

1 · 10 · 28

15

$32-5+14-6$

$32-(5+14)-6$

50 · 35 · 7

16

$72-20+6+11$

$72-(20+6)+11$

69 · 62 · 57

생활 속 연산

어느 가게에 있는 물건의 가격입니다. 예진이는 아이스크림 1개를 사고, 현서는 과자 1개와 초콜릿 1개를 샀습니다. 현서는 예진이보다 얼마를 더 내야 하는지 구하세요.

아이스크림	과자	음료수	초콜릿
1300원	500원	700원	1500원

( )

2. 곱셈과 나눗셈이 섞여 있는 식

예 $48\div8\times9$의 계산

$$48\div8\times9=6\times9=54$$

① $48\div8$

② 6×9

곱셈과 나눗셈이 섞여 있는 식은 앞에서부터 차례로 계산해!

보기 와 같이 계산 순서를 나타내고, 계산을 하세요.

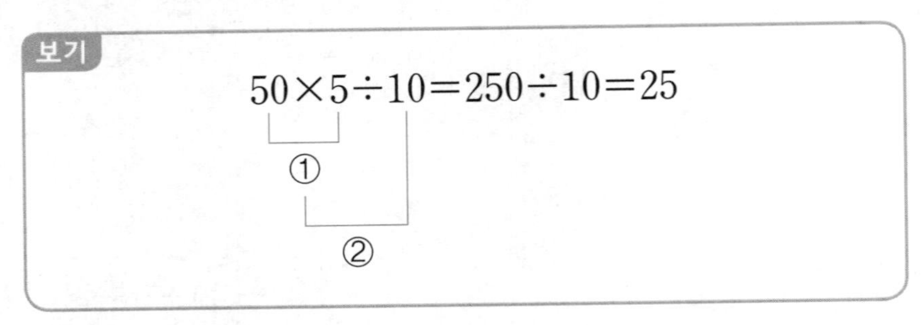

1 $16\times5\div8$

2 $9\times12\div4$

3 $45\div15\times5$

4 $56\div14\times8$

5 $24\times3\div9\times11$

6 $84\div6\times5\div7$

계산을 하세요.

7 $24 \div 8 \times 11$

8 $12 \times 4 \div 16$

9 $10 \times 14 \div 7$

10 $98 \div 14 \times 4$

11 $42 \div 6 \times 12$

12 $30 \times 4 \div 15$

13 $72 \div 8 \times 12 \div 6$

14 $18 \times 6 \div 12 \times 5$

15 $108 \div 4 \div 9 \times 13$

16 $72 \div 12 \times 6 \div 4$

17 $9 \times 16 \div 4 \div 12$

18 $10 \times 12 \div 6 \times 7$

19 $81 \div 27 \times 18 \div 6$

20 $14 \times 15 \div 7 \div 3$

2. 곱셈과 나눗셈이 섞여 있는 식

예 $56\div(2\times4)$의 계산

$56\div(2\times4)=56\div8=7$

① 2×4 ② $56\div8$

곱셈과 나눗셈이 섞여 있고
( )가 있는 식에서는
( ) 안을 먼저 계산해!

보기 와 같이 계산 순서를 나타내고, 계산을 하세요.

보기

$45\div(5\times3)=45\div15=3$

① 5×3 ② $45\div15$

1 $36\div(2\times6)$

2 $60\div(5\times4)$

3 $96\div(3\times4)$

4 $16\times9\div(4\times6)$

5 $240\div4\div(3\times5)$

6 $252\div(9\times2)\div7$

계산을 하세요.

7 $60 \div (2 \times 5)$

8 $72 \div (6 \times 3)$

9 $96 \div (4 \times 4)$

10 $112 \div (4 \times 2)$

11 $96 \div (2 \times 6)$

12 $135 \div (3 \times 9)$

13 $48 \div (24 \div 4) \times 5$

14 $14 \times 9 \div (10 \div 5)$

15 $6 \times 12 \div (36 \div 9)$

16 $36 \div (42 \div 7) \times 4$

17 $75 \div (5 \times 3) \times 6$

18 $81 \div (36 \div 12) \times 5$

19 $12 \times 15 \div (63 \div 7)$

20 $144 \div (4 \times 3) \div 2$

2. 곱셈과 나눗셈이 섞여 있는 식

계산을 하세요.

1 $45 \div 5 \times 3 = \square$

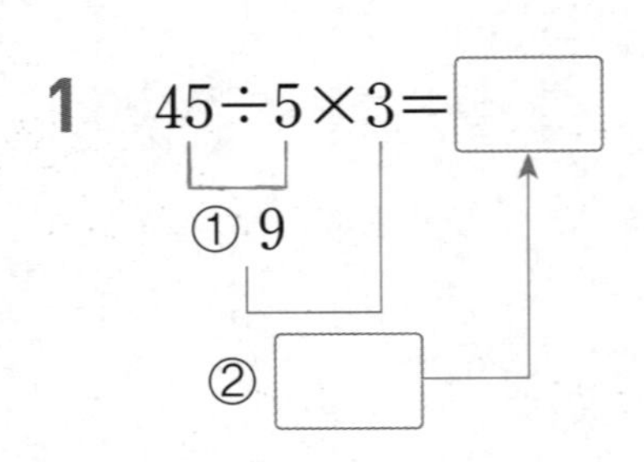

2 $15 \times 8 \div (10 \div 2) = \square$

② 120 ① 5

③ $\square$

3 $48 \div 3 \times 8$

4 $75 \div (5 \times 5)$

5 $128 \div (4 \times 4)$

6 $144 \div 12 \div 2 \times 6$

7 $16 \div (32 \div 16) \times 9$

8 $150 \div (5 \times 6) \times 4$

9 $105 \div (7 \times 3) \times 17$

10 $64 \div (16 \div 2) \times 13$

계산 결과를 찾아 선으로 이으세요.

11

$24\times2\div8$	96
$24\times8\div2$	48
	6

12

$45\div5\times3$	5
$45\div3\times5$	27
	75

13

$56\div7\times2$	4
$56\div(7\times2)$	8
	16

14

$36\div6\times3$	1
$36\div(6\times3)$	2
	18

15

$10\times6\div(3\times4)$	5
$10\times(6\div3)\times4$	40
	80

16

$6\times18\div(9\div3)$	2
$6\times(18\div9)\div3$	4
	36

생활 속 연산

어느 제과점에서 한 판에 30개씩 들어 있는 달걀을 40판 샀습니다. 하루에 달걀을 200개씩 사용한다면 며칠 동안 사용할 수 있는지 구하세요.

(　　　　　　　　)

DAY 07

1단계 자연수의 혼합 계산

3. 덧셈, 뺄셈, 곱셈이 섞여 있는 식

예 15+7−2×6의 계산

$$15+7-2\times6=15+7-12$$
$$=22-12$$
$$=10$$

① 2×6 ② $15+7$ ③ $22-12$

덧셈, 뺄셈, 곱셈이 섞여 있는 식은 곱셈을 가장 먼저 계산해!

가장 먼저 계산해야 하는 부분에 ○표 하세요.

1 $21-4\times5+11$

2 $11+35-6\times7$

3 $15+8\times7-40$

4 $88-63+9\times5$

5 $25+7-9\times3$

6 $75-8\times6+11$

7 $9\times8-62+21$

8 $30-22+4\times9$

9 $15+12\times5-43$

10 $37+18-11\times4$

보기 와 같이 계산 순서를 나타내고, 계산을 하세요.

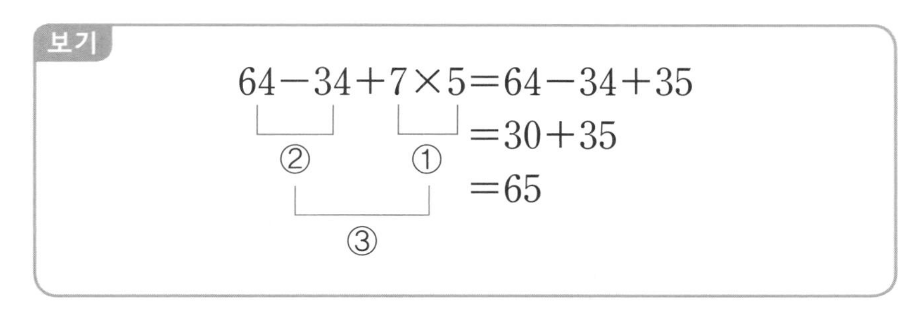

11 $13+7\times9-47$

12 $40-23+12\times3$

13 $22-6\times3+30$

14 $11+13\times2-21$

15 $65-42+8\times4$

16 $25+14-9\times3$

17 $22+14\times3-35$

18 $87-64+4\times18$

3. 덧셈, 뺄셈, 곱셈이 섞여 있는 식

예 $78-3\times(8+7)$의 계산

$$78-3\times(8+7)=78-3\times15$$
$$=78-45$$
$$=33$$

①, ②, ③ (계산 순서)

덧셈, 뺄셈, 곱셈이 섞여 있고
( )가 있는 식에서는
( ) 안을 가장 먼저 계산해!

가장 먼저 계산해야 하는 부분에 ○표 하세요.

1 $40-(11+3)\times2$

2 $20+(35-17)\times3$

3 $(23-9)\times5+12$

4 $11\times(16-9)+33$

5 $90-5\times(7+9)$

6 $23+9\times(15-6)$

7 $(88-64)\times7+2$

8 $15+(32-17)\times7$

9 $37+12\times(13-8)$

10 $12\times(11-7)+46$

보기 와 같이 계산 순서를 나타내고, 계산을 하세요.

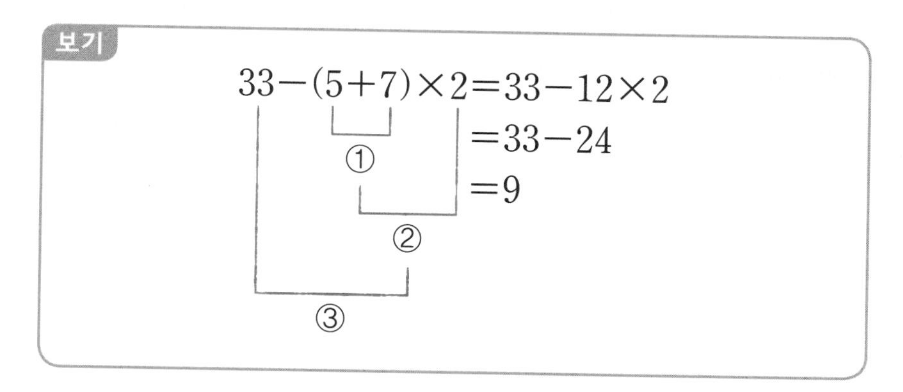

11 $99-7\times(9+2)$

12 $8\times(23-14)+14$

13 $(30-16)\times8+19$

14 $41+5\times(32-21)$

15 $77-(12+8)\times3$

16 $13\times(14-9)+24$

17 $9\times15-(14+47)$

18 $28+6\times(31-15)$

3. 덧셈, 뺄셈, 곱셈이 섞여 있는 식

계산을 하세요.

1 $14+11\times(33-28)$

2 $22+44-3\times18$

3 $60-11\times4+35$

4 $38+7\times(35-26)$

5 $24+(50-8\times2)$

6 $61-23+3\times11$

7 $17\times3-(18+27)$

8 $32+(43-19)\times4$

9 $18\times(4+2)-17$

10 $67-18+6\times14$

11 $6\times(30-16+9)$

12 $45+(39-17)\times3$

계산을 하세요.

13

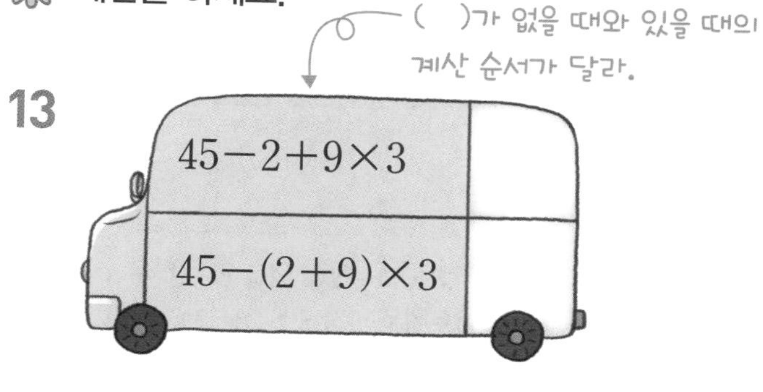

14

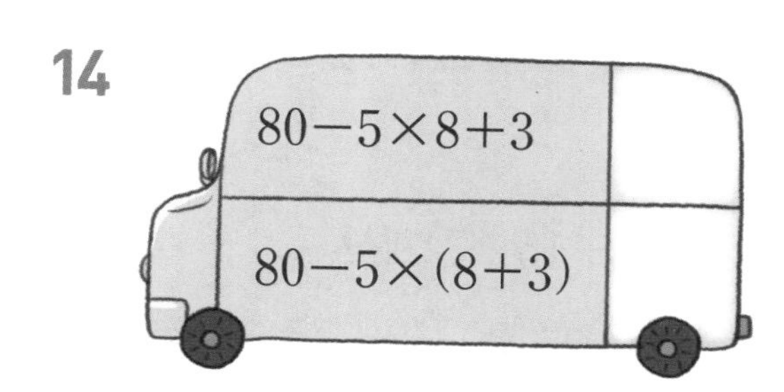

15

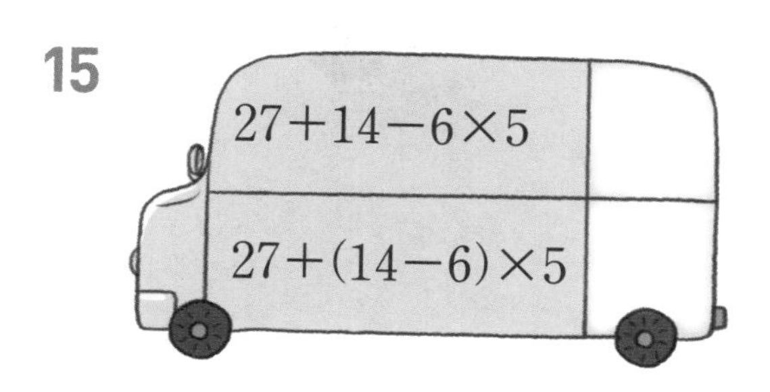

16

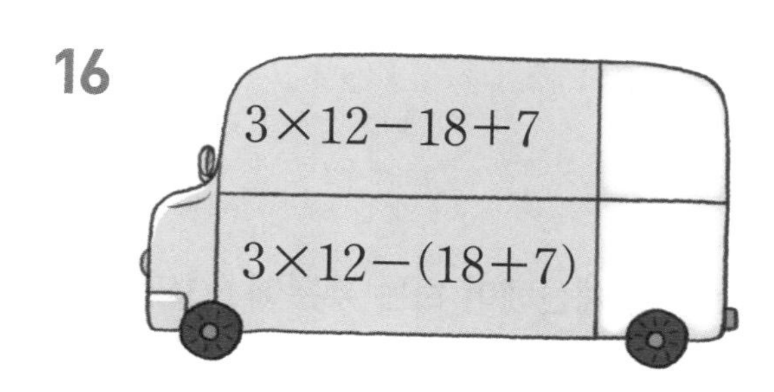

17

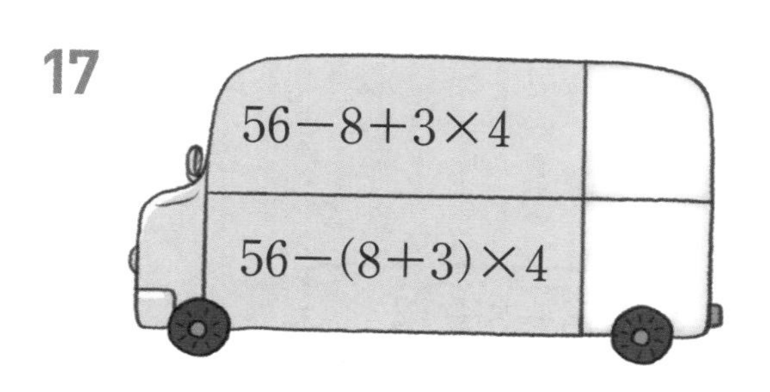

18

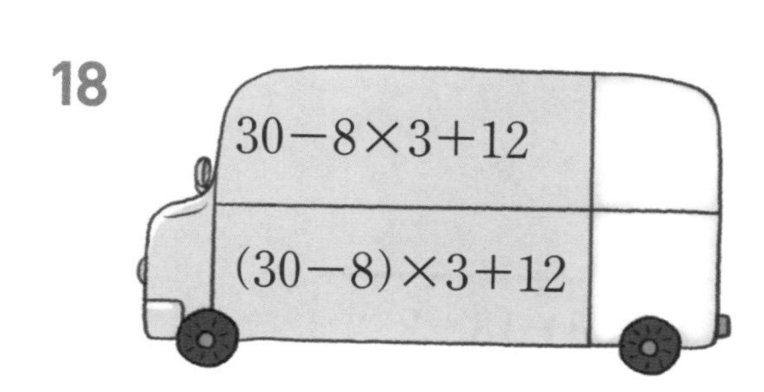

생활 속 연산

소영이네 집에서 할머니 댁까지의 거리는 183 km입니다. 자동차로 한 시간에 80 km를 가는 빠르기로 소영이네 집에서 할머니 댁까지 가고 있습니다. 지금까지 2시간을 달렸다면 앞으로 남은 거리는 몇 km인지 구하세요.

(   )

DAY 10

◎ 1단계 자연수의 혼합 계산

4. 덧셈, 뺄셈, 나눗셈이 섞여 있는 식

예 $20-8+15\div3$ 계산

$$20-8+15\div3=20-8+5$$
$$=12+5$$
$$=17$$

① $15\div3$ ② $20-8$ ③ $12+5$

덧셈, 뺄셈, 나눗셈이 섞여 있는 식은 나눗셈을 가장 먼저 계산해!

가장 먼저 계산해야 하는 부분에 ○표 하세요.

1 $12+24\div4-9$

2 $32-21\div7+11$

3 $8+20-18\div2$

4 $54\div6-8+13$

5 $34-15+72\div8$

6 $26+4-32\div4$

7 $60-49\div7+21$

8 $11+81\div3-14$

9 $72\div4-10+9$

10 $56+45\div15-10$

보기 와 같이 계산 순서를 나타내고, 계산을 하세요.

보기

$$49-13+56\div 8=49-13+7$$
$$=36+7$$
$$=43$$

② (49−13), ① (56÷8), ③

11 $23-10+49\div 7$

12 $30-42\div 3+8$

13 $41+16\div 2-15$

14 $54-22+63\div 9$

15 $38+14-64\div 4$

16 $81\div 3-17+35$

17 $69-28\div 4+11$

18 $73+96\div 6-23$

1단계 자연수의 혼합 계산

4. 덧셈, 뺄셈, 나눗셈이 섞여 있는 식

예 $(36-15)\div3+8$의 계산

$$(36-15)\div3+8=21\div3+8$$
$$=7+8$$
$$=15$$

① $36-15$, ② $\div3$, ③ $+8$

덧셈, 뺄셈, 나눗셈이 섞여 있고
( )가 있는 식에서는
( ) 안을 가장 먼저 계산해!

가장 먼저 계산해야 하는 부분에 ○표 하세요.

1 $16-(8+6)\div2$

2 $(4+20)\div4-3$

3 $23+36\div(11-5)$

4 $11+48\div(13-9)$

5 $48-(21+24)\div5$

6 $72\div(12-4)+16$

7 $34+66\div(15-12)$

8 $54-16\div(2+6)$

9 $72\div(8+4)-5$

10 $80-(12+13)\div5$

보기 와 같이 계산 순서를 나타내고, 계산을 하세요.

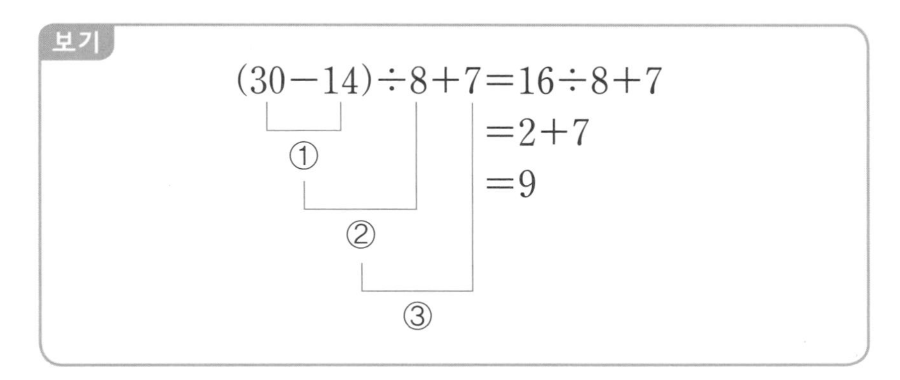

11 $(35+14)\div7-3$

12 $29-(42+13)\div5$

13 $46-84\div(11+3)$

14 $15+(56-11)\div9$

15 $81\div(12-3)+20$

16 $48-(26+58)\div12$

17 $(64+24)\div4-17$

18 $51+92\div(27-4)$

4. 덧셈, 뺄셈, 나눗셈이 섞여 있는 식

계산을 하세요.

1 $58\div2-19+15$

2 $32-(45+25)\div7$

3 $(34+78)\div8-5$

4 $29+31-96\div12$

5 $56-72\div4+11$

6 $77-(20+36\div4)$

7 $63+40-94\div2$

8 $84\div4-14+38$

9 $(80-8)\div6+54$

10 $98\div(5+9)-6$

11 $74-(28+51\div3)$

12 $62-64\div8+31$

계산을 하세요.

( )가 없을 때와 있을 때의 계산 순서가 달라.

13

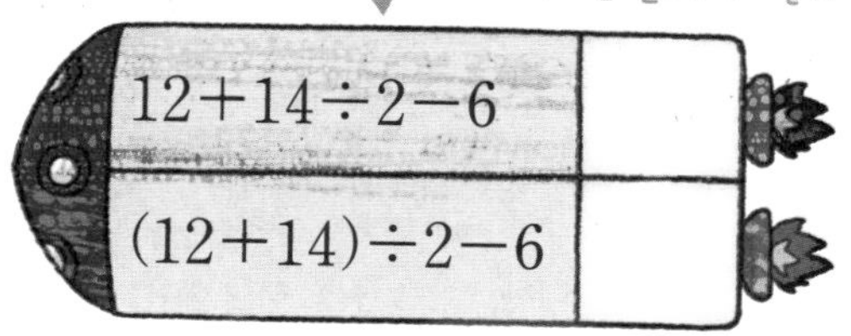

14

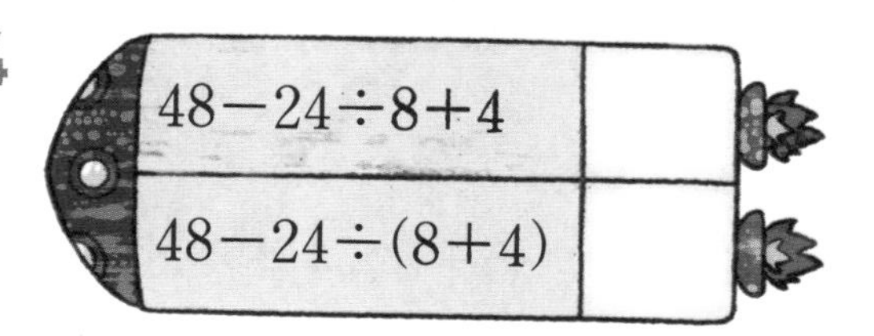

15

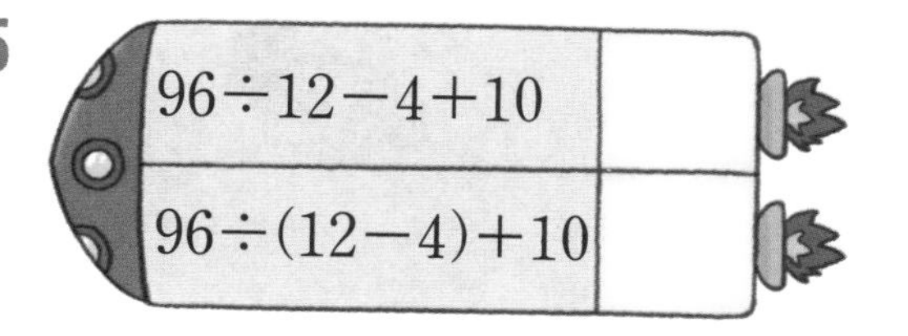

16

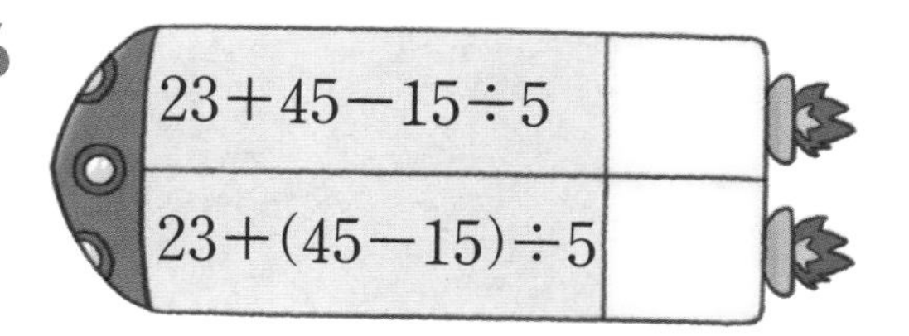

17

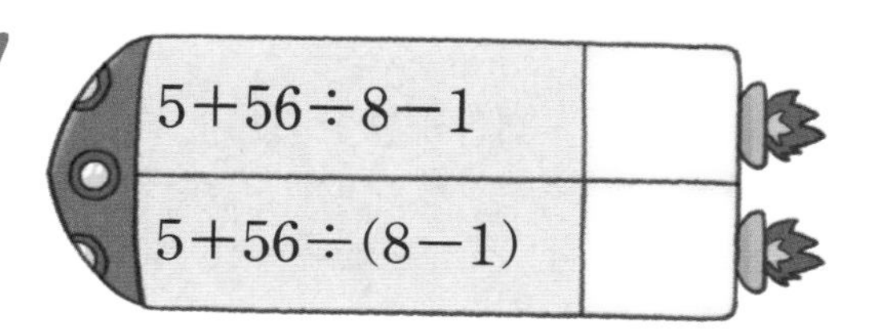

18

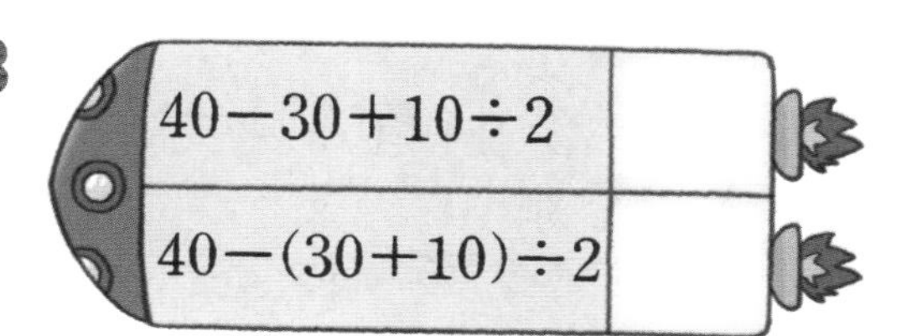

19

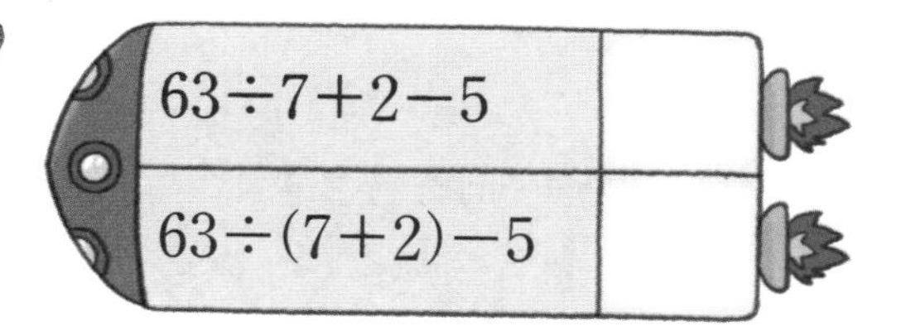

20

25+35÷5−10

(25+35)÷5−10

생활 속 연산

오른쪽은 하민이가 산 물건의 영수증입니다. 케이크 1개의 가격은 우유 1개와 과자 1개의 가격을 더한 것보다 얼마나 더 비싼지 구하세요.

( )

2021/12/21 19:15:39[화] NO:0237

상품명	수량	가격(원)
우유	2	3,400
과자	1	950
케이크	1	7,800

5. 덧셈, 뺄셈, 곱셈, 나눗셈이 섞여 있는 식

예 $15-20\div5+3\times4$의 계산

$$15-20\div5+3\times4=15-4+3\times4$$
$$=15-4+12$$
$$=11+12$$
$$=23$$

① $20\div5$ ② 3×4 ③ $15-4$ ④ $11+12$

덧셈, 뺄셈, 곱셈, 나눗셈이 섞여 있는 식은 곱셈과 나눗셈을 먼저 계산해!

계산 순서에 맞게 기호를 쓰세요.

1

$20-7\times2+40\div5$

(↑ ㉠ at −, ㉡ at ×, ㉢ at +, ㉣ at ÷)

( )

2

$5\times7-18\div9+10$

(↑ ㉠ at ×, ㉡ at −, ㉢ at ÷, ㉣ at +)

( )

3

$14+42\div7\times5-22$

(↑ ㉠ at +, ㉡ at ÷, ㉢ at ×, ㉣ at −)

( )

4

$24\div6+35-3\times11$

(↑ ㉠ at ÷, ㉡ at +, ㉢ at −, ㉣ at ×)

( )

5

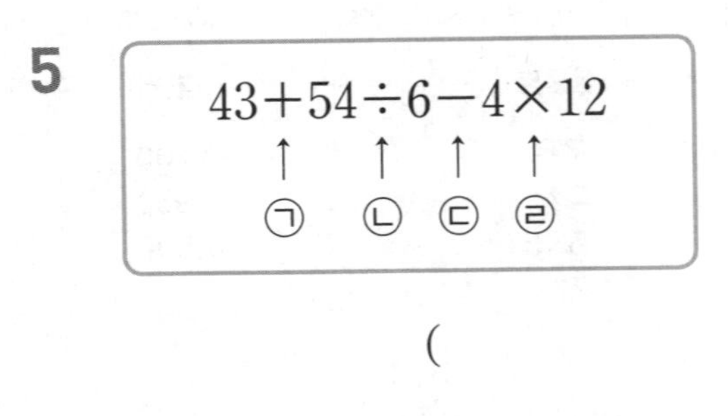

( )

6

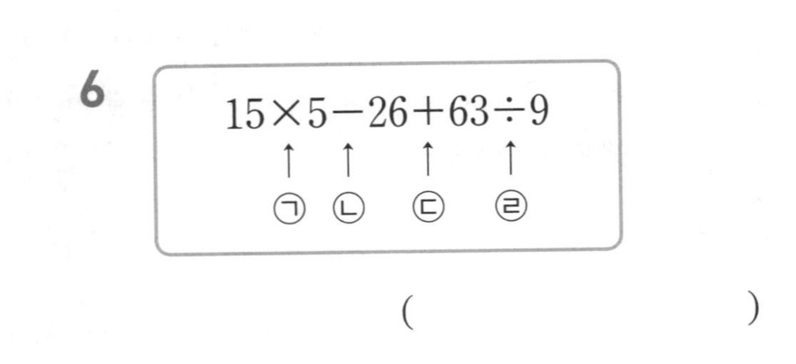

( )

공부한 날 　　월 　　일

보기 와 같이 계산 순서를 나타내고, 계산을 하세요.

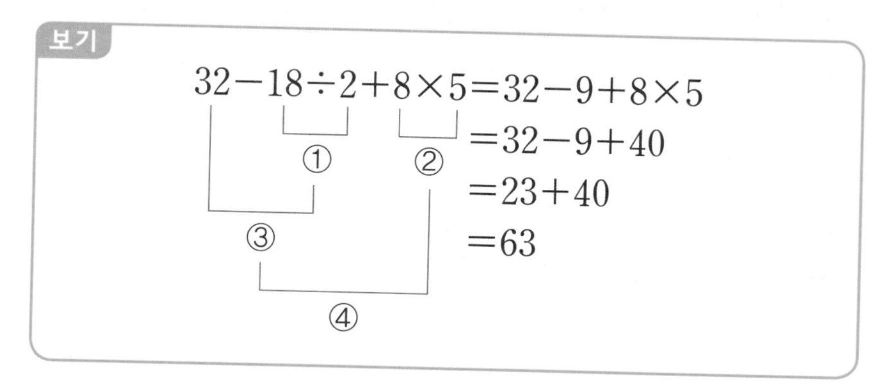

7 $20+3\times12\div6-17$

8 $35+21-40\div8\times7$

9 $60-4\times13+25\div5$

10 $13\times7-30+28\div4$

11 $96\div12+3\times16-20$

12 $54+63\div9-18\times2$

13 $11\times7-72\div4+15$

14 $67+84\div12-3\times14$

5. 덧셈, 뺄셈, 곱셈, 나눗셈이 섞여 있는 식

예 $96\div3-(2+3)\times4$의 계산

$$96\div3-(2+3)\times4=96\div3-5\times4$$
$$=32-5\times4$$
$$=32-20$$
$$=12$$

① $(2+3)$ ② $96\div3$ ③ 5×4 ④ $32-20$

계산 순서에 맞게 기호를 쓰세요.

1 $12+39\div(16-3)\times5$ (㉠ +, ㉡ ÷, ㉢ −, ㉣ ×)

( )

2 $46-4\times(9+3)\div6$ (㉠ −, ㉡ ×, ㉢ +, ㉣ ÷)

( )

3 $96\div4+(36-15)\times3$ (㉠ ÷, ㉡ +, ㉢ −, ㉣ ×)

( )

4 $(42-35)\times6+36\div4$ (㉠ −, ㉡ ×, ㉢ +, ㉣ ÷)

( )

5 $69+4\times(21-11)\div5$ (㉠ +, ㉡ ×, ㉢ −, ㉣ ÷)

( )

6 $56\div(31-23)+5\times18$ (㉠ ÷, ㉡ −, ㉢ +, ㉣ ×)

( )

보기 와 같이 계산 순서를 나타내고, 계산을 하세요.

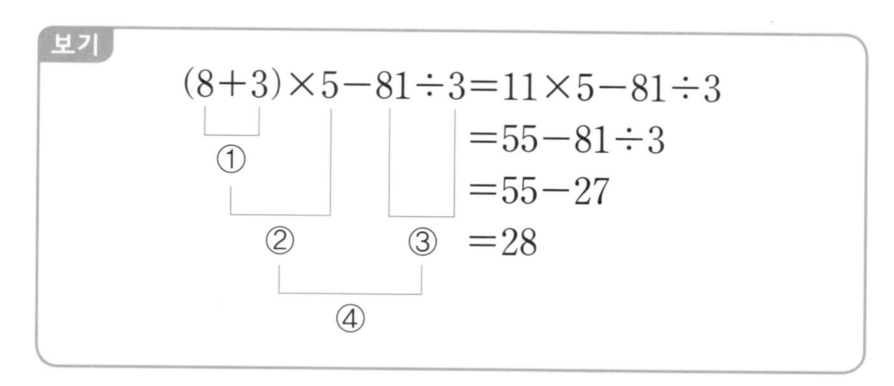

7 $23+5\times(38-24)\div7$

8 $6\times14-(65+31)\div8$

9 $(12+4)\times3-75\div15$

10 $40-60\div(8+4)\times3$

11 $72\div8+2\times(20-15)$

12 $(41+63)\div4-3\times7$

13 $37+96\div(12-4)\times5$

14 $12\times6-(34+29)\div3$

DAY 15

5. 덧셈, 뺄셈, 곱셈, 나눗셈이 섞여 있는 식

계산을 하세요.

1 $15\times3-21+12\div6=\square$

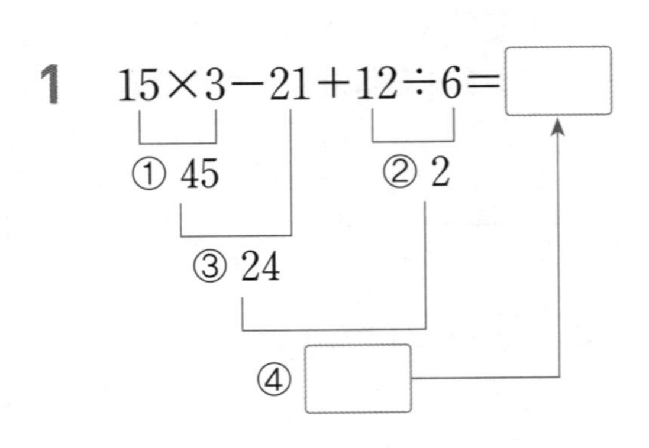

2 $(80-20)\div5+8\times4=\square$

① 60
② 12
③ 32
④ $\square$

3 $43-56\div7+3\times6$

4 $27+3\times(40-28)\div4$

5 $37+45\div3-5\times8$

6 $96\div(8+4)\times14-39$

7 $92\div4-17+8\times12$

8 $(66-18)\div6+5\times11$

9 $72\div18+9\times(33-27)$

10 $80\div(40-3\times9+7)$

알맞은 계산 결과에 ○표 하세요.

11

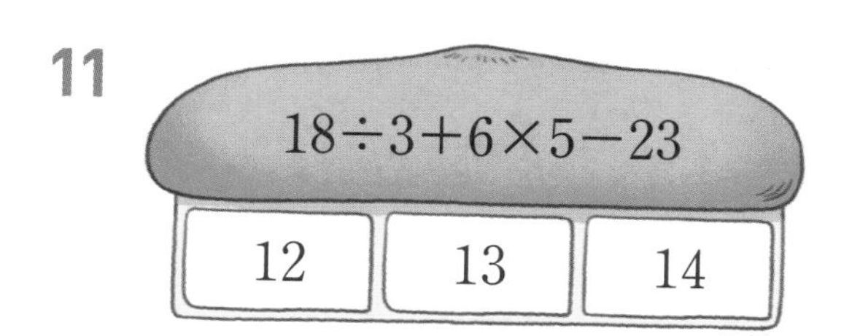

12

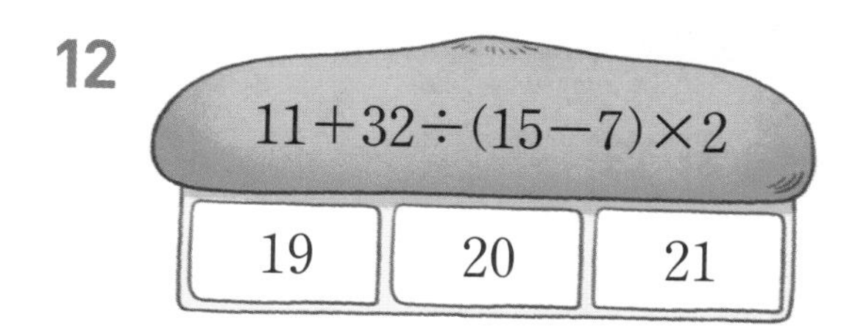

13

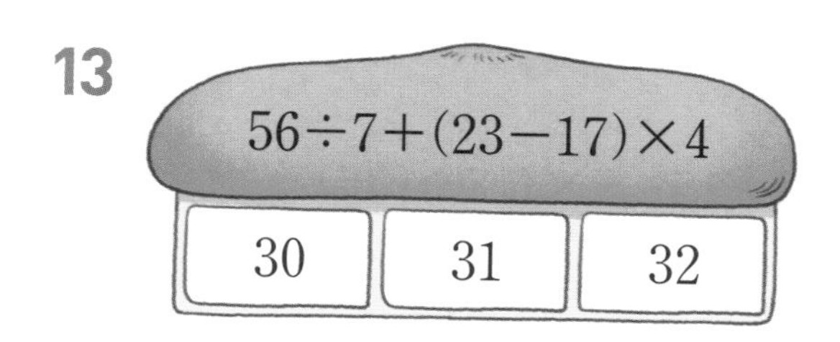

14

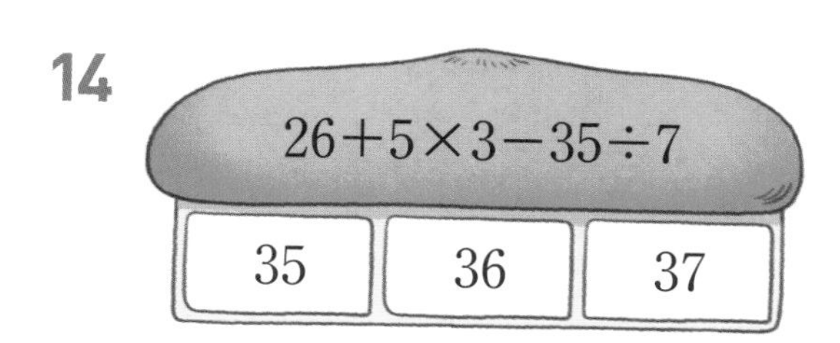

15

$(45-17)\div2+3\times16$

62	63	65

16

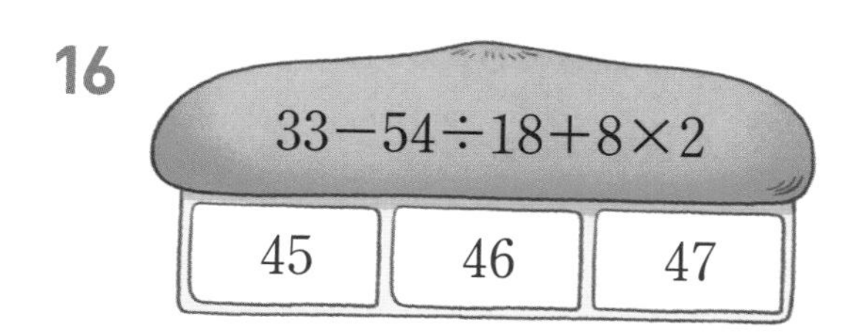

17

$43+12\times4-57\div3$

70	71	72

18

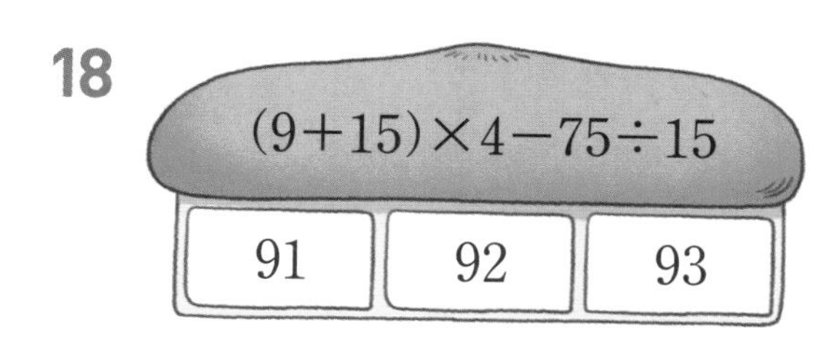

19

$32+8\div(15-11)\times6$

44	45	46

20

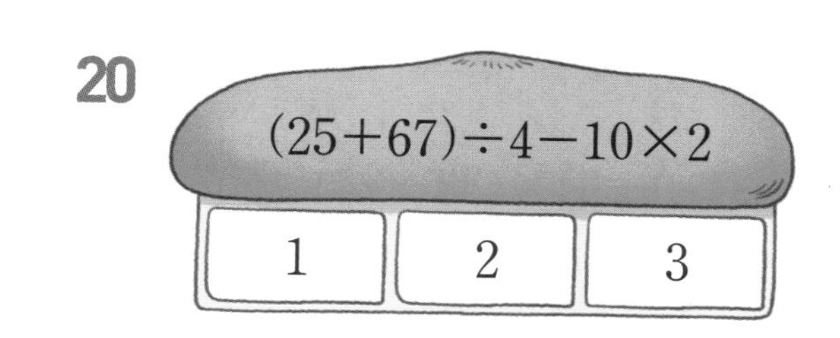

1단계 자연수의 혼합 계산

5. 덧셈, 뺄셈, 곱셈, 나눗셈이 섞여 있는 식

계산을 하세요.

1 $20-4\times(2+14)\div8$

2 $(35+43)\div3-2\times6$

3 $63\div9+27-6\times3$

4 $23+15-5\times(18\div9)$

5 $37+16\div(55-51)\times3$

6 $99\div11+2\times8-12$

7 $61-7\times4+16\div4$

8 $(64+35)\div3-10\times2$

9 $72\div(64-7\times8)+18$

10 $98\div(36-22)+7\times5$

11 $75\div(10+5)\times(33-24)$

12 $98-75\div15\times(12+4)$

계산을 하세요.

( )가 없을 때와 있을 때의 계산 순서가 달라.

13

$96 \div 3 - 2 + 5 \times 4$	
$96 \div 3 - (2+5) \times 4$	

14

$37 + 3 \times 20 - 8 \div 4$	
$37 + 3 \times (20-8) \div 4$	

15

$46 + 54 \div 18 - 12 \times 3$	
$46 + 54 \div (18-12) \times 3$	

16

$60 - 30 \div 10 + 14 \times 6$	
$(60-30) \div 10 + 14 \times 6$	

17

$27 + 45 \div 3 \times 5 - 13$	
$27 + 45 \div (3 \times 5) - 13$	

18

$86 - 12 \times 4 + 10 \div 2$	
$86 - 12 \times (4+10) \div 2$	

19

$36 \div 9 \times 24 - 12 + 10$	
$36 \div 9 \times (24-12) + 10$	

20

$15 \times 5 - 72 \div 12 + 6$	
$15 \times 5 - 72 \div (12+6)$	

생활 속 연산

온도를 나타내는 단위에는 섭씨(℃)와 화씨(℉)가 있습니다. 화씨온도에서 32를 뺀 수에 5를 곱하고 9로 나누면 섭씨온도가 됩니다. 현재 화씨온도가 77 ℉라면 섭씨온도는 몇 도(℃)인지 구하세요.

°F 120 100 80 60 40 20 0 20

( )

DAY 17

1단계 자연수의 혼합 계산

마무리 연산

계산을 하세요.

1 $52-17+33$

2 $84+29-54$

3 $60-(12+25)$

4 $73-(27+31)$

5 $45-19+32-37$

6 $52-(37-22)+19$

7 $36\div4\times8$

8 $40\times6\div12$

9 $104\div(2\times4)$

10 $75\div(3\times5)$

11 $15\times16\div3\div8$

12 $180\div(3\times4)\div5$

계산을 하세요.

13 $36-8\times3+11$

14 $7+13\times(41-28)$

15 $15\times4-(17+23)$

16 $(40-12)\times3+22$

17 $57-9\times3+19$

18 $25+14\times8-98$

19 $38-22+13\times4$

20 $9\times(24-18)+37$

21 $27+13\times5-41$

22 $11\times(41-34)+16$

23 $33+(20-8)\times3$

24 $84-52+9\times8$

DAY 18

1단계 자연수의 혼합 계산

마무리 연산

계산을 하세요.

1 $43-26+48\div6$

2 $30+(40-20)\div10$

3 $21+3-18\div9$

4 $(57-9)\div8+11$

5 $56-72\div(12+6)$

6 $43+72\div18-11$

7 $78\div(23-10)+38$

8 $21+34-84\div7$

9 $65\div5+48-27$

10 $53-12+42\div7$

11 $75\div(30-5)+14$

12 $66-35\div7+18$

계산을 하세요.

13 $32+4\times13-60\div5$

14 $64\div4+3\times(31-19)$

15 $12\times7+81\div9-42$

16 $51-(48\div8+7)\times3$

17 $(81+55)\div4-3\times8$

18 $36+74\div2-12\times5$

19 $63\div(29-22)+11\times6$

20 $8\times15-(52+23)\div3$

21 $88\div44+(21-15)\times7$

22 $3\times(24-72\div6)+39$

23 $5\times7-(20+49)\div3$

24 $27+120\div(32-27)\times3$

2

약수와 배수

학습 결과와 시간을 써 보세요!

학습 내용	학습 회차	맞힌 개수/걸린 시간
1. 약수와 배수	DAY 01	/
	DAY 02	/
2. 약수와 배수의 관계	DAY 03	/
	DAY 04	/
3. 공약수와 최대공약수	DAY 05	/
	DAY 06	/
	DAY 07	/
4. 공배수와 최소공배수	DAY 08	/
	DAY 09	/
	DAY 10	/
마무리 연산	DAY 11	/
	DAY 12	/

1. 약수와 배수

예 6의 약수 구하기

$6 \div 1 = 6$	$6 \div 2 = 3$	$6 \div 3 = 2$
$6 \div 4 = 1 \cdots 2$	$6 \div 5 = 1 \cdots 1$	$6 \div 6 = 1$

➔ 6의 약수: 1, 2, 3, 6

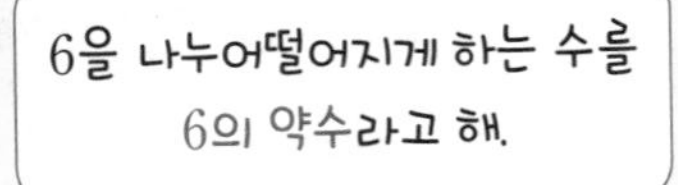

□ 안에 알맞은 수를 써넣고 약수를 모두 구하세요.

1

$8 \div \square = 8$　$8 \div \square = 4$

$8 \div \square = 2$　$8 \div \square = 1$

8의 약수: ______________________

2

$15 \div \square = 15$　$15 \div \square = 5$

$15 \div \square = 3$　$15 \div \square = 1$

15의 약수: ______________________

3

$21 \div \square = 21$　$21 \div \square = 7$

$21 \div \square = 3$　$21 \div \square = 1$

21의 약수: ______________________

4

$34 \div \square = 34$　$34 \div \square = 17$

$34 \div \square = 2$　$34 \div \square = 1$

34의 약수: ______________________

5

$20 \div \square = 20$　$20 \div \square = 10$

$20 \div \square = 5$　$20 \div \square = 4$

$20 \div \square = 2$　$20 \div \square = 1$

20의 약수: ______________________

6

$45 \div \square = 45$　$45 \div \square = 15$

$45 \div \square = 9$　$45 \div \square = 5$

$45 \div \square = 3$　$45 \div \square = 1$

45의 약수: ______________________

약수를 모두 구하세요.

7 10의 약수

8 14의 약수

9 18의 약수

10 24의 약수

11 25의 약수

12 32의 약수

13 36의 약수

14 40의 약수

15 56의 약수

16 81의 약수

1. 약수와 배수

예 6의 배수 구하기

$6\times1=6$ $6\times2=12$ $6\times3=18$
$6\times4=24$ $6\times5=30$ $6\times6=36$

➔ 6의 배수: 6, 12, 18, 24, 30, 36……

6을 1배, 2배, 3배……한 수를 6의 배수라고 해.

□ 안에 알맞은 수를 써넣고 배수를 가장 작은 수부터 4개씩 쓰세요.

1

$2\times1=$ □ $2\times2=$ □
$2\times3=$ □ $2\times4=$ □

2의 배수: ______

2

$4\times1=$ □ $4\times2=$ □
$4\times3=$ □ $4\times4=$ □

4의 배수: ______

3

$7\times1=$ □ $7\times2=$ □
$7\times3=$ □ $7\times4=$ □

7의 배수: ______

4

$8\times1=$ □ $8\times2=$ □
$8\times3=$ □ $8\times4=$ □

8의 배수: ______

5

$11\times1=$ □ $11\times2=$ □
$11\times3=$ □ $11\times4=$ □

11의 배수: ______

6

$15\times1=$ □ $15\times2=$ □
$15\times3=$ □ $15\times4=$ □

15의 배수: ______

배수를 가장 작은 수부터 5개씩 구하세요.

7 9의 배수

8 10의 배수

9 12의 배수

10 18의 배수

11 22의 배수

12 25의 배수

13 27의 배수

14 30의 배수

15 33의 배수

16 45의 배수

2. 약수와 배수의 관계

예 12를 두 수의 곱으로 나타내어 약수와 배수의 관계 알아보기

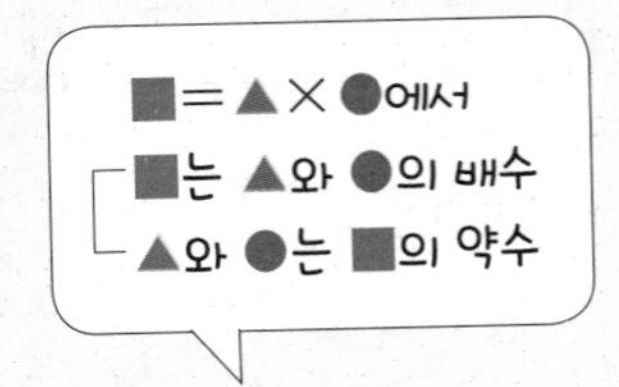

$12=1\times12$　$12=2\times6$　$12=3\times4$

➔ 12는 1, 2, 3, 4, 6, 12의 배수입니다.
　 1, 2, 3, 4, 6, 12는 12의 약수입니다.

식을 보고 □ 안에 알맞은 수를 써넣으세요.

1

$21=3\times7$

- 21은 3과 □의 배수입니다.
- 3과 7은 □의 약수입니다.

2

$32=4\times8$

- 32는 □와/과 □의 배수입니다.
- 4와 8은 □의 약수입니다.

3

$45=5\times9$

- 45는 □와/과 □의 배수입니다.
- 5와 9는 □의 약수입니다.

4

$15=3\times5$

- 15는 □와/과 □의 배수입니다.
- 3과 5는 □의 약수입니다.

5

$63=7\times9$

- 63은 □와/과 □의 배수입니다.
- 7과 9는 □의 약수입니다.

6

$72=6\times12$

- 72는 □와/과 □의 배수입니다.
- 6과 12는 □의 약수입니다.

두 수의 곱으로 나타낸 식을 보고 약수와 배수의 관계를 쓰세요.

7

$20=1\times20$, $20=2\times10$, $20=4\times5$

20은 1, 2, 4, ☐, ☐, 20의 배수이고,

1, 2, 4, ☐, ☐, 20은 20의 약수입니다.

8

$24=1\times24$, $24=2\times12$, $24=3\times8$, $24=4\times6$

24는 1, 2, 3, ☐, ☐, ☐, ☐, 24의 배수이고,

1, 2, 3, ☐, ☐, ☐, ☐, 24는 24의 약수입니다.

9

$16=1\times16$, $16=2\times8$, $16=4\times4$

16은 ☐의 배수이고,

☐은/는 16의 약수입니다.

10

$28=1\times28$, $28=2\times14$, $28=4\times7$

28은 ☐의 배수이고,

☐은/는 28의 약수입니다.

11

$30=1\times30$, $30=2\times15$, $30=3\times10$, $30=5\times6$

30은 ☐의 배수이고,

☐은/는 30의 약수입니다.

2. 약수와 배수의 관계

두 수가 약수와 배수의 관계인 것에 ○표, 아닌 것에 ×표 하세요.

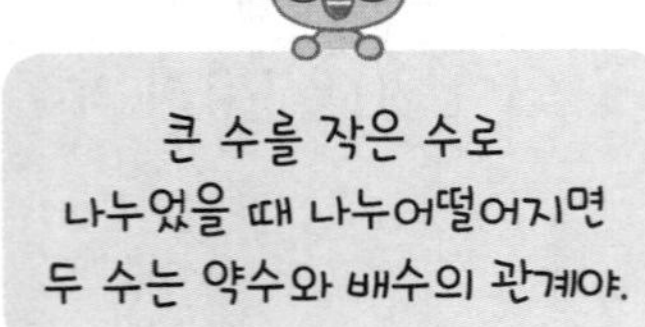

1

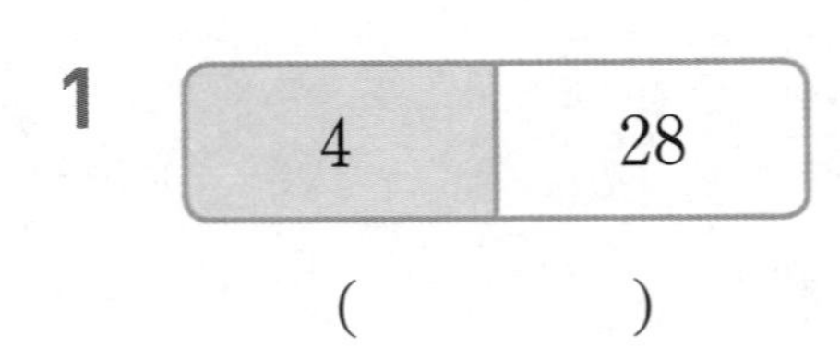

(　　　　)

2

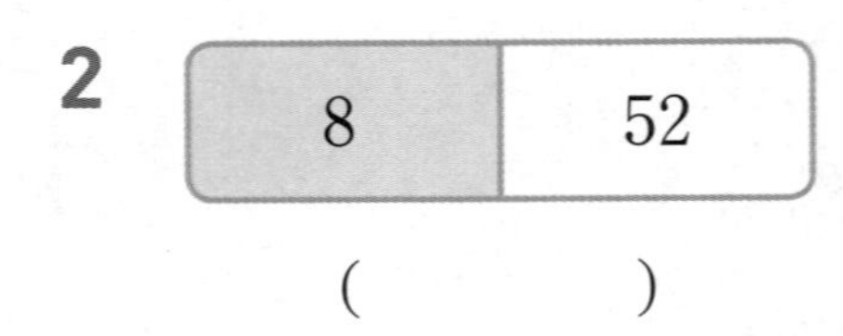

(　　　　)

3

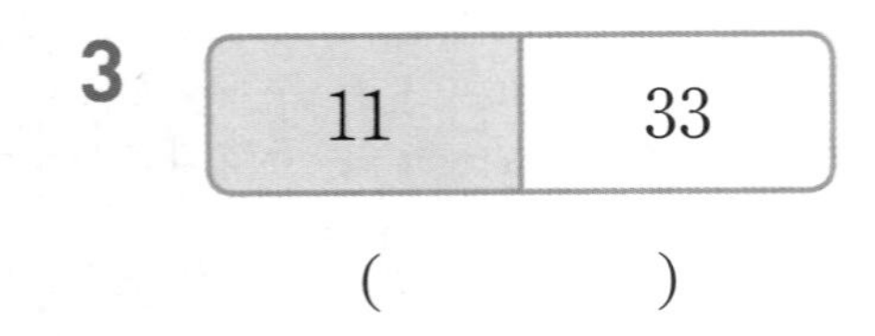

(　　　　)

4

13	67

(　　　　)

5

9	81

(　　　　)

6

15	90

(　　　　)

7

24	76

(　　　　)

8

72	18

(　　　　)

9

54	12

(　　　　)

10

96	16

(　　　　)

11

63	7

(　　　　)

두 수가 약수와 배수의 관계가 되도록 빈칸에 알맞은 수를 써넣으세요.

12

13

14

15

16

17

18

19

생활 속 연산

진유와 선호는 1부터 30까지 수가 적힌 카드를 각각 가지고 있습니다. 상대방이 카드를 내면 그 카드에 적힌 수의 약수인 카드를 내는 놀이입니다. 진유가 28이 적힌 카드를 냈을 때 선호가 낼 수 있는 카드의 수를 모두 쓰세요. (단, 같은 수가 적힌 카드는 낼 수 없습니다.)

( )

3. 공약수와 최대공약수

예 8과 12의 공약수와 최대공약수 구하기

8의 약수: 1, 2, 4, 8

12의 약수: 1, 2, 3, 4, 6, 12

➔ 8과 12의 공약수: 1, 2, 4

➔ 8과 12의 최대공약수: 4

두 수의 공통된 약수를 공약수라 하고
공약수 중에 가장 큰 수를 최대공약수라고 해.

□ 안에 알맞은 수를 써넣으세요.

1

10의 약수: 1, 2, 5, 10
15의 약수: 1, 3, 5, 15

10과 15의 공약수: □, □

10과 15의 최대공약수: □

2

16의 약수: 1, 2, 4, 8, 16
20의 약수: 1, 2, 4, 5, 10, 20

16과 20의 공약수: □, □, □

16과 20의 최대공약수: □

3

14의 약수: 1, 2, 7, 14
21의 약수: 1, 3, 7, 21

14와 21의 공약수: □, □

14와 21의 최대공약수: □

4

27의 약수: 1, 3, 9, 27
45의 약수: 1, 3, 5, 9, 15, 45

27과 45의 공약수: □, □, □

27과 45의 최대공약수: □

5

30의 약수: 1, 2, 3, 5, 6, 10, 15, 30
42의 약수: 1, 2, 3, 6, 7, 14, 21, 42

30과 42의 공약수: □, □, □, □

30과 42의 최대공약수: □

6

18의 약수: 1, 2, 3, 6, 9, 18
32의 약수: 1, 2, 4, 8, 16, 32

18과 32의 공약수: □, □

18과 32의 최대공약수: □

약수를 각각 구하여 두 수의 공약수와 최대공약수를 구하세요.

7

6의 약수	1, 2, 3, 6
14의 약수	1, 2, 7, 14

6과 14의 공약수: ____________

6과 14의 최대공약수: ____________

8

12의 약수	
18의 약수	

12와 18의 공약수: ____________

12와 18의 최대공약수: ____________

9

20의 약수	
30의 약수	

20과 30의 공약수: ____________

20과 30의 최대공약수: ____________

10

48의 약수	
64의 약수	

48과 64의 공약수: ____________

48과 64의 최대공약수: ____________

3. 공약수와 최대공약수

예 45와 75의 최대공약수 구하기

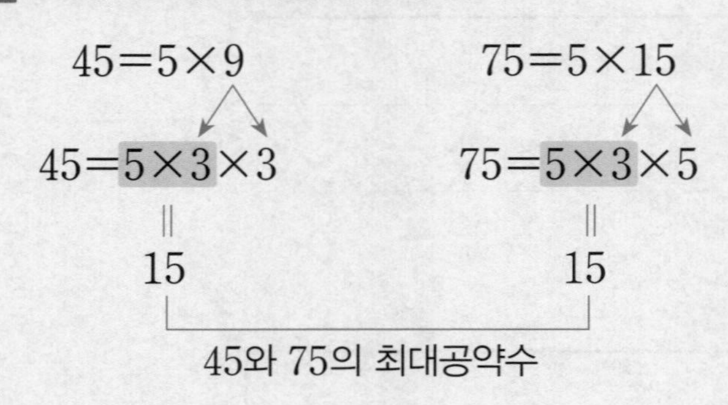

가장 작은 수들의 곱으로 나타낸 다음 공통된 부분을 찾아봐.

여러 수의 곱으로 나타낸 곱셈식을 보고 두 수의 최대공약수를 구하세요.

1

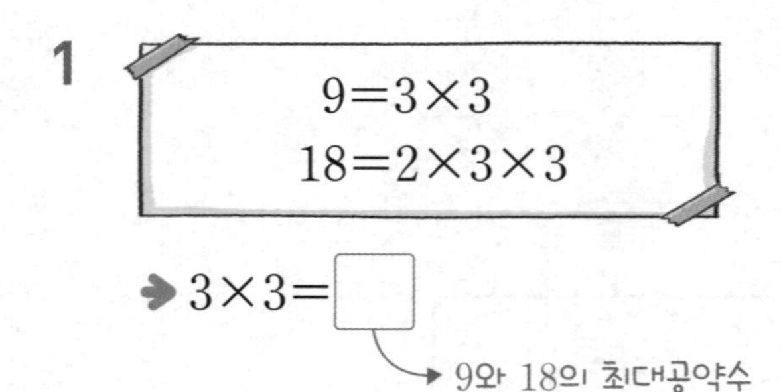

2

$12=2\times2\times3$

$28=2\times2\times7$

➔ □×□=□

3

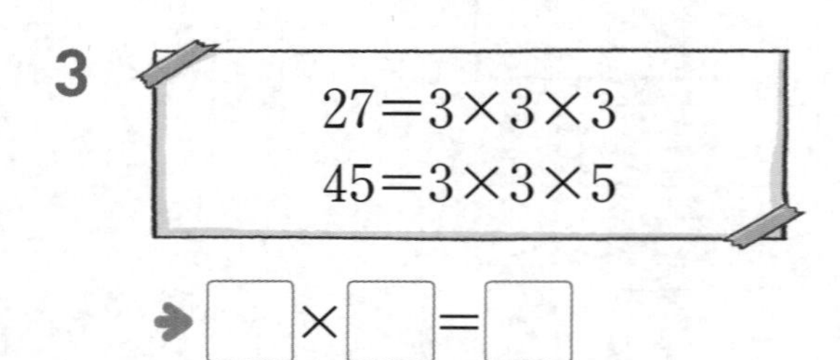

➔ □×□=□

4

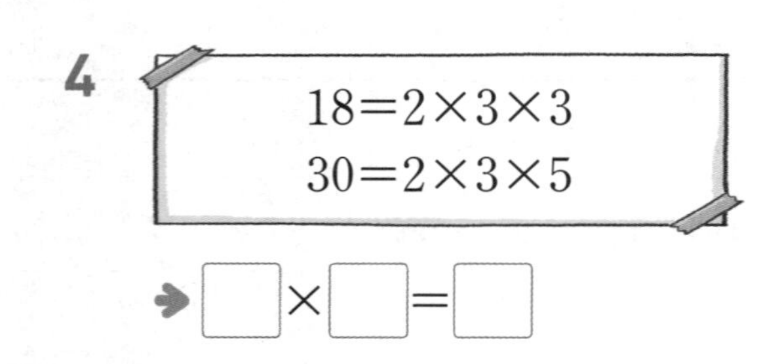

➔ □×□=□

5

$24=2\times2\times2\times3$

$40=2\times2\times2\times5$

➔ □×□×□=□

6

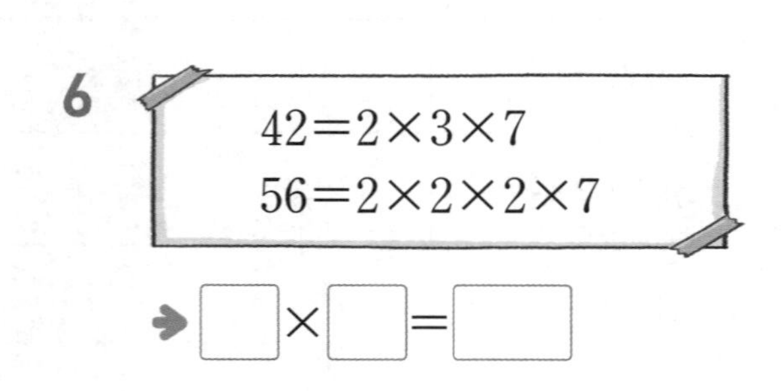

➔ □×□=□

보기 와 같은 방법으로 두 수의 최대공약수를 구하세요.

보기

18 24

$18=2\times3\times3$

$24=2\times2\times2\times3$

➔ 최대공약수: $2\times3=6$

7 21 35

21=

35=

➔ 최대공약수:

8 10 15

10=

15=

➔ 최대공약수:

9 28 32

28=

32=

➔ 최대공약수:

10 27 45

27=

45=

➔ 최대공약수:

11 14 42

14=

42=

➔ 최대공약수:

12 40 72

40=

72=

➔ 최대공약수:

3. 공약수와 최대공약수

예 45와 75의 최대공약수 구하기

45와 75의 공약수 → 5) 45 75
9와 15의 공약수 → 3) 9 15
3 5

➔ 45와 75의 최대공약수: $5 \times 3 = 15$

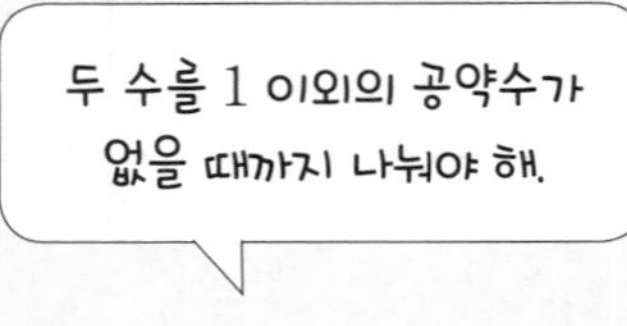

두 수의 최대공약수를 구하세요.

1

2) 20 28
2) 10 14
5 7

➔ $2 \times 2 = \square$ (20과 28의 최대공약수)

2

3) 45 60
5) 15 20
3 4

➔ $\square \times \square = \square$

3

2) 48 54
□) 24 27
8 9

➔ $\square \times \square = \square$

4

2) 16 36
□) 8 18
4 9

➔ $\square \times \square = \square$

5

2) 24 56
□) 12 28
□) 6 14
3 7

➔ $\square \times \square \times \square = \square$

6

2) 36 90
□) 18 45
□) 6 15
2 5

➔ $\square \times \square \times \square = \square$

두 수의 최대공약수를 구하세요.

7

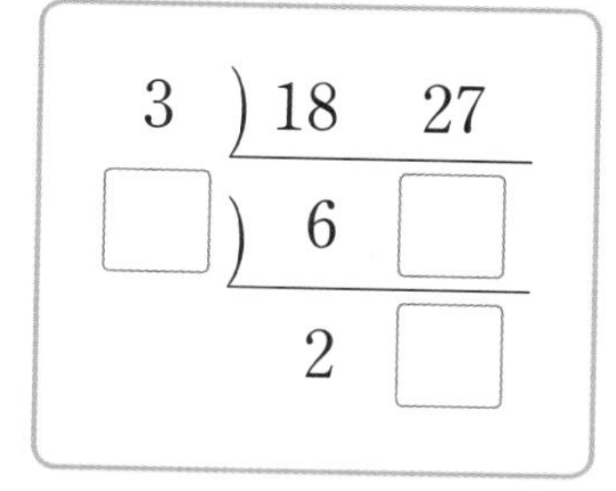

➔ 18과 27의 최대공약수: □

8

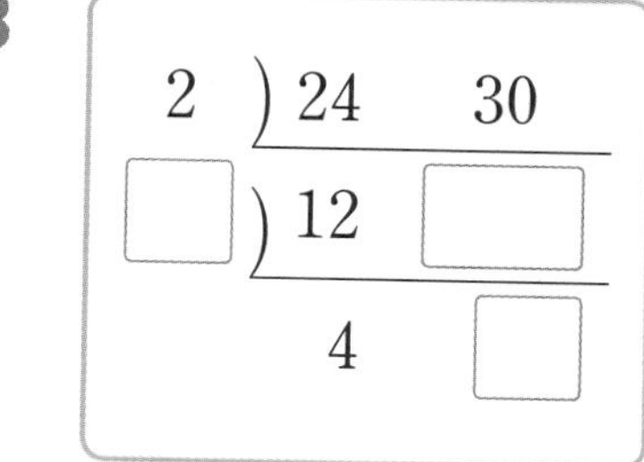

➔ 24와 30의 최대공약수: □

9

) 30 20

➔ 30과 20의 최대공약수: □

10

) 36 48

➔ 36과 48의 최대공약수: □

11

) 63 42

➔ 63과 42의 최대공약수: □

12

) 35 70

➔ 35와 70의 최대공약수: □

생활 속 연산

연필 72자루, 지우개 96개를 최대한 많은 상자에 남김없이 똑같이 나누어 담으려고 합니다.
최대 몇 상자에 나누어 담을 수 있는지 구하세요.

( )

4. 공배수와 최소공배수

예 6과 8의 공배수와 최소공배수 구하기

6의 배수: 6, 12, 18, 24, 30, 36, 42, 48, 54, 60, 66, 72……

8의 배수: 8, 16, 24, 32, 40, 48, 56, 64, 72……

➔ 6과 8의 공배수: 24, 48, 72……

➔ 6과 8의 최소공배수: 24

두 수의 공통된 배수를 공배수라 하고 공배수 중에서 가장 작은 수를 최소공배수라고 해.

□ 안에 알맞은 수를 써넣으세요.

1

3의 배수: 3, 6, 9, 12, 15, 18, 21, 24, 27, 30, 33, 36……
4의 배수: 4, 8, 12, 16, 20, 24, 28, 32, 36, 40……

3과 4의 공배수: □, □, □……

3과 4의 최소공배수: □

2

8의 배수: 8, 16, 24, 32, 40, 48, 56, 64, 72, 80……
12의 배수: 12, 24, 36, 48, 60, 72, 84……

8과 12의 공배수: □, □, □……

8과 12의 최소공배수: □

3

18의 배수: 18, 36, 54, 72, 90, 108, 126, 144, 162, 180……
27의 배수: 27, 54, 81, 108, 135, 162, 189……

18와 27의 공배수: □, □, □……

18와 27의 최소공배수: □

배수를 각각 구하여 두 수의 공배수를 가장 작은 수부터 3개 쓰고 최소공배수를 구하세요.

4

2의 배수	2, 4, 6, 8, 10, 12, 14, 16, 18, 20……
3의 배수	3, 6, 9, 12, 15, 18, 21, 24, 27, 30……

2와 3의 공배수: ______

2와 3의 최소공배수: ______

5

5의 배수	5, 10,
4의 배수	4, 8,

5와 4의 공배수: ______

5와 4의 최소공배수: ______

6

8의 배수	
10의 배수	

8과 10의 공배수: ______

8과 10의 최소공배수: ______

7

15의 배수	
20의 배수	

15와 20의 공배수: ______

15와 20의 최소공배수: ______

4. 공배수와 최소공배수

예 8과 12의 최소공배수 구하기

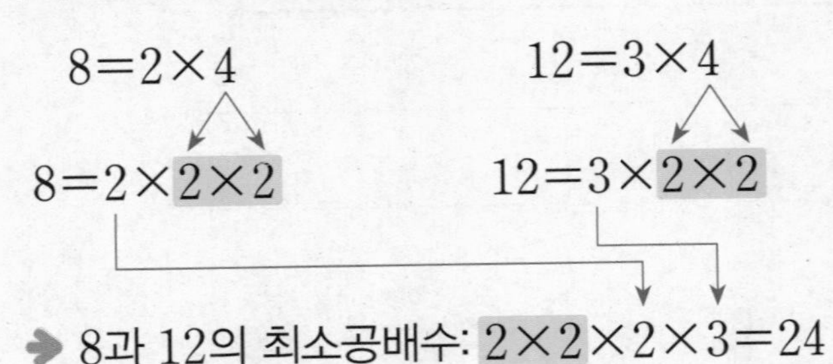

➔ 8과 12의 최소공배수: $2\times2\times2\times3=24$

가장 작은 수들의 곱으로 나타낸 다음 공통된 부분을 찾아봐.

여러 수의 곱으로 나타낸 곱셈식을 보고 두 수의 최소공배수를 구하세요.

1

$6=2\times3$
$9=3\times3$

➔ $3\times2\times3=$ □

6과 9의 최소공배수

2

$10=2\times5$
$15=3\times5$

➔ $5\times2\times3=$ □

3

$16=2\times2\times2\times2$
$20=2\times2\times5$

➔ $2\times2\times2\times$ □ $\times$ □ $=$ □

4

$21=3\times7$
$28=2\times2\times7$

➔ $7\times3\times$ □ $\times$ □ $=$ □

5

$12=2\times2\times3$
$18=2\times3\times3$

➔ $2\times3\times$ □ $\times$ □ $=$ □

6

$30=2\times3\times5$
$20=2\times2\times5$

➔ $2\times5\times$ □ $\times$ □ $=$ □

보기 와 같은 방법으로 두 수의 최소공배수를 구하세요.

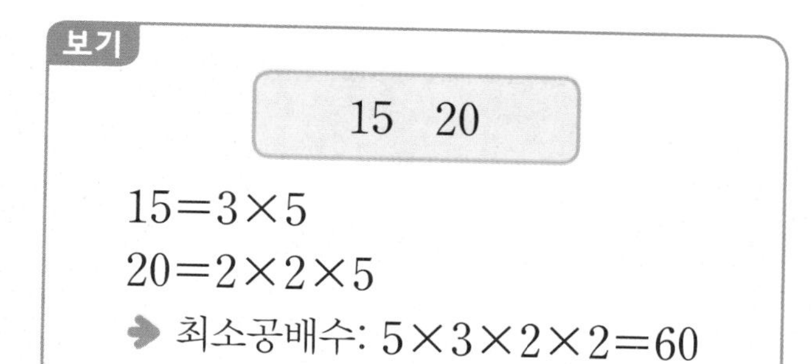

7 10 12

10=

12=

➔ 최소공배수:

8 15 18

15=

18=

➔ 최소공배수:

9 25 30

25=

30=

➔ 최소공배수:

10 45 27

45=

27=

➔ 최소공배수:

11 24 36

24=

36=

➔ 최소공배수:

12 42 70

42=

70=

➔ 최소공배수:

DAY 10

2단계 약수와 배수

4. 공배수와 최소공배수

예 8과 12의 최소공배수 구하기

8과 12의 공약수 → 2) 8 12

4와 6의 공약수 → 2) 4 6

2 3

➔ 8과 12의 최소공배수: $2\times2\times2\times3=24$

두 수의 최소공배수를 구하세요.

1

2) 16 12

2) 8 6

4 3

➔ $2\times2\times4\times3=$ ☐

→ 16과 12의 최소공배수

2

2) 20 30

5) 10 15

2 3

➔ $2\times5\times$ ☐ $\times$ ☐ $=$ ☐

3

3) 15 45

☐) 5 15

1 3

➔ $3\times$ ☐ $\times1\times$ ☐ $=$ ☐

4

2) 24 42

☐) 12 21

4 7

➔ $2\times3\times$ ☐ $\times$ ☐ $=$ ☐

5

2) 16 40

2) 8 20

☐) 4 10

2 5

➔ $2\times2\times$ ☐ $\times2\times$ ☐ $=$ ☐

6

2) 36 48

2) 18 24

☐) 9 12

3 4

➔ $2\times2\times$ ☐ $\times3\times$ ☐ $=$ ☐

두 수의 최소공배수를 구하세요.

7

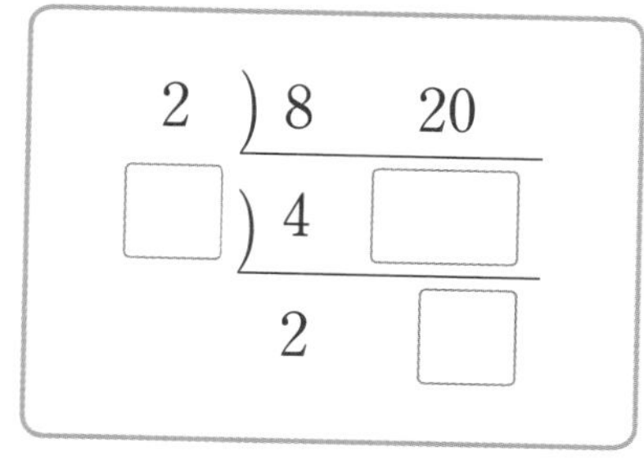

→ 8과 20의 최소공배수: ☐

8

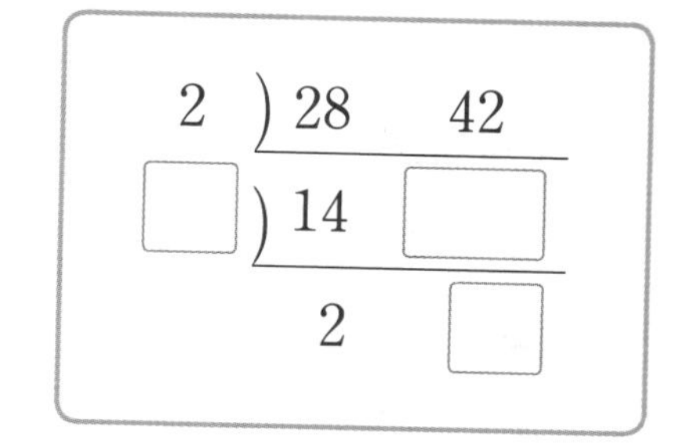

→ 28과 42의 최소공배수: ☐

9

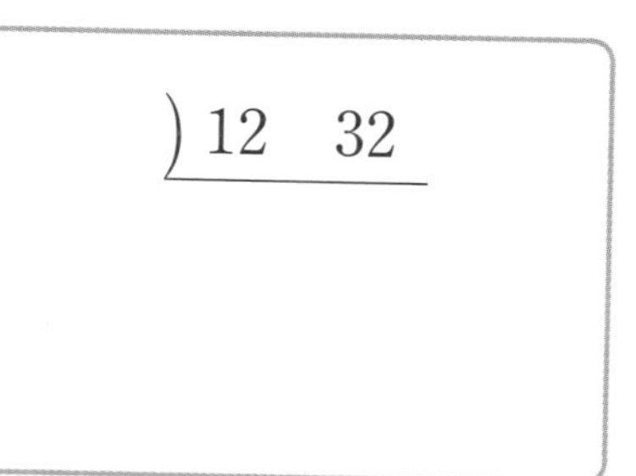

→ 12와 32의 최소공배수: ☐

10

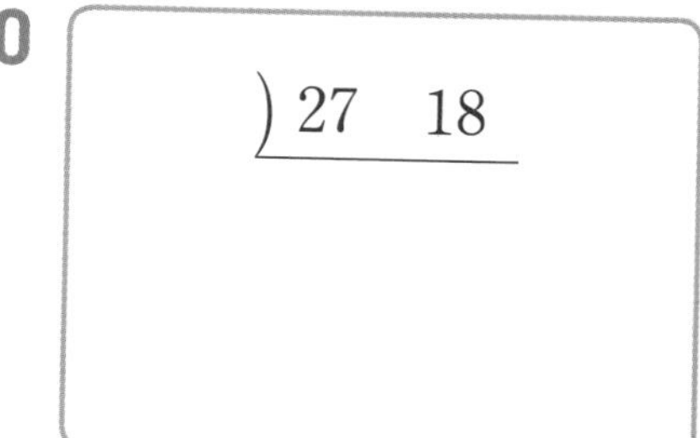

→ 27과 18의 최소공배수: ☐

11

) 24 40

→ 24와 40의 최소공배수: ☐

12

) 36 54

→ 36과 54의 최소공배수: ☐

생활 속 연산

다음은 로희와 수호가 자원봉사를 가는 날입니다. 오늘 로희와 수호가 함께 자원봉사를 갔다면 바로 다음번 두 친구가 함께 자원봉사를 가는 날은 오늘부터 며칠 후인지 구하세요.

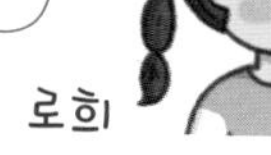

나는 14일마다 가.

수호

(　　　　　　)

마무리 연산

약수를 모두 구하세요.

1 6의 약수

2 14의 약수

3 22의 약수

4 45의 약수

5 64의 약수

6 93의 약수

배수를 가장 작은 수부터 5개씩 구하세요.

7 9의 배수

8 11의 배수

9 14의 배수

10 23의 배수

11 30의 배수

12 45의 배수

두 수의 최대공약수를 구하세요.

13 6 15 ( )

14 27 72 ( )

15 42 63 ( )

16 12 18 ( )

17 24 28 ( )

18 70 28 ( )

19 44 66 ( )

20 90 150 ( )

21 32 40 ( )

22 45 105 ( )

23 64 48 ( )

24 72 81 ( )

마무리 연산

두 수의 최소공배수를 구하세요.

1. 8 10 ( )

2. 9 12 ( )

3. 21 42 ( )

4. 16 36 ( )

5. 20 50 ( )

6. 15 18 ( )

7. 24 28 ( )

8. 25 35 ( )

9. 40 16 ( )

10. 72 27 ( )

11. 80 120 ( )

12. 52 91 ( )

두 수의 최대공약수와 최소공배수를 각각 구하세요.

13 10 15

최대공약수: ______

최소공배수: ______

14 24 36

최대공약수: ______

최소공배수: ______

15 28 35

최대공약수: ______

최소공배수: ______

16 40 50

최대공약수: ______

최소공배수: ______

17 42 63

최대공약수: ______

최소공배수: ______

18 56 72

최대공약수: ______

최소공배수: ______

19 60 84

최대공약수: ______

최소공배수: ______

20 66 88

최대공약수: ______

최소공배수: ______

21 72 78

최대공약수: ______

최소공배수: ______

22 90 105

최대공약수: ______

최소공배수: ______

3

약분과 통분

학습 결과와 시간을 써 보세요!

학습 내용	학습 회차	맞힌 개수/걸린 시간
1. 약분	DAY 01	/
	DAY 02	/
	DAY 03	/
2. 통분	DAY 04	/
	DAY 05	/
	DAY 06	/
마무리 연산	DAY 07	/

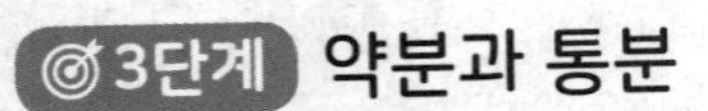

약분과 통분

1. 약분

예 $\frac{18}{30}$을 약분하기

→ 18과 30의 공약수: 2, 3, 6

$\frac{18}{30}=\frac{18\div2}{30\div2}=\frac{9}{15}$, $\frac{18}{30}=\frac{18\div3}{30\div3}=\frac{6}{10}$,

$\frac{18}{30}=\frac{18\div6}{30\div6}=\frac{3}{5}$

분모와 분자를 공약수로 나누어
간단한 분수로 만드는 것을
약분한다고 해.

분수를 약분하여 나타낸 것입니다. □ 안에 알맞은 수를 써넣으세요.

1 $\frac{4}{8}=\frac{4\div2}{8\div2}=\frac{\square}{4}$,

$\frac{4}{8}=\frac{4\div4}{8\div4}=\frac{\square}{2}$

2 $\frac{20}{36}=\frac{20\div2}{36\div2}=\frac{\square}{18}$,

$\frac{20}{36}=\frac{20\div4}{36\div4}=\frac{\square}{9}$

3 $\frac{9}{18}=\frac{9\div3}{18\div3}=\frac{\square}{6}$,

$\frac{9}{18}=\frac{9\div9}{18\div9}=\frac{\square}{2}$

4 $\frac{27}{36}=\frac{27\div3}{36\div3}=\frac{9}{\square}$,

$\frac{27}{36}=\frac{27\div9}{36\div9}=\frac{3}{\square}$

5 $\frac{25}{75}=\frac{25\div5}{75\div5}=\frac{5}{\square}$,

$\frac{25}{75}=\frac{25\div25}{75\div25}=\frac{\square}{3}$

6 $\frac{49}{98}=\frac{49\div7}{98\div7}=\frac{7}{\square}$,

$\frac{49}{98}=\frac{49\div49}{98\div49}=\frac{\square}{2}$

분수를 약분하여 나타낸 것입니다. □ 안에 알맞은 수를 써넣으세요.

7 $\frac{12}{16}=\frac{\square}{8}=\frac{\square}{4}$

8 $\frac{18}{27}=\frac{\square}{9}=\frac{\square}{3}$

9 $\frac{8}{28}=\frac{\square}{14}=\frac{2}{\square}$

10 $\frac{24}{30}=\frac{\square}{15}=\frac{8}{\square}=\frac{\square}{5}$

11 $\frac{18}{45}=\frac{\square}{15}=\frac{2}{\square}$

12 $\frac{30}{42}=\frac{\square}{21}=\frac{10}{\square}=\frac{5}{\square}$

13 $\frac{16}{36}=\frac{8}{\square}=\frac{\square}{9}$

14 $\frac{52}{78}=\frac{\square}{39}=\frac{4}{\square}=\frac{\square}{3}$

15 $\frac{45}{60}=\frac{15}{\square}=\frac{\square}{12}=\frac{\square}{4}$

16 $\frac{20}{50}=\frac{\square}{25}=\frac{4}{\square}=\frac{2}{\square}$

17 $\frac{56}{64}=\frac{28}{\square}=\frac{\square}{16}=\frac{\square}{8}$

18 $\frac{75}{90}=\frac{\square}{30}=\frac{15}{\square}=\frac{\square}{6}$

DAY 02

◎3단계 약분과 통분

1. 약분

예 $\frac{18}{30}$을 기약분수로 나타내기

$$\frac{18}{30}=\frac{18\div6}{30\div6}=\frac{3}{5}$$

→ 30과 18의 최대공약수 6으로 나누기

분모와 분자의 공약수가 1뿐인 분수를 기약분수라고 해.

기약분수로 나타내려고 합니다. □ 안에 알맞은 수를 써넣으세요.

1 $\frac{6}{9}=\frac{6\div3}{9\div3}=\frac{2}{\square}$

→ 9와 6의 최대공약수 3으로 나누기

2 $\frac{4}{12}=\frac{4\div4}{12\div\square}=\frac{1}{\square}$

3 $\frac{10}{15}=\frac{10\div\square}{15\div5}=\frac{2}{\square}$

4 $\frac{18}{24}=\frac{18\div\square}{24\div6}=\frac{3}{\square}$

5 $\frac{7}{42}=\frac{7\div\square}{42\div\square}=\frac{\square}{\square}$

6 $\frac{12}{30}=\frac{12\div\square}{30\div\square}=\frac{\square}{\square}$

7 $\frac{15}{45}=\frac{15\div\square}{45\div\square}=\frac{\square}{\square}$

8 $\frac{48}{60}=\frac{48\div\square}{60\div\square}=\frac{\square}{\square}$

기약분수로 나타내세요.

9 $\frac{6}{10}$ → ☐

10 $\frac{10}{12}$ → ☐

11 $\frac{12}{18}$ → ☐

12 $\frac{4}{28}$ → ☐

13 $\frac{14}{35}$ → ☐

14 $\frac{16}{36}$ → ☐

15 $\frac{18}{48}$ → ☐

16 $\frac{35}{49}$ → ☐

17 $\frac{18}{81}$ → ☐

18 $\frac{56}{64}$ → ☐

19 $\frac{60}{72}$ → ☐

20 $\frac{44}{77}$ → ☐

1. 약분

분수를 약분하여 나타낸 것입니다. □ 안에 알맞은 수를 써넣으세요.

1 $\frac{4}{10}=\frac{2}{\square}$

2 $\frac{25}{45}=\frac{5}{\square}$

3 $\frac{16}{20}=\frac{8}{\square}=\frac{\square}{5}$

4 $\frac{28}{36}=\frac{14}{\square}=\frac{\square}{9}$

5 $\frac{15}{33}=\frac{5}{\square}$

6 $\frac{12}{42}=\frac{6}{\square}=\frac{\square}{14}=\frac{2}{\square}$

7 $\frac{36}{45}=\frac{12}{\square}=\frac{\square}{5}$

8 $\frac{35}{63}=\frac{5}{\square}$

9 $\frac{20}{48}=\frac{10}{\square}=\frac{\square}{12}$

10 $\frac{16}{52}=\frac{8}{\square}=\frac{\square}{13}$

11 $\frac{36}{81}=\frac{12}{\square}=\frac{\square}{9}$

12 $\frac{42}{72}=\frac{21}{\square}=\frac{\square}{24}=\frac{7}{\square}$

기약분수로 나타내세요.

13

$\frac{8}{10}$ (　　　　)

14

$\frac{12}{32}$ (　　　　)

15

$\frac{8}{14}$ (　　　　)

16

$\frac{12}{54}$ (　　　　)

17

$\frac{7}{28}$ (　　　　)

18

$\frac{20}{32}$ (　　　　)

19

$\frac{35}{42}$ (　　　　)

20

$\frac{22}{72}$ (　　　　)

생활 속 연산

현서네 반 학생 중 안경을 쓴 학생은 전체의 몇 분의 몇인지 기약분수로 나타내세요.

우리 반 학생 28명 중 안경을 쓴 학생은 16명이야.

$$\frac{16}{28}=\frac{\square}{\square}$$

2. 통분

예 분모의 곱을 공통분모로 하여 $\frac{2}{9}$와 $\frac{5}{6}$를 통분하기

$$\left(\frac{2}{9}, \frac{5}{6}\right) \rightarrow \left(\frac{2\times6}{9\times6}, \frac{5\times9}{6\times9}\right) \rightarrow \left(\frac{12}{54}, \frac{45}{54}\right)$$

분모의 곱: $9\times6=54$

분수의 분모를 같게 하는 것을
통분한다고 하고,
통분한 분모를 공통분모라고 해.

분모의 곱을 공통분모로 하여 통분하려고 합니다. □ 안에 알맞은 수를 써넣으세요.

1 $\left(\frac{1}{4}, \frac{1}{6}\right) \rightarrow \left(\frac{1\times6}{4\times6}, \frac{1\times4}{6\times4}\right) \rightarrow \left(\frac{\square}{24}, \frac{\square}{24}\right)$

2 $\left(\frac{3}{8}, \frac{5}{6}\right) \rightarrow \left(\frac{3\times\square}{8\times6}, \frac{5\times\square}{6\times8}\right) \rightarrow \left(\frac{\square}{\square}, \frac{\square}{\square}\right)$

3 $\left(\frac{3}{7}, \frac{3}{4}\right) \rightarrow \left(\frac{3\times\square}{7\times4}, \frac{3\times\square}{4\times7}\right) \rightarrow \left(\frac{\square}{\square}, \frac{\square}{\square}\right)$

4 $\left(\frac{5}{7}, \frac{7}{8}\right) \rightarrow \left(\frac{5\times\square}{7\times8}, \frac{7\times\square}{8\times7}\right) \rightarrow \left(\frac{\square}{\square}, \frac{\square}{\square}\right)$

5 $\left(\frac{2}{5}, \frac{4}{9}\right) \rightarrow \left(\frac{2\times\square}{5\times9}, \frac{4\times\square}{9\times5}\right) \rightarrow \left(\frac{\square}{\square}, \frac{\square}{\square}\right)$

6 $\left(\frac{7}{9}, \frac{5}{8}\right) \rightarrow \left(\frac{7\times\square}{9\times8}, \frac{5\times\square}{8\times9}\right) \rightarrow \left(\frac{\square}{\square}, \frac{\square}{\square}\right)$

분모의 곱을 공통분모로 하여 통분하세요.

7

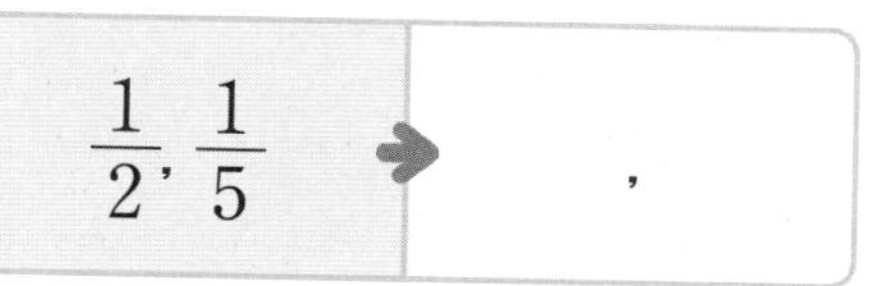

$\frac{1}{2}, \frac{1}{5}$ → (,)

8

$\frac{2}{7}, \frac{2}{3}$ → (,)

9

$\frac{2}{9}, \frac{1}{6}$ → (,)

10

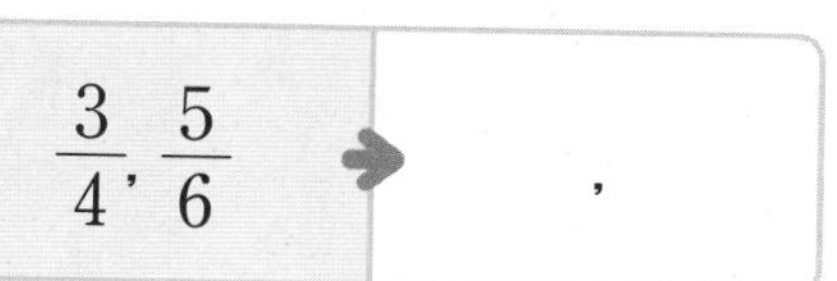

$\frac{3}{4}, \frac{5}{6}$ → (,)

11

$\frac{3}{8}, \frac{3}{4}$ → (,)

12

$\frac{5}{7}, \frac{3}{4}$ → (,)

13

$\frac{5}{6}, \frac{2}{3}$ → (,)

14

$\frac{4}{15}, \frac{3}{5}$ → (,)

15

$\frac{5}{8}, \frac{7}{12}$ → (,)

16

$\frac{9}{14}, \frac{6}{7}$ → (,)

17

$\frac{3}{10}, \frac{7}{15}$ → (,)

18

$\frac{11}{12}, \frac{9}{16}$ → (,)

2. 통분

예 분모의 최소공배수를 공통분모로 하여 $\frac{2}{9}$와 $\frac{5}{6}$를 통분하기

9와 6의 최소공배수인 18을 공통분모로 하여 통분해.

$$\left(\frac{2}{9}, \frac{5}{6}\right) \rightarrow \left(\frac{2\times2}{9\times2}, \frac{5\times3}{6\times3}\right) \rightarrow \left(\frac{4}{18}, \frac{15}{18}\right)$$

→ 9와 6의 최소공배수: 18

분모의 최소공배수를 공통분모로 하여 통분하려고 합니다. □ 안에 알맞은 수를 써넣으세요.

1 $\left(\frac{1}{3}, \frac{1}{4}\right) \rightarrow \left(\frac{1\times\square}{3\times4}, \frac{1\times\square}{4\times3}\right) \rightarrow \left(\frac{\square}{12}, \frac{\square}{12}\right)$

2 $\left(\frac{3}{8}, \frac{1}{6}\right) \rightarrow \left(\frac{3\times\square}{8\times3}, \frac{1\times\square}{6\times4}\right) \rightarrow \left(\frac{\square}{\square}, \frac{\square}{\square}\right)$

3 $\left(\frac{3}{4}, \frac{7}{10}\right) \rightarrow \left(\frac{3\times\square}{4\times5}, \frac{7\times\square}{10\times2}\right) \rightarrow \left(\frac{\square}{\square}, \frac{\square}{\square}\right)$

4 $\left(\frac{5}{12}, \frac{5}{8}\right) \rightarrow \left(\frac{5\times\square}{12\times2}, \frac{5\times\square}{8\times3}\right) \rightarrow \left(\frac{\square}{\square}, \frac{\square}{\square}\right)$

5 $\left(\frac{8}{15}, \frac{7}{10}\right) \rightarrow \left(\frac{8\times\square}{15\times2}, \frac{7\times\square}{10\times3}\right) \rightarrow \left(\frac{\square}{\square}, \frac{\square}{\square}\right)$

6 $\left(\frac{9}{14}, \frac{11}{21}\right) \rightarrow \left(\frac{9\times\square}{14\times3}, \frac{11\times\square}{21\times2}\right) \rightarrow \left(\frac{\square}{\square}, \frac{\square}{\square}\right)$

분모의 최소공배수를 공통분모로 하여 통분하세요.

7 $\frac{1}{2}, \frac{5}{6}$ → (,)

8 $\frac{2}{9}, \frac{5}{12}$ → (,)

9 $\frac{5}{8}, \frac{3}{10}$ → (,)

10 $\frac{3}{4}, \frac{1}{6}$ → (,)

11 $\frac{5}{14}, \frac{3}{8}$ → (,)

12 $\frac{4}{9}, \frac{5}{12}$ → (,)

13 $\frac{11}{15}, \frac{9}{10}$ → (,)

14 $\frac{7}{18}, \frac{5}{12}$ → (,)

15 $\frac{8}{25}, \frac{7}{15}$ → (,)

16 $\frac{5}{16}, \frac{11}{24}$ → (,)

17 $\frac{13}{30}, \frac{7}{18}$ → (,)

18 $\frac{9}{22}, \frac{14}{33}$ → (,)

2. 통분

분모의 곱을 공통분모로 하여 통분하세요.

1 $\left(\frac{1}{4}, \frac{2}{9}\right) \rightarrow \left(\frac{\square}{36}, \frac{\square}{36}\right)$

2 $\left(\frac{5}{6}, \frac{3}{10}\right) \rightarrow \left(\frac{\square}{60}, \frac{\square}{60}\right)$

3 $\left(\frac{2}{3}, \frac{4}{9}\right) \rightarrow$ (　　　,　　　)

4 $\left(\frac{3}{4}, \frac{2}{5}\right) \rightarrow$ (　　　,　　　)

5 $\left(\frac{3}{7}, \frac{9}{14}\right) \rightarrow$ (　　　,　　　)

6 $\left(\frac{5}{6}, \frac{7}{10}\right) \rightarrow$ (　　　,　　　)

7 $\left(\frac{2}{11}, \frac{4}{5}\right) \rightarrow$ (　　　,　　　)

8 $\left(\frac{3}{8}, \frac{7}{12}\right) \rightarrow$ (　　　,　　　)

9 $\left(\frac{9}{14}, \frac{3}{4}\right) \rightarrow$ (　　　,　　　)

10 $\left(\frac{8}{15}, \frac{5}{6}\right) \rightarrow$ (　　　,　　　)

11 $\left(\frac{7}{10}, \frac{11}{12}\right) \rightarrow$ (　　　,　　　)

12 $\left(\frac{7}{18}, \frac{3}{5}\right) \rightarrow$ (　　　,　　　)

분모의 최소공배수를 공통분모로 하여 통분하세요.

13 $\left(\frac{3}{4}, \frac{5}{6}\right) \Rightarrow \left(\frac{\square}{12}, \frac{\square}{12}\right)$

14 $\left(\frac{7}{8}, \frac{3}{10}\right) \Rightarrow \left(\frac{\square}{40}, \frac{\square}{40}\right)$

15 $\left(\frac{5}{9}, \frac{1}{6}\right) \Rightarrow$ (,)

16 $\left(\frac{5}{6}, \frac{7}{15}\right) \Rightarrow$ (,)

17 $\left(\frac{3}{14}, \frac{5}{21}\right) \Rightarrow$ (,)

18 $\left(\frac{3}{10}, \frac{13}{18}\right) \Rightarrow$ (,)

19 $\left(\frac{9}{16}, \frac{11}{24}\right) \Rightarrow$ (,)

20 $\left(\frac{4}{15}, \frac{11}{20}\right) \Rightarrow$ (,)

21 $\left(\frac{17}{30}, \frac{22}{45}\right) \Rightarrow$ (,)

22 $\left(\frac{19}{30}, \frac{27}{50}\right) \Rightarrow$ (,)

생활 속 연산

유하와 동생이 먹고 남긴 피자의 양을 분수로 나타낸 것입니다. 남은 피자의 양을 분모의 최소공배수를 공통분모로 하여 통분하세요.

$\frac{3}{4}$ 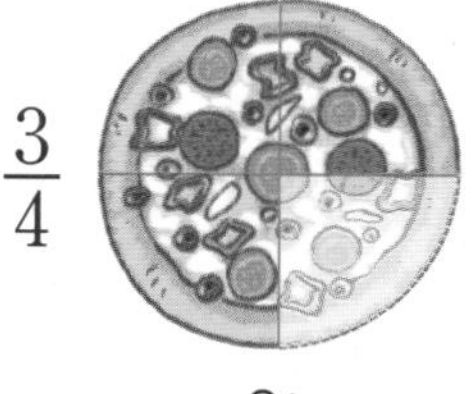

유하

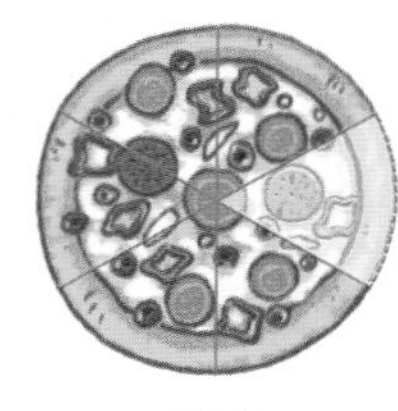 $\frac{5}{6}$

동생

(,)

마무리 연산

분수를 약분하여 나타낸 것입니다. □ 안에 알맞은 수를 써넣으세요.

1 $\frac{4}{12}=\frac{2}{\square}=\frac{\square}{3}$

2 $\frac{12}{20}=\frac{6}{\square}=\frac{\square}{5}$

3 $\frac{20}{30}=\frac{10}{\square}=\frac{\square}{6}=\frac{2}{\square}$

4 $\frac{8}{48}=\frac{4}{\square}=\frac{\square}{12}=\frac{1}{\square}$

5 $\frac{48}{54}=\frac{24}{\square}=\frac{\square}{18}=\frac{8}{\square}$

6 $\frac{27}{72}=\frac{9}{\square}=\frac{\square}{8}$

기약분수로 나타내세요.

7 $\frac{5}{10}$ → □

8 $\frac{14}{20}$ → □

9 $\frac{18}{24}$ → □

10 $\frac{26}{39}$ → □

11 $\frac{14}{42}$ → □

12 $\frac{16}{40}$ → □

13 $\frac{48}{60}$ → □

14 $\frac{44}{72}$ → □

분모의 곱을 공통분모로 하여 통분하세요.

15 $\left(\frac{2}{5}, \frac{3}{7}\right)$ ➔ (,)

16 $\left(\frac{1}{4}, \frac{5}{9}\right)$ ➔ (,)

17 $\left(\frac{3}{8}, \frac{5}{6}\right)$ ➔ (,)

18 $\left(\frac{9}{10}, \frac{4}{7}\right)$ ➔ (,)

19 $\left(\frac{5}{9}, \frac{6}{13}\right)$ ➔ (,)

20 $\left(\frac{7}{12}, \frac{3}{8}\right)$ ➔ (,)

21 $\left(\frac{3}{10}, \frac{7}{16}\right)$ ➔ (,)

22 $\left(\frac{11}{14}, \frac{13}{15}\right)$ ➔ (,)

분모의 최소공배수를 공통분모로 하여 통분하세요.

23 $\left(\frac{3}{4}, \frac{5}{7}\right)$ ➔ (,)

24 $\left(\frac{4}{9}, \frac{7}{15}\right)$ ➔ (,)

25 $\left(\frac{3}{8}, \frac{9}{20}\right)$ ➔ (,)

26 $\left(\frac{3}{10}, \frac{5}{12}\right)$ ➔ (,)

27 $\left(\frac{5}{14}, \frac{13}{21}\right)$ ➔ (,)

28 $\left(\frac{11}{18}, \frac{25}{27}\right)$ ➔ (,)

29 $\left(\frac{8}{15}, \frac{13}{20}\right)$ ➔ (,)

30 $\left(\frac{19}{24}, \frac{27}{36}\right)$ ➔ (,)

분수의 덧셈과 뺄셈

학습 결과와 시간을 써 보세요!

학습 내용	학습 회차	맞힌 개수/걸린 시간
1. 분모가 다른 진분수의 덧셈	DAY 01	/
	DAY 02	/
	DAY 03	/
	DAY 04	/
2. 분모가 다른 대분수의 덧셈	DAY 05	/
	DAY 06	/
	DAY 07	/
	DAY 08	/
3. 분모가 다른 진분수의 뺄셈	DAY 09	/
	DAY 10	/
	DAY 11	/
	DAY 12	/
4. 분모가 다른 대분수의 뺄셈	DAY 13	/
	DAY 14	/
	DAY 15	/
	DAY 16	/
5. 세 분수의 덧셈과 뺄셈	DAY 17	/
	DAY 18	/
	DAY 19	/
마무리 연산	DAY 20	/
	DAY 21	/

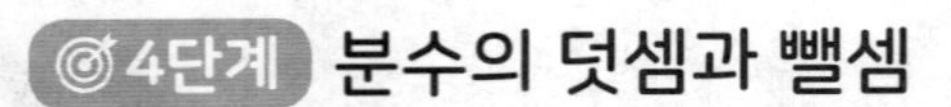

1. 분모가 다른 진분수의 덧셈

예 $\frac{1}{6}+\frac{3}{8}$의 계산

기약분수로 나타내기

$$\frac{1}{6}+\frac{3}{8}=\frac{1\times8}{6\times8}+\frac{3\times6}{8\times6}=\frac{8}{48}+\frac{18}{48}=\frac{\overset{13}{\cancel{26}}}{\underset{24}{\cancel{48}}}=\frac{13}{24}$$

분모의 곱으로 통분하기

두 분수를 통분한 다음,
통분한 분모는 그대로 두고
분자끼리 더해.

두 분모의 곱을 공통분모로 하여 통분한 후 계산하려고 합니다. $\square$ 안에 알맞은 수를 써넣으세요.

1 $\frac{1}{3}+\frac{2}{5}=\frac{1\times\square}{3\times5}+\frac{2\times\square}{5\times3}$

$=\frac{\square}{15}+\frac{\square}{15}$

$=\frac{\square}{15}$

2 $\frac{1}{4}+\frac{4}{9}=\frac{1\times\square}{4\times9}+\frac{4\times\square}{9\times4}$

$=\frac{\square}{36}+\frac{\square}{36}$

$=\frac{\square}{36}$

3 $\frac{5}{12}+\frac{1}{3}=\frac{5\times\square}{12\times3}+\frac{1\times\square}{3\times12}$

$=\frac{\square}{36}+\frac{\square}{36}$

$=\frac{\square}{36}$

$=\frac{\square}{4}$

4 $\frac{2}{7}+\frac{5}{14}=\frac{2\times\square}{7\times14}+\frac{5\times\square}{14\times7}$

$=\frac{\square}{98}+\frac{\square}{98}$

$=\frac{\square}{98}$

$=\frac{\square}{14}$

계산을 하여 기약분수로 나타내세요.

5

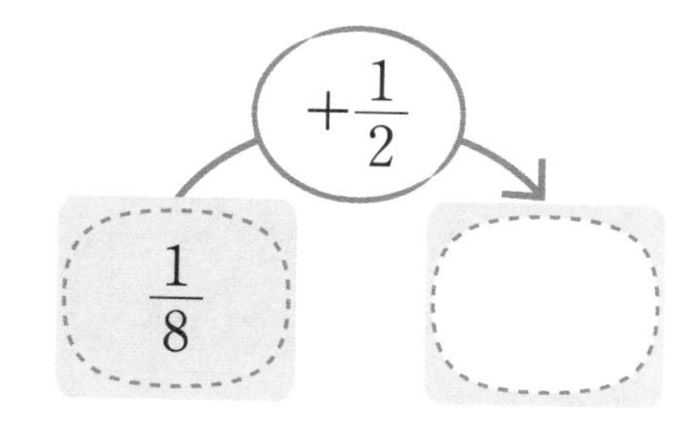

6

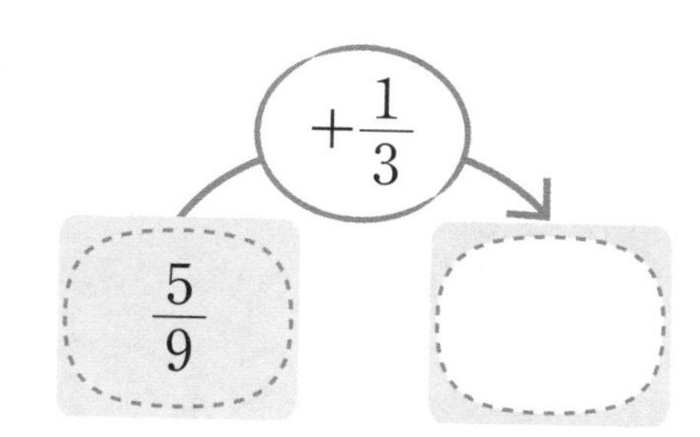

7

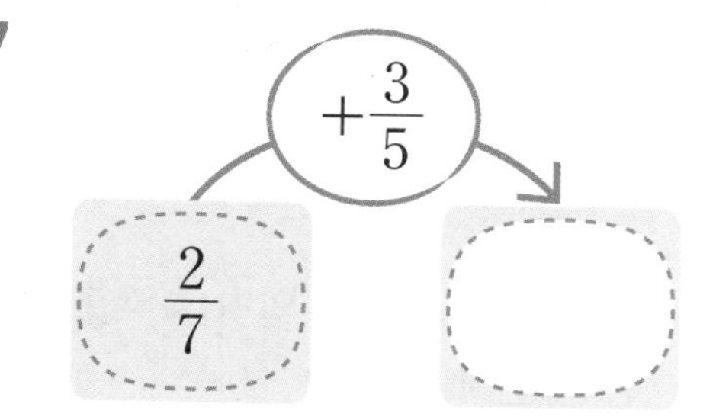

8

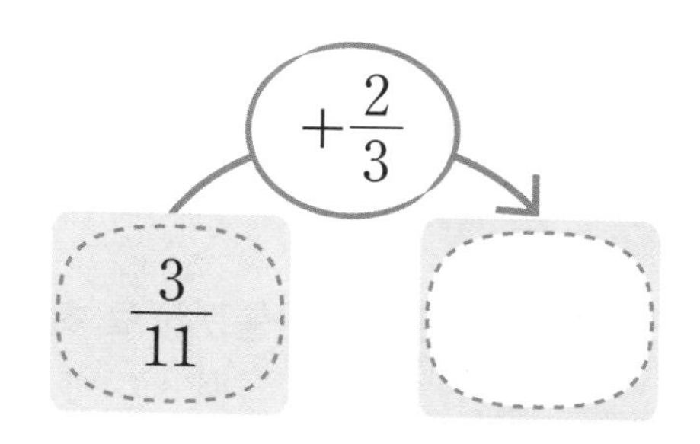

9

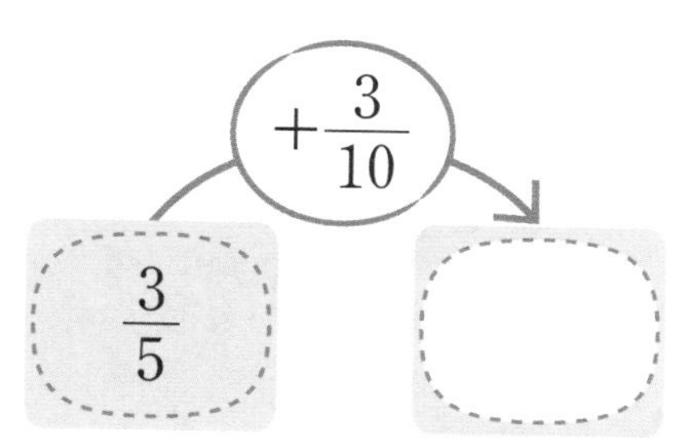

10

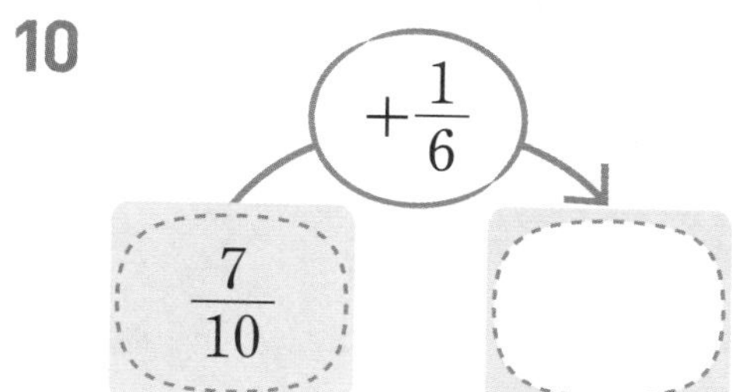

11

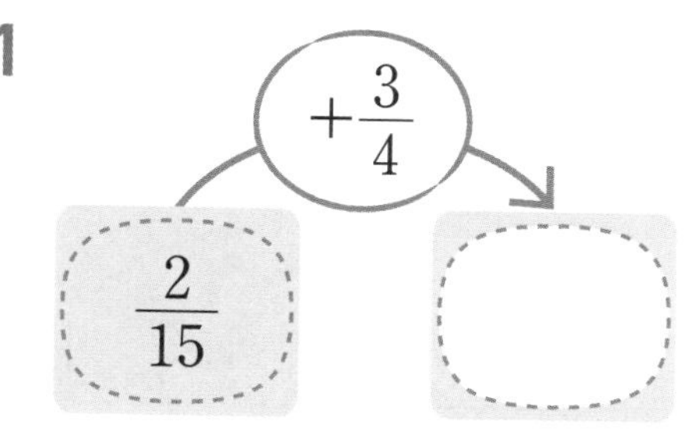

12

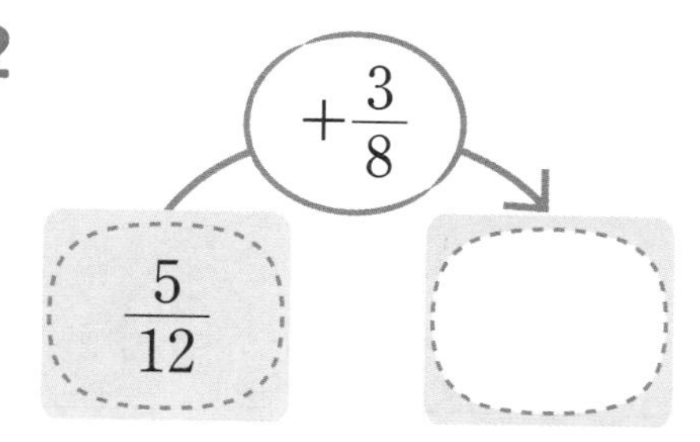

13

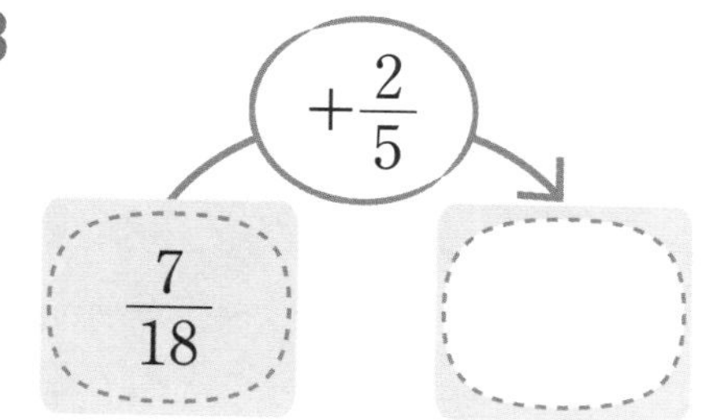

14

$+\frac{2}{9}$

$\frac{7}{15}$

1. 분모가 다른 진분수의 덧셈

예 $\frac{1}{6}+\frac{3}{8}$의 계산

$$\frac{1}{6}+\frac{3}{8}=\frac{1\times4}{6\times4}+\frac{3\times3}{8\times3}=\frac{4}{24}+\frac{9}{24}=\frac{13}{24}$$

→ 6과 8의 최소공배수 24로 통분하기

분모의 최소공배수로 통분하면 계산하기 편해.

두 분모의 최소공배수를 공통분모로 하여 통분한 후 계산하려고 합니다. □ 안에 알맞은 수를 써넣으세요.

1 $\frac{1}{6}+\frac{4}{15}=\frac{1\times\square}{6\times5}+\frac{4\times\square}{15\times2}$

6과 15의 최소공배수: 30

$=\frac{\square}{30}+\frac{\square}{30}$

$=\frac{\square}{30}$

2 $\frac{1}{4}+\frac{3}{10}=\frac{1\times\square}{4\times5}+\frac{3\times\square}{10\times2}$

$=\frac{\square}{20}+\frac{\square}{20}$

$=\frac{\square}{20}$

3 $\frac{7}{16}+\frac{5}{12}=\frac{7\times\square}{16\times3}+\frac{5\times\square}{12\times4}$

$=\frac{\square}{48}+\frac{\square}{48}$

$=\frac{\square}{48}$

4 $\frac{8}{15}+\frac{4}{9}=\frac{8\times\square}{15\times3}+\frac{4\times\square}{9\times5}$

$=\frac{\square}{45}+\frac{\square}{45}$

$=\frac{\square}{45}$

두 수의 합을 기약분수로 나타내어 빈 곳에 써넣으세요.

5

6

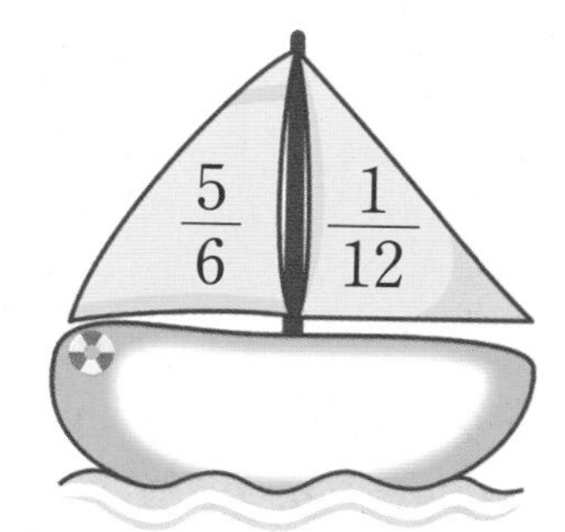

7

8

9

10

11

12

13

14

1. 분모가 다른 진분수의 덧셈

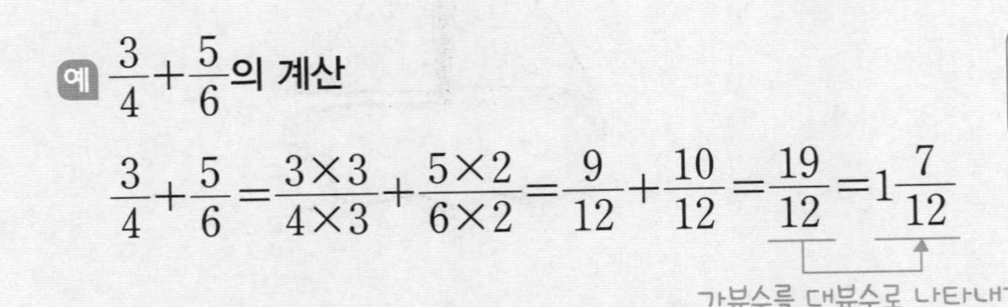

계산 결과가 가분수이면 대분수로 나타내.

□ 안에 알맞은 수를 써넣으세요.

1 $\frac{2}{3}+\frac{3}{5}=\frac{2\times\square}{3\times5}+\frac{3\times\square}{5\times3}=\frac{\square}{15}+\frac{\square}{15}=\frac{\square}{15}=1\frac{\square}{15}$

2 $\frac{4}{7}+\frac{3}{4}=\frac{4\times\square}{7\times4}+\frac{3\times\square}{4\times7}=\frac{\square}{28}+\frac{\square}{28}=\frac{\square}{28}=1\frac{\square}{28}$

3 $\frac{7}{12}+\frac{9}{10}=\frac{7\times\square}{12\times5}+\frac{9\times\square}{10\times6}=\frac{\square}{60}+\frac{\square}{60}=\frac{\square}{60}=\square\frac{\square}{60}$

4 $\frac{11}{15}+\frac{7}{9}=\frac{11\times\square}{15\times3}+\frac{7\times\square}{9\times5}=\frac{\square}{45}+\frac{\square}{45}=\frac{\square}{45}=\square\frac{\square}{45}$

계산을 하여 기약분수로 나타내세요.

5 $\frac{4}{5}$ → $+\frac{3}{10}$ → □

6 $\frac{11}{12}$ → $+\frac{5}{8}$ → □

7 $\frac{6}{7}$ → $+\frac{2}{3}$ → □

8 $\frac{3}{4}$ → $+\frac{5}{6}$ → □

9 $\frac{8}{9}$ → $+\frac{1}{6}$ → □

10 $\frac{13}{15}$ → $+\frac{1}{2}$ → □

11 $\frac{7}{8}$ → $+\frac{9}{20}$ → □

12 $\frac{10}{21}$ → $+\frac{9}{14}$ → □

13 $\frac{13}{16}$ → $+\frac{7}{12}$ → □

14 $\frac{11}{18}$ → $+\frac{5}{8}$ → □

DAY 04

1. 분모가 다른 진분수의 덧셈

계산을 하여 기약분수로 나타내세요.

분모가 다르면 먼저 분수를 통분해.

1 $\frac{1}{6}+\frac{1}{2}$

2 $\frac{2}{3}+\frac{4}{15}$

3 $\frac{2}{7}+\frac{3}{5}$

4 $\frac{2}{9}+\frac{5}{12}$

5 $\frac{5}{8}+\frac{9}{10}$

6 $\frac{11}{20}+\frac{3}{4}$

7 $\frac{7}{12}+\frac{5}{8}$

8 $\frac{9}{14}+\frac{8}{21}$

9 $\frac{11}{14}+\frac{5}{6}$

10 $\frac{8}{9}+\frac{7}{15}$

11 $\frac{13}{24}+\frac{17}{32}$

12 $\frac{17}{20}+\frac{1}{6}$

13 $\frac{5}{12}+\frac{9}{14}$

14 $\frac{4}{5}+\frac{13}{16}$

계산을 하여 기약분수로 나타내세요.

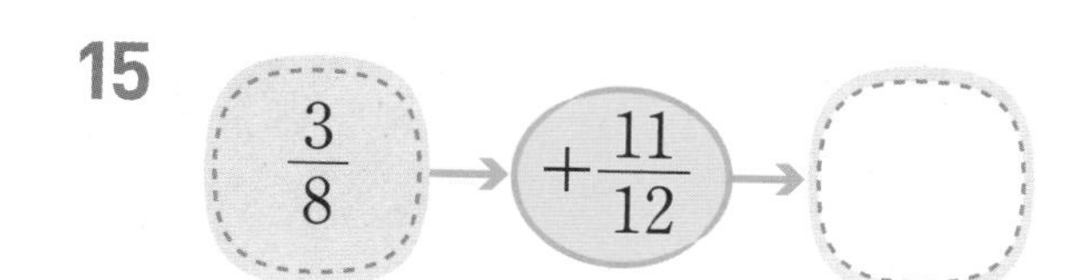

15 $\frac{3}{8}$ → $+\frac{11}{12}$ → ☐

16 $\frac{2}{3}$ → $+\frac{4}{5}$ → ☐

17 $\frac{8}{21}$ → $+\frac{3}{7}$ → ☐

18 $\frac{7}{20}$ → $+\frac{1}{6}$ → ☐

19 $\frac{2}{9}$ → $+\frac{17}{18}$ → ☐

20 $\frac{9}{16}$ → $+\frac{7}{12}$ → ☐

21 $\frac{2}{5}$ → $+\frac{13}{20}$ → ☐

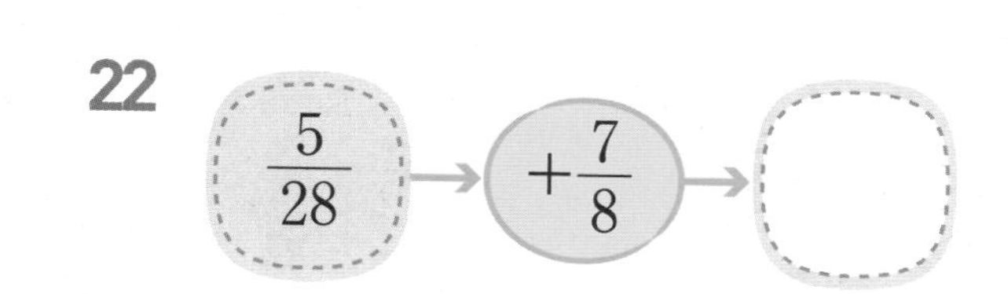

22 $\frac{5}{28}$ → $+\frac{7}{8}$ → ☐

생활 속 연산

민재가 오늘 하루 동안 마신 음료수는 모두 몇 컵인지 구하세요.

나는 오전에 콜라 $\frac{3}{4}$컵을 마시고,
오후에는 사이다 $\frac{2}{5}$컵을 마셨어.

(　　　　　　　　)

2. 분모가 다른 대분수의 덧셈

예 $1\frac{2}{5}+2\frac{3}{4}$의 계산

$$1\frac{2}{5}+2\frac{3}{4}=1\frac{8}{20}+2\frac{15}{20}=(1+2)+\left(\frac{8}{20}+\frac{15}{20}\right)$$

$$=3+\frac{23}{20}=3+1\frac{3}{20}=4\frac{3}{20}$$

분수끼리의 합이 가분수이면 대분수로 나타내기

자연수는 자연수끼리,
분수는 분수끼리 계산해.

자연수는 자연수끼리, 분수는 분수끼리 계산하려고 합니다. □ 안에 알맞은 수를 써넣으세요.

1 $1\frac{1}{3}+1\frac{1}{2}=1\frac{\square}{6}+1\frac{\square}{6}=(1+1)+\left(\frac{\square}{6}+\frac{\square}{6}\right)$

$=\square+\frac{\square}{6}=\square\frac{\square}{6}$

2 $1\frac{2}{7}+2\frac{3}{8}=1\frac{\square}{56}+2\frac{\square}{56}=(1+2)+\left(\frac{\square}{56}+\frac{\square}{56}\right)$

$=\square+\frac{\square}{56}=\square\frac{\square}{56}$

3 $3\frac{2}{9}+1\frac{5}{6}=3\frac{\square}{18}+1\frac{\square}{18}=(3+1)+\left(\frac{\square}{18}+\frac{\square}{18}\right)$

$=\square+\frac{\square}{18}=\square+\square\frac{\square}{18}=\square\frac{\square}{18}$

계산을 하여 기약분수로 나타내세요.

4

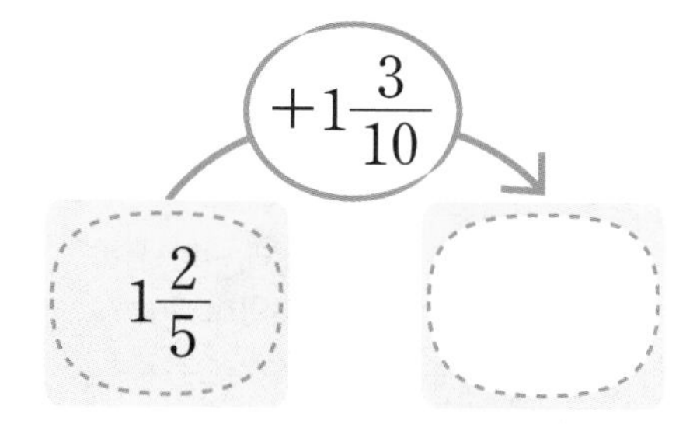

5

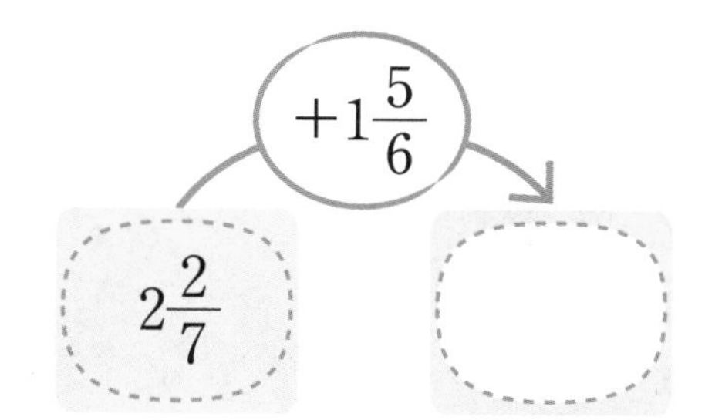

6

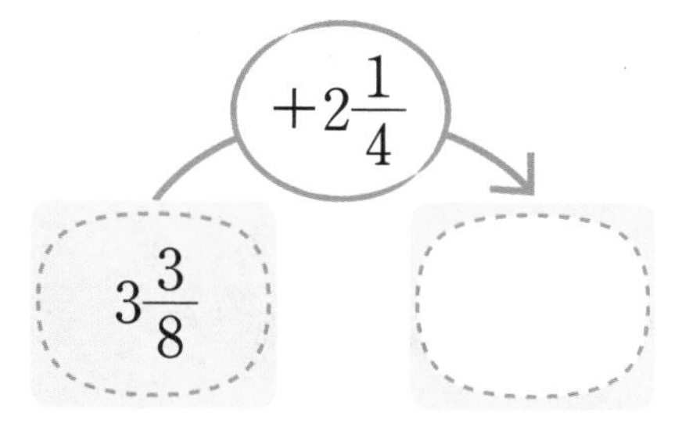

7

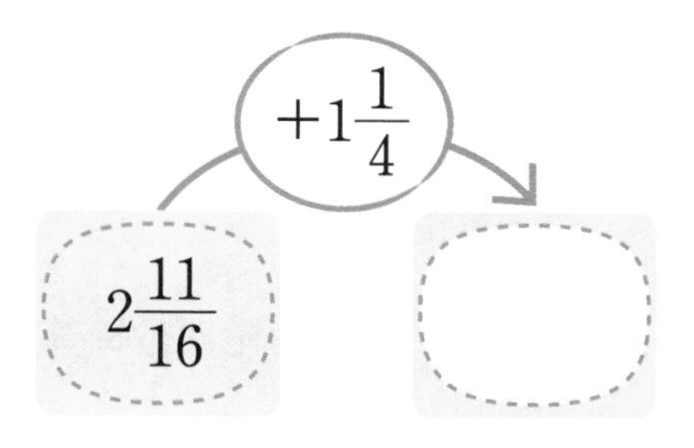

8

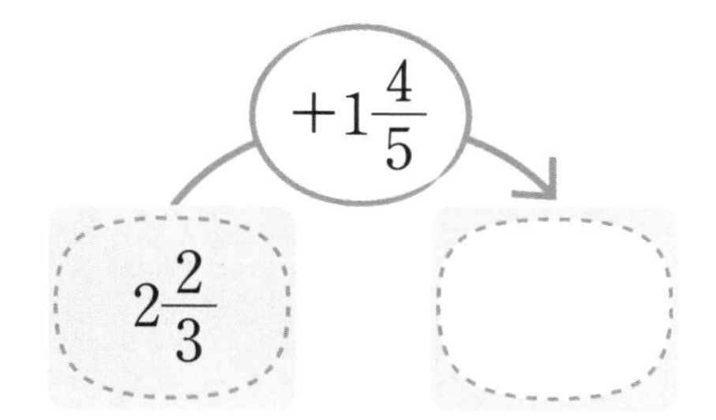

9

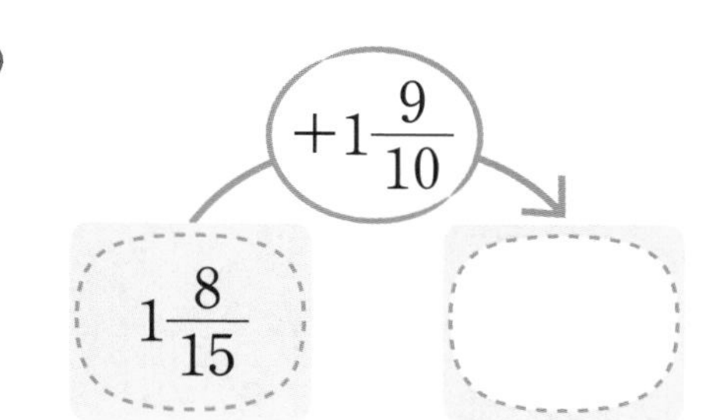

10

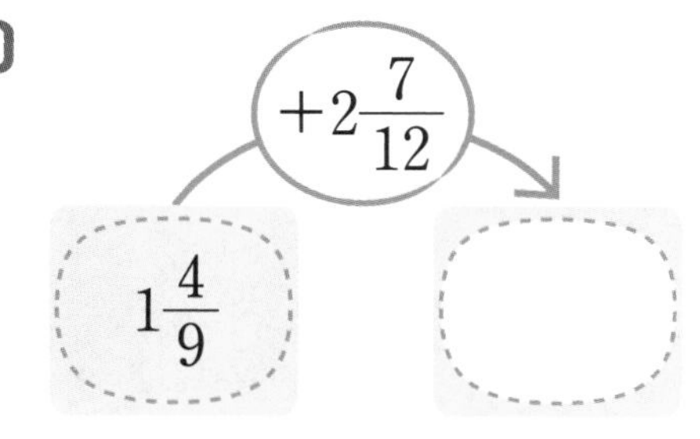

11

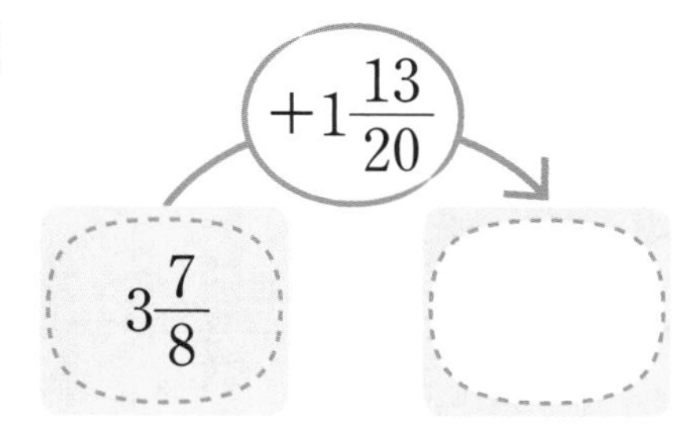

12

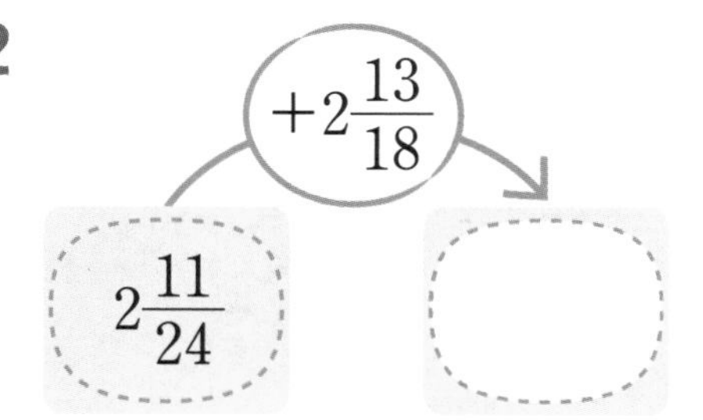

13

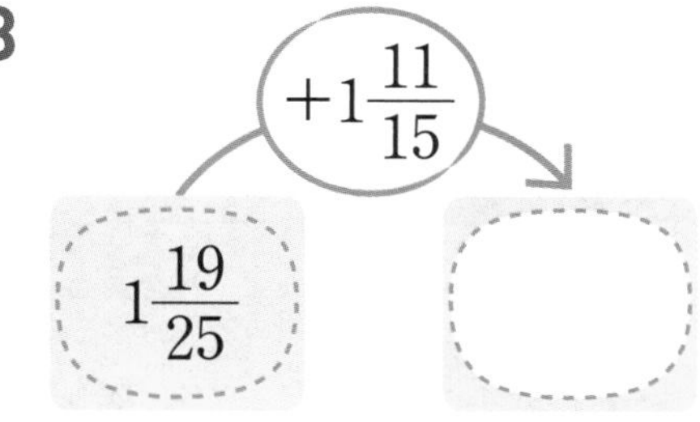

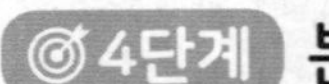

2. 분모가 다른 대분수의 덧셈

예 $1\frac{2}{5}+2\frac{3}{4}$의 계산

$$1\frac{2}{5}+2\frac{3}{4}=\frac{7}{5}+\frac{11}{4}=\frac{28}{20}+\frac{55}{20}=\frac{83}{20}=4\frac{3}{20}$$

계산 결과를 대분수로 나타내기

대분수를 가분수로 나타내어 계산할 수 있어.

대분수를 가분수로 나타내어 계산하려고 합니다. □ 안에 알맞은 수를 써넣으세요.

1 $1\frac{1}{4}+1\frac{3}{5}=\frac{\square}{4}+\frac{\square}{5}=\frac{\square}{20}+\frac{\square}{20}=\frac{\square}{20}=\square\frac{\square}{20}$

2 $1\frac{3}{8}+1\frac{1}{6}=\frac{\square}{8}+\frac{\square}{6}=\frac{\square}{24}+\frac{\square}{24}=\frac{\square}{24}=\square\frac{\square}{24}$

3 $2\frac{4}{9}+1\frac{5}{6}=\frac{\square}{9}+\frac{\square}{6}=\frac{\square}{18}+\frac{\square}{18}=\frac{\square}{18}=\square\frac{\square}{18}$

4 $1\frac{5}{12}+2\frac{5}{8}=\frac{\square}{12}+\frac{\square}{8}=\frac{\square}{24}+\frac{\square}{24}=\frac{\square}{24}=\square\frac{\square}{24}$

두 수의 합을 기약분수로 나타내어 빈칸에 써넣으세요.

5

6

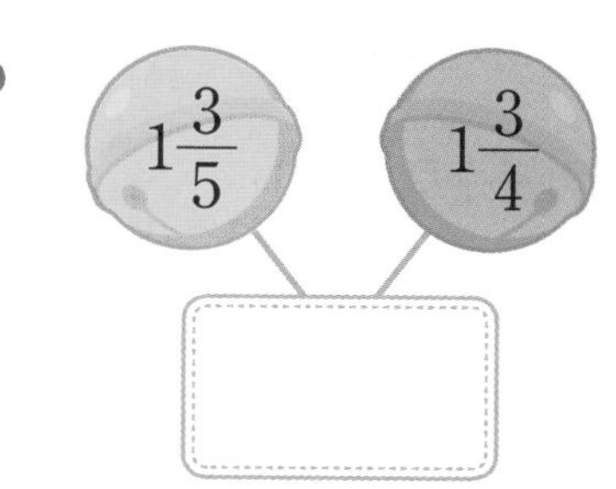

7

8

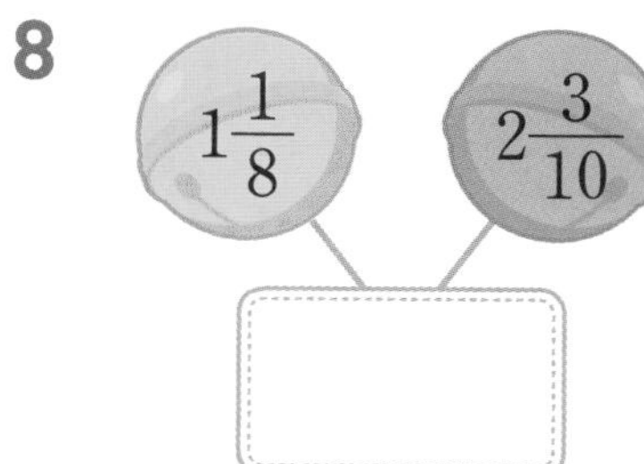

9

10

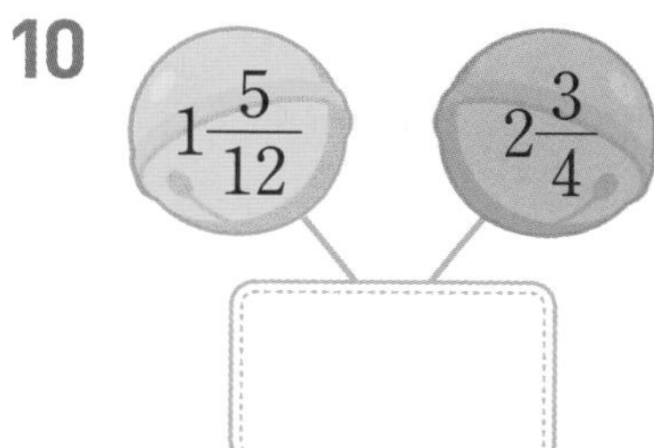

11

12

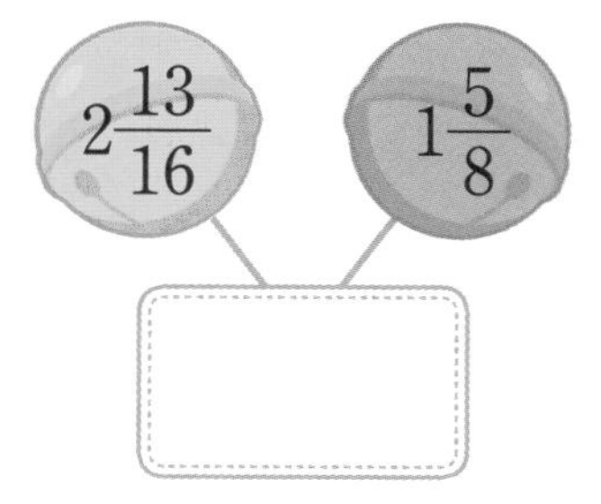

13

14

2. 분모가 다른 대분수의 덧셈

계산을 하여 기약분수로 나타내세요.

1 $1\frac{2}{5}+2\frac{1}{4}$

2 $2\frac{3}{8}+2\frac{1}{2}$

3 $1\frac{5}{9}+3\frac{5}{6}$

4 $1\frac{2}{3}+1\frac{4}{5}$

5 $1\frac{5}{12}+2\frac{9}{10}$

6 $1\frac{5}{7}+2\frac{11}{21}$

7 $1\frac{13}{15}+3\frac{5}{9}$

8 $4\frac{3}{8}+1\frac{7}{12}$

9 $1\frac{11}{14}+3\frac{5}{8}$

10 $2\frac{8}{9}+1\frac{8}{15}$

11 $1\frac{13}{18}+2\frac{7}{12}$

12 $1\frac{5}{24}+1\frac{15}{16}$

13 $2\frac{9}{20}+1\frac{7}{8}$

14 $3\frac{7}{9}+2\frac{11}{12}$

계산을 하여 기약분수로 나타내세요.

15 $2\frac{7}{9}$ → $+2\frac{1}{6}$ → ☐

16 $1\frac{5}{8}$ → $+1\frac{3}{20}$ → ☐

17 $1\frac{4}{5}$ → $+2\frac{2}{3}$ → ☐

18 $1\frac{6}{7}$ → $+1\frac{13}{21}$ → ☐

19 $2\frac{9}{10}$ → $+2\frac{8}{15}$ → ☐

20 $3\frac{7}{8}$ → $+1\frac{5}{6}$ → ☐

21 $4\frac{2}{3}$ → $+2\frac{7}{8}$ → ☐

22 $1\frac{4}{15}$ → $+2\frac{19}{25}$ → ☐

23 $2\frac{7}{12}$ → $+2\frac{11}{14}$ → ☐

24 $1\frac{13}{18}$ → $+2\frac{17}{24}$ → ☐

2. 분모가 다른 대분수의 덧셈

계산을 하여 기약분수로 나타내세요.

1 $1\frac{1}{4}+1\frac{1}{2}$

2 $1\frac{2}{5}+1\frac{3}{10}$

3 $1\frac{2}{9}+2\frac{1}{3}$

4 $2\frac{4}{7}+1\frac{1}{8}$

5 $1\frac{5}{6}+2\frac{3}{4}$

6 $4\frac{9}{10}+1\frac{11}{20}$

7 $2\frac{4}{9}+2\frac{7}{12}$

8 $3\frac{8}{15}+2\frac{1}{4}$

9 $2\frac{13}{14}+1\frac{10}{21}$

10 $1\frac{11}{16}+3\frac{1}{5}$

11 $1\frac{19}{35}+2\frac{9}{14}$

12 $5\frac{5}{12}+1\frac{21}{32}$

13 $2\frac{5}{8}+1\frac{13}{20}$

14 $1\frac{4}{15}+2\frac{21}{25}$

계산을 하여 기약분수로 나타내세요.

15

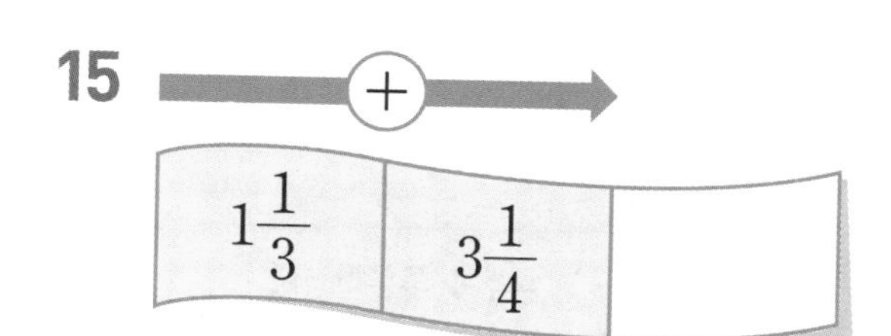

16

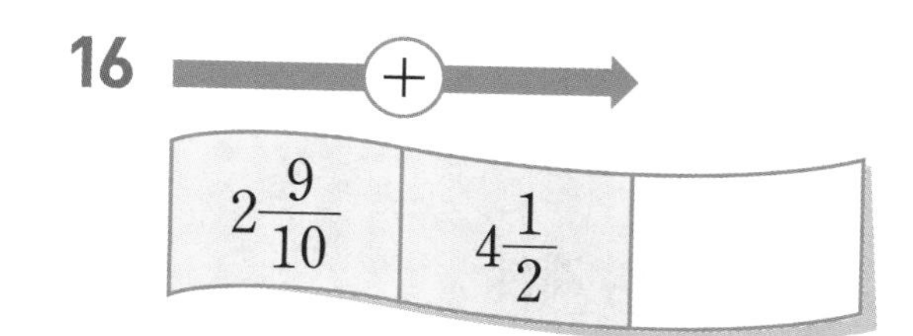

17

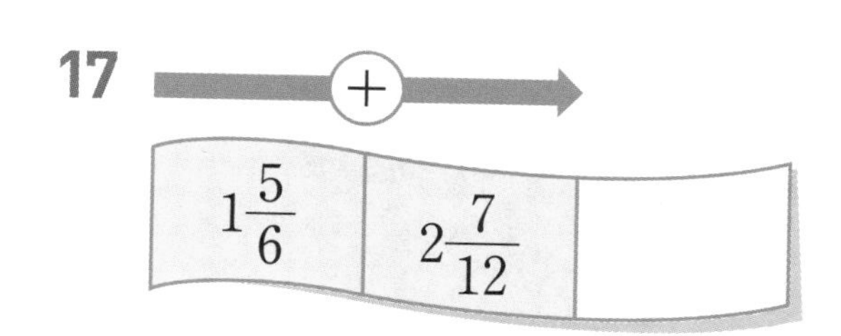

18

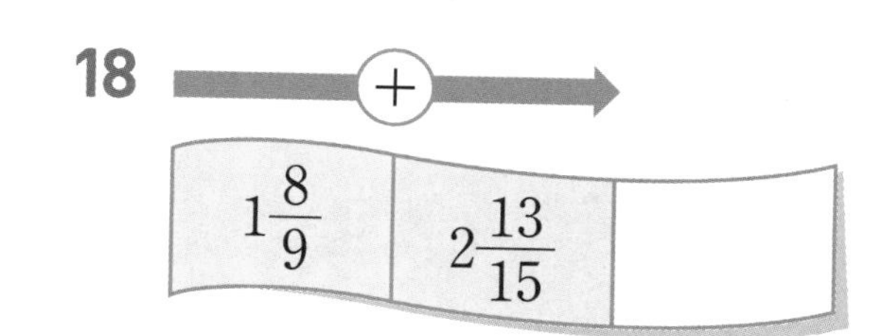

19

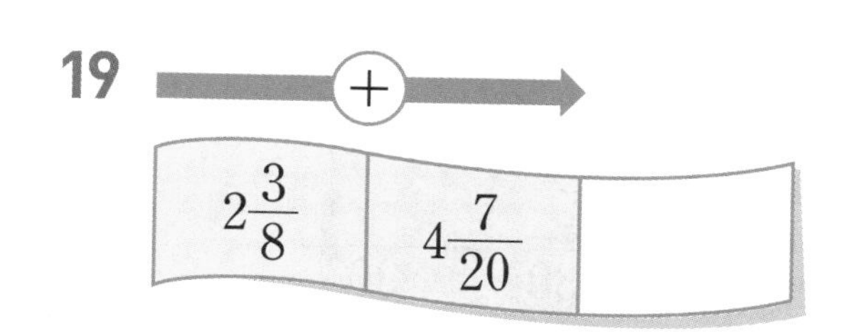

20

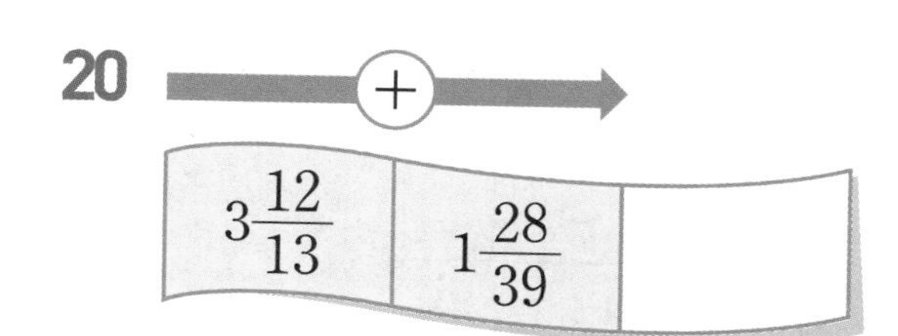

21

+

$1\frac{11}{14}$ $3\frac{5}{8}$

22

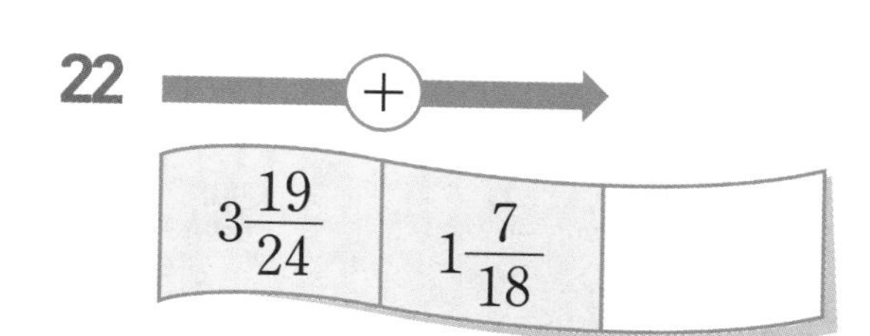

23

+

$4\frac{3}{4}$ $2\frac{5}{6}$

24

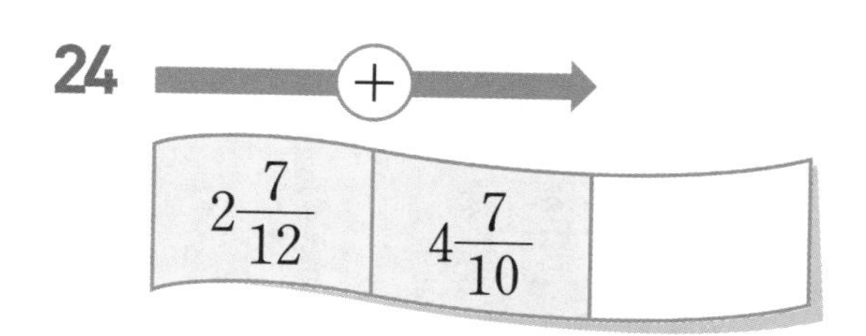

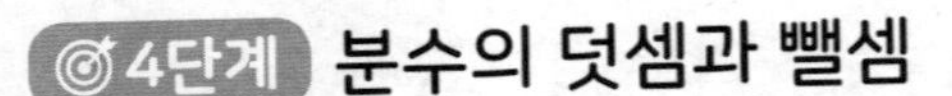

3. 분모가 다른 진분수의 뺄셈

예 $\frac{3}{4}-\frac{3}{10}$의 계산

기약분수로 나타내기

$$\frac{3}{4}-\frac{3}{10}=\frac{3\times10}{4\times10}-\frac{3\times4}{10\times4}=\frac{30}{40}-\frac{12}{40}=\frac{\cancel{18}^{\,9}}{\cancel{40}_{\,20}}=\frac{9}{20}$$

분모의 곱으로 통분하기

두 분수를 통분한 다음,
통분한 분모는 그대로 두고
분자끼리 빼.

두 분모의 곱을 공통분모로 하여 통분한 후 계산하려고 합니다. □ 안에 알맞은 수를 써넣으세요.

1 $\frac{2}{3}-\frac{1}{2}=\frac{2\times\square}{3\times2}-\frac{1\times\square}{2\times3}$

$=\frac{\square}{6}-\frac{\square}{6}$

$=\frac{\square}{6}$

2 $\frac{4}{5}-\frac{1}{6}=\frac{4\times\square}{5\times6}-\frac{1\times\square}{6\times5}$

$=\frac{\square}{30}-\frac{\square}{30}$

$=\frac{\square}{30}$

3 $\frac{5}{8}-\frac{1}{4}=\frac{5\times\square}{8\times4}-\frac{1\times\square}{4\times8}$

$=\frac{\square}{32}-\frac{\square}{32}$

$=\frac{\square}{32}$

$=\frac{\square}{8}$

4 $\frac{5}{6}-\frac{3}{8}=\frac{5\times\square}{6\times8}-\frac{3\times\square}{8\times6}$

$=\frac{\square}{48}-\frac{\square}{48}$

$=\frac{\square}{48}$

$=\frac{\square}{24}$

계산을 하여 기약분수로 나타내세요.

5

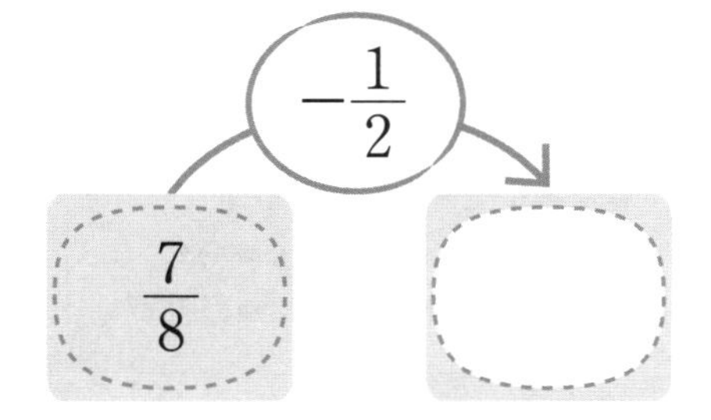

6

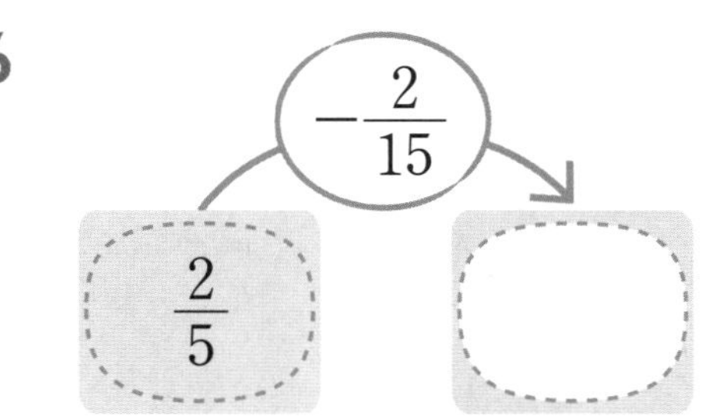

7

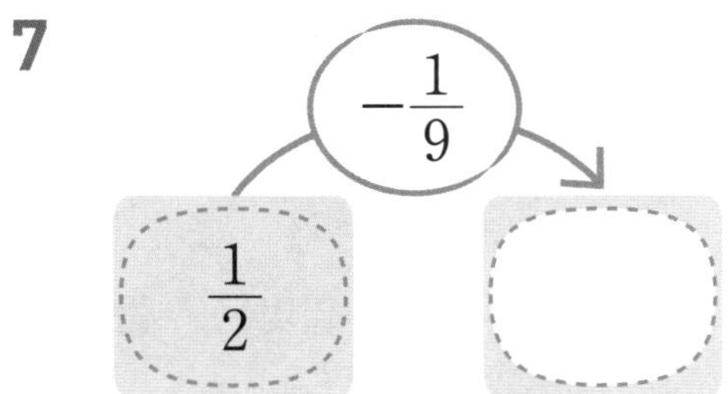

8

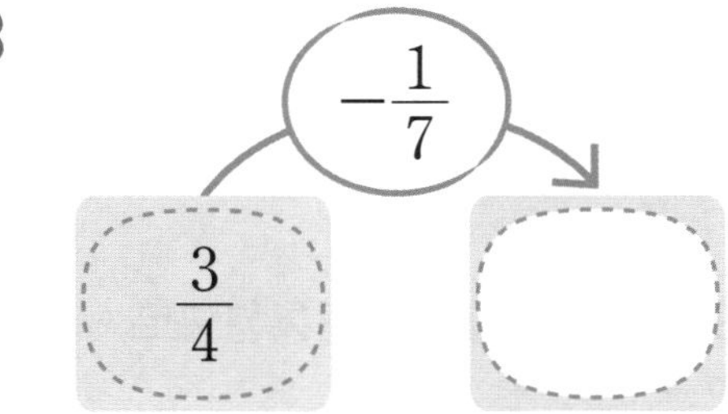

9

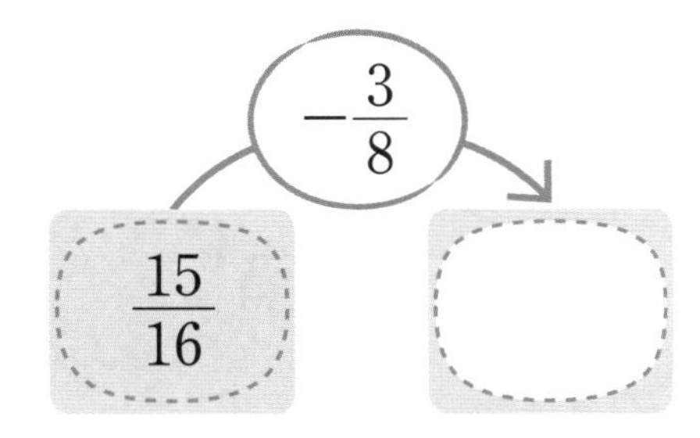

10

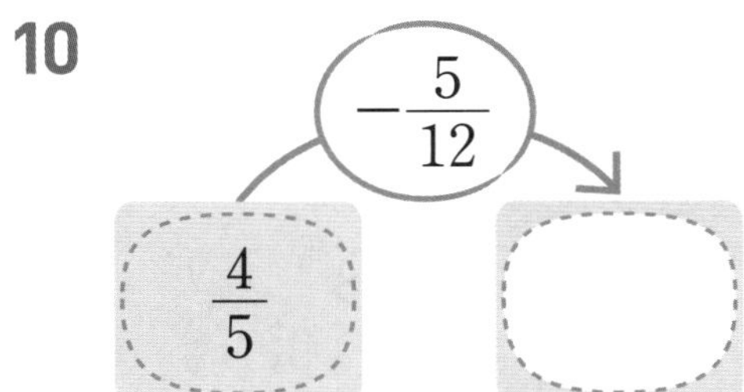

11

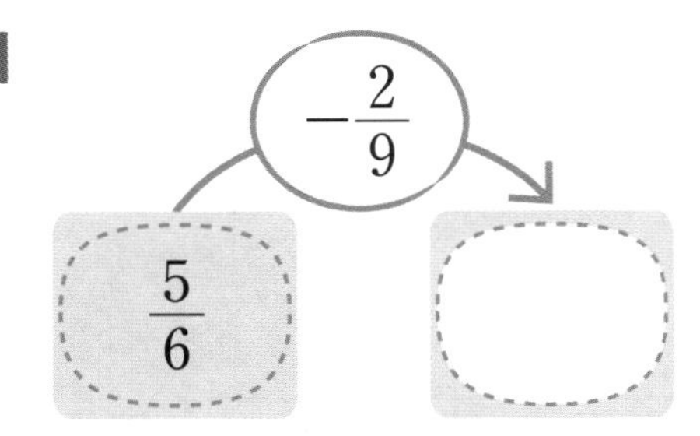

12

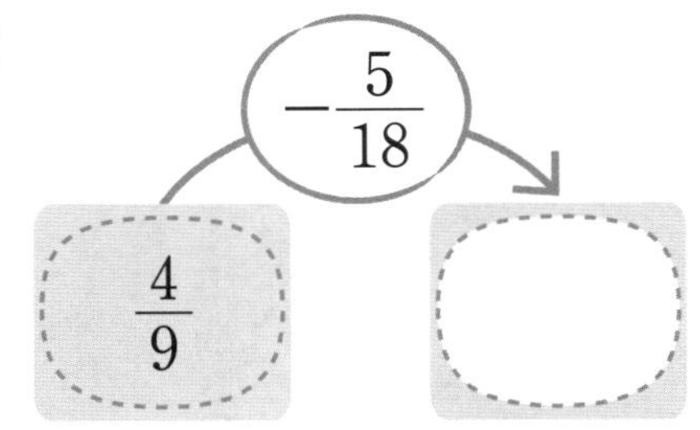

13

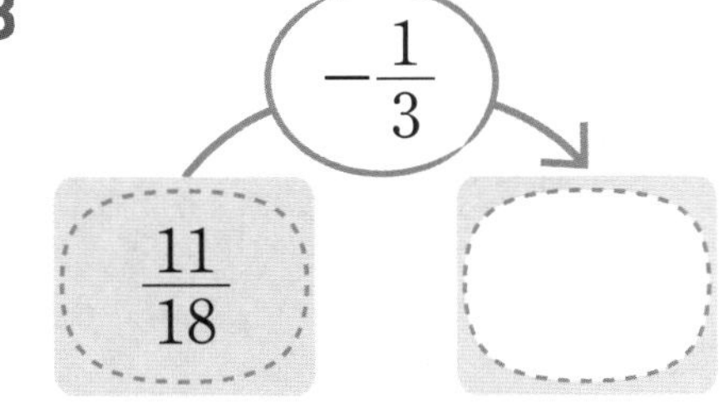

14

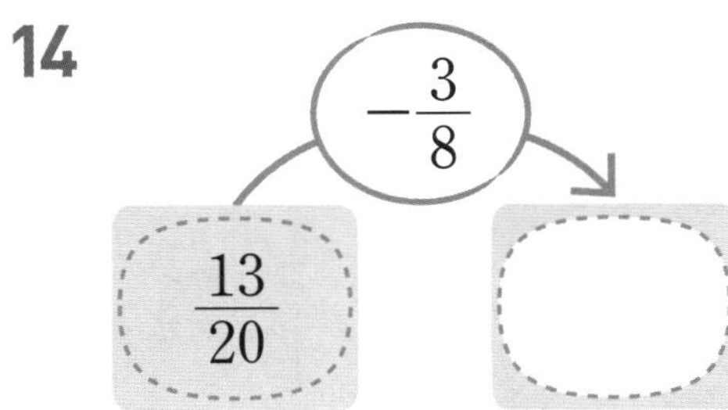

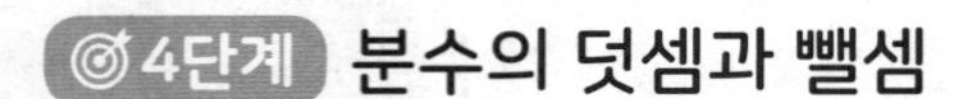

3. 분모가 다른 진분수의 뺄셈

예 $\frac{3}{4}-\frac{3}{10}$의 계산

$$\frac{3}{4}-\frac{3}{10}=\frac{3\times5}{4\times5}-\frac{3\times2}{10\times2}=\frac{15}{20}-\frac{6}{20}=\frac{9}{20}$$

→ 4와 10의 최소공배수 20으로 통분하기

분모의 최소공배수로 통분하면 계산하기 편해.

두 분모의 최소공배수를 공통분모로 하여 통분한 후 계산하려고 합니다. □ 안에 알맞은 수를 써넣으세요.

1 $\frac{5}{9}-\frac{1}{6}=\frac{5\times\square}{9\times2}-\frac{1\times\square}{6\times3}$

$=\frac{\square}{18}-\frac{\square}{18}$

$=\frac{\square}{18}$

2 $\frac{3}{4}-\frac{3}{10}=\frac{3\times\square}{4\times5}-\frac{3\times\square}{10\times2}$

$=\frac{\square}{20}-\frac{\square}{20}$

$=\frac{\square}{20}$

3 $\frac{5}{6}-\frac{1}{8}=\frac{5\times\square}{6\times4}-\frac{1\times\square}{8\times3}$

$=\frac{\square}{24}-\frac{\square}{24}$

$=\frac{\square}{24}$

4 $\frac{11}{16}-\frac{5}{12}=\frac{11\times\square}{16\times3}-\frac{5\times\square}{12\times4}$

$=\frac{\square}{48}-\frac{\square}{48}$

$=\frac{\square}{48}$

계산을 하여 기약분수로 나타내세요.

5 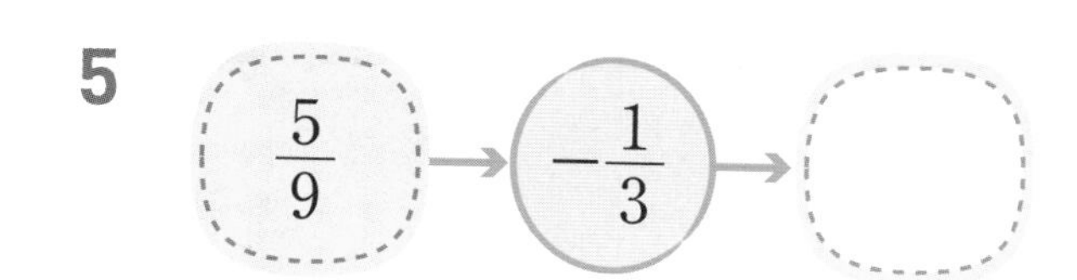

$\frac{5}{9} \rightarrow -\frac{1}{3} \rightarrow \square$

6 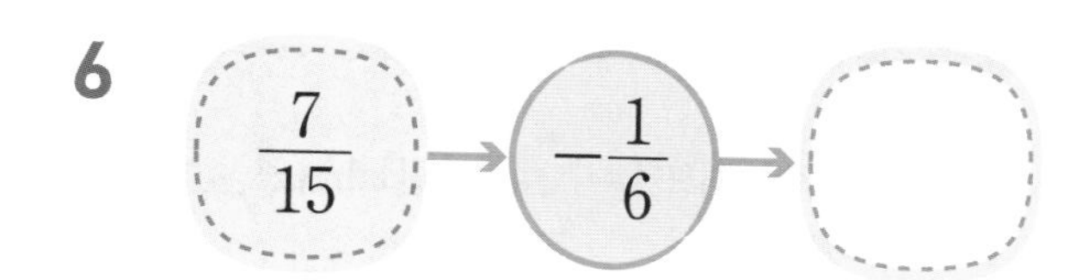

$\frac{7}{15} \rightarrow -\frac{1}{6} \rightarrow \square$

7 $\frac{3}{4} \rightarrow -\frac{3}{8} \rightarrow \square$

8 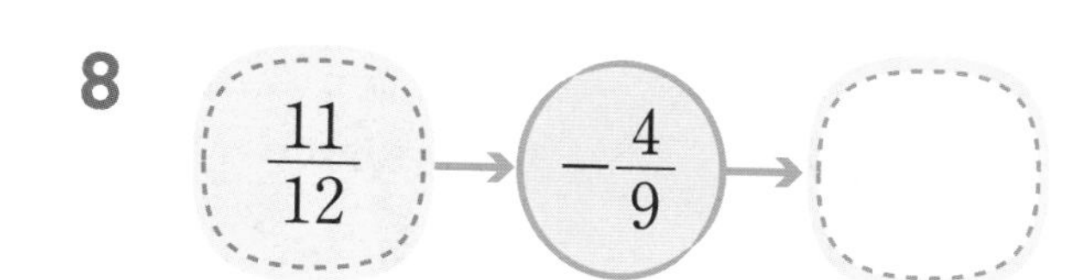

$\frac{11}{12} \rightarrow -\frac{4}{9} \rightarrow \square$

9 $\frac{5}{6} \rightarrow -\frac{3}{4} \rightarrow \square$

10 $\frac{7}{8} \rightarrow -\frac{1}{6} \rightarrow \square$

11 $\frac{9}{10} \rightarrow -\frac{5}{6} \rightarrow \square$

12 $\frac{5}{16} \rightarrow -\frac{7}{24} \rightarrow \square$

13 $\frac{17}{18} \rightarrow -\frac{5}{24} \rightarrow \square$

14 $\frac{11}{14} \rightarrow -\frac{3}{8} \rightarrow \square$

3. 분모가 다른 진분수의 뺄셈

계산을 하여 기약분수로 나타내세요.

1 $\frac{2}{3}-\frac{1}{5}$

2 $\frac{7}{8}-\frac{3}{10}$

3 $\frac{8}{9}-\frac{1}{6}$

4 $\frac{3}{4}-\frac{4}{7}$

5 $\frac{9}{16}-\frac{1}{4}$

6 $\frac{23}{40}-\frac{3}{10}$

7 $\frac{11}{12}-\frac{7}{15}$

8 $\frac{7}{9}-\frac{5}{12}$

9 $\frac{13}{35}-\frac{1}{10}$

10 $\frac{3}{7}-\frac{9}{28}$

11 $\frac{11}{20}-\frac{5}{12}$

12 $\frac{7}{8}-\frac{5}{18}$

13 $\frac{7}{9}-\frac{4}{15}$

14 $\frac{9}{10}-\frac{11}{25}$

계산을 하여 기약분수로 나타내세요.

15

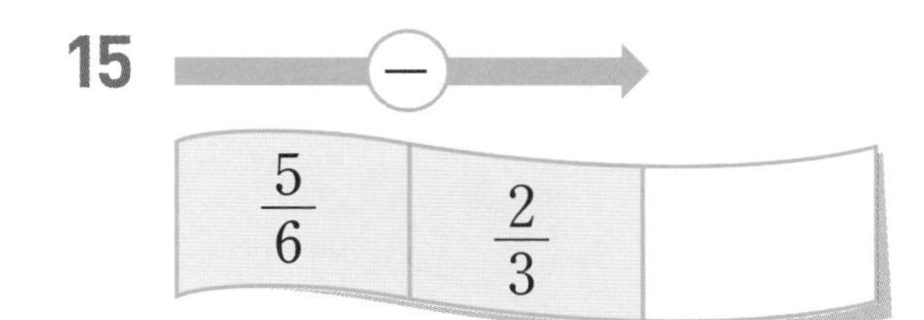

16

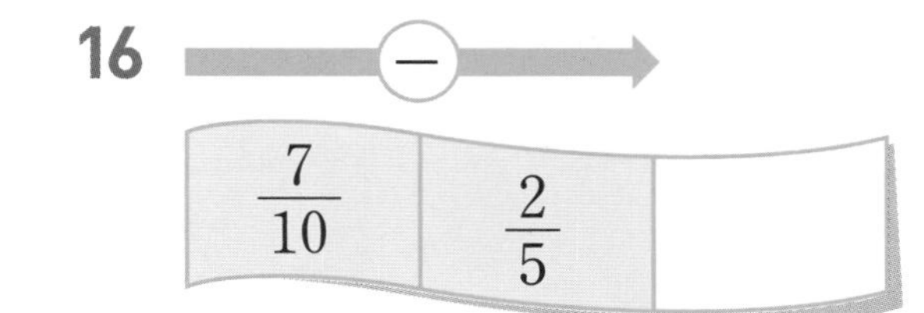

17

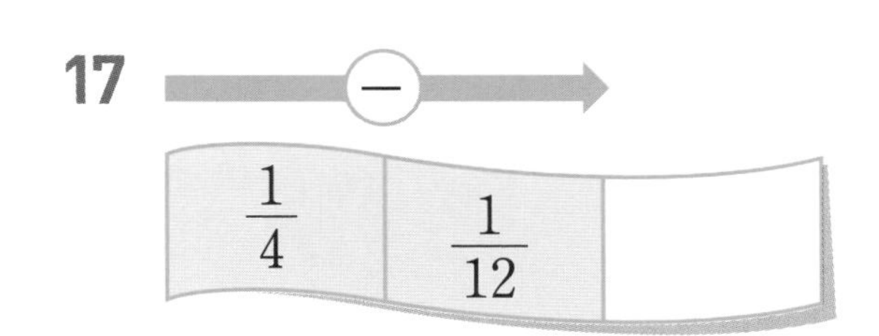

18

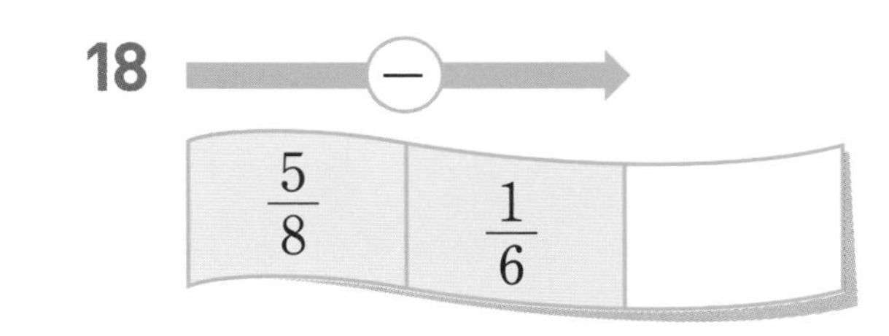

19

−

$\frac{8}{15}$ | $\frac{2}{9}$ |

20

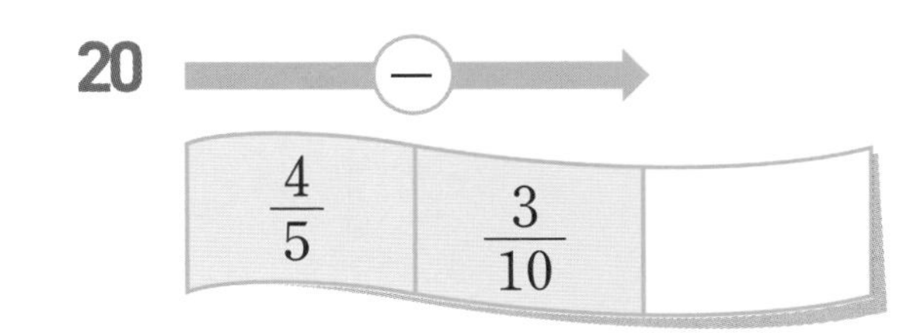

21

−

$\frac{9}{14}$ | $\frac{1}{6}$ |

22

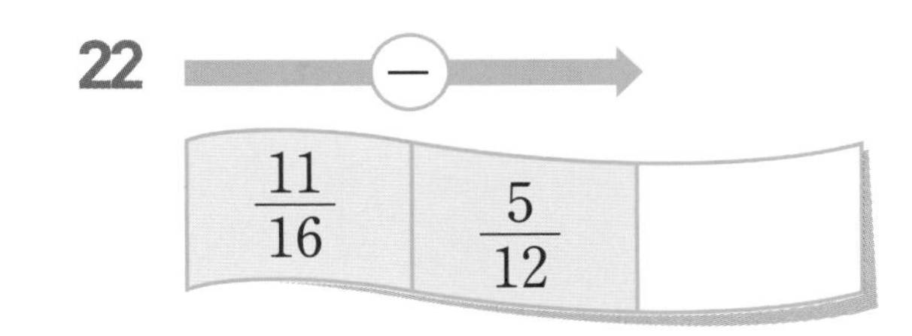

23

−

$\frac{17}{21}$ | $\frac{2}{9}$ |

24

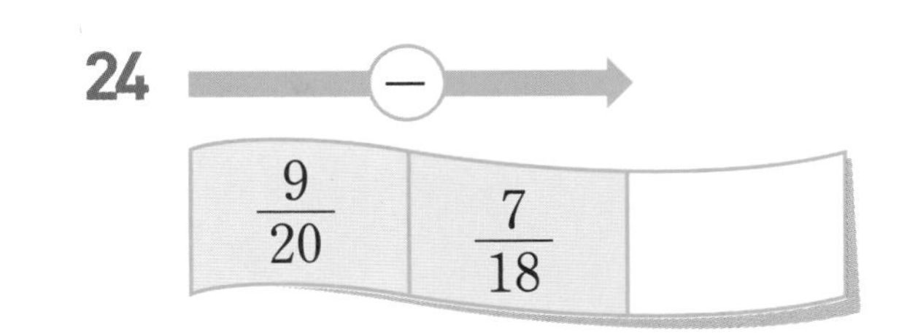

3. 분모가 다른 진분수의 뺄셈

계산을 하여 기약분수를 나타내세요.

1 $\frac{1}{6}-\frac{1}{7}$

2 $\frac{1}{4}-\frac{1}{20}$

3 $\frac{5}{8}-\frac{5}{12}$

4 $\frac{5}{6}-\frac{7}{18}$

5 $\frac{1}{2}-\frac{6}{17}$

6 $\frac{3}{4}-\frac{9}{14}$

7 $\frac{2}{3}-\frac{3}{16}$

8 $\frac{7}{8}-\frac{3}{10}$

9 $\frac{8}{9}-\frac{5}{12}$

10 $\frac{13}{18}-\frac{16}{45}$

11 $\frac{9}{10}-\frac{1}{6}$

12 $\frac{17}{26}-\frac{6}{13}$

13 $\frac{7}{10}-\frac{8}{15}$

14 $\frac{11}{14}-\frac{5}{8}$

계산을 하여 기약분수로 나타내세요.

15 $\frac{8}{15}$ → $-\frac{1}{3}$ → □

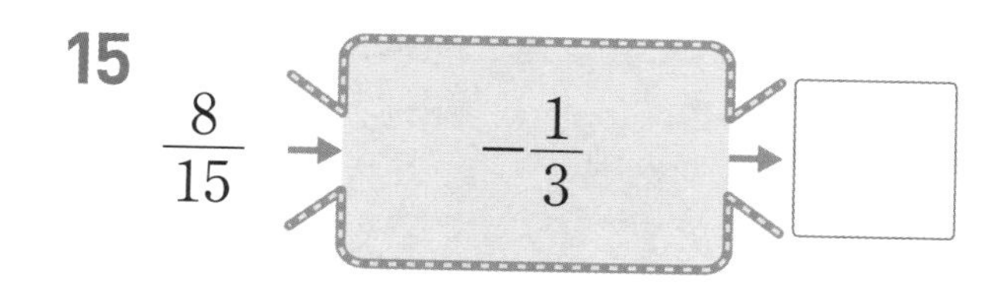

16 $\frac{9}{10}$ → $-\frac{3}{4}$ → □

17 $\frac{16}{17}$ → $-\frac{1}{2}$ → □

18 $\frac{5}{6}$ → $-\frac{4}{9}$ → □

19 $\frac{11}{12}$ → $-\frac{3}{8}$ → □

20 $\frac{14}{15}$ → $-\frac{5}{6}$ → □

21 $\frac{4}{5}$ → $-\frac{5}{12}$ → □

22 $\frac{7}{9}$ → $-\frac{10}{27}$ → □

23 $\frac{11}{18}$ → $-\frac{8}{45}$ → □

24 $\frac{13}{25}$ → $-\frac{7}{15}$ → □

4. 분모가 다른 대분수의 뺄셈

예 $3\frac{2}{5}-1\frac{1}{4}$의 계산

$$3\frac{2}{5}-1\frac{1}{4}=3\frac{8}{20}-1\frac{5}{20}=(3-1)+\left(\frac{8}{20}-\frac{5}{20}\right)$$
$$=2+\frac{3}{20}=2\frac{3}{20}$$

자연수는 자연수끼리, 분수는 분수끼리 계산하려고 합니다. □ 안에 알맞은 수를 써넣으세요.

1 $4\frac{2}{3}-1\frac{1}{2}=4\frac{\square}{6}-1\frac{\square}{6}=(4-1)+\left(\frac{\square}{6}-\frac{\square}{6}\right)$

$=\square+\frac{\square}{6}=\square\frac{\square}{6}$

2 $2\frac{5}{7}-1\frac{3}{8}=2\frac{\square}{56}-1\frac{\square}{56}=(2-1)+\left(\frac{\square}{56}-\frac{\square}{56}\right)$

$=\square+\frac{\square}{56}=\square\frac{\square}{56}$

3 $4\frac{5}{6}-2\frac{2}{9}=4\frac{\square}{18}-2\frac{\square}{18}=(4-2)+\left(\frac{\square}{18}-\frac{\square}{18}\right)$

$=\square+\frac{\square}{18}=\square\frac{\square}{18}$

계산을 하여 기약분수로 나타내세요.

4

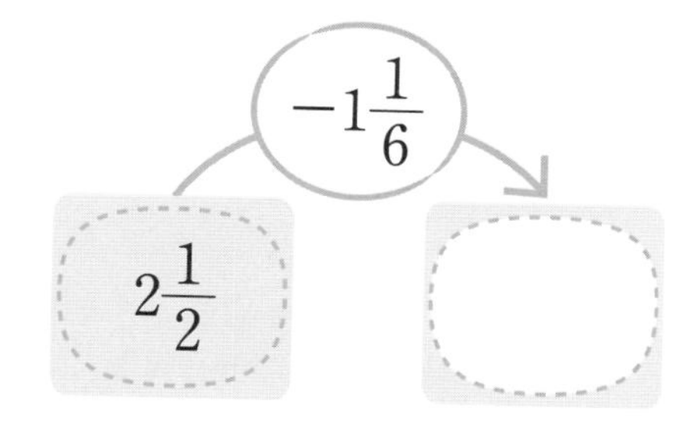

5

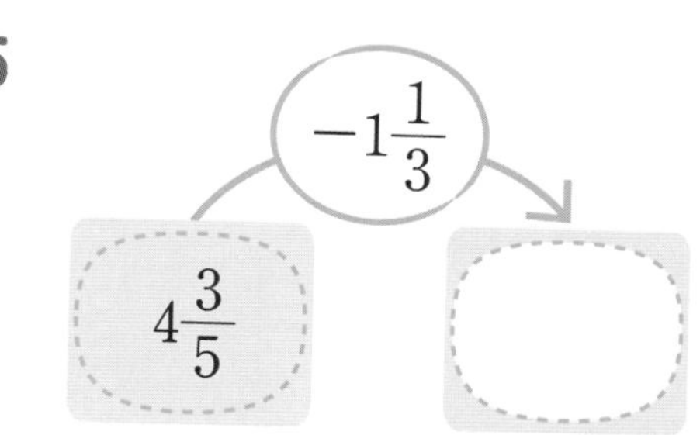

6

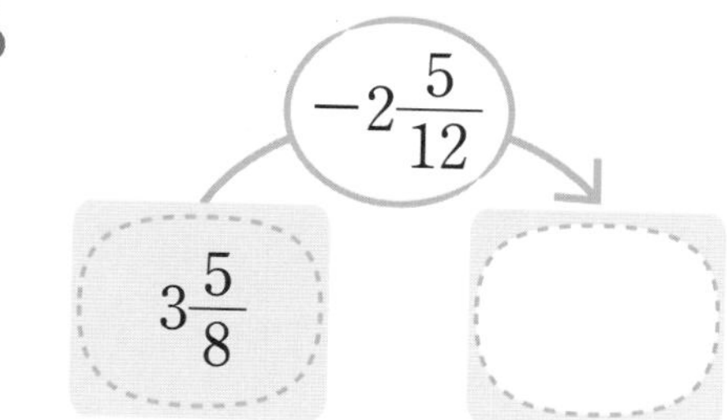

7

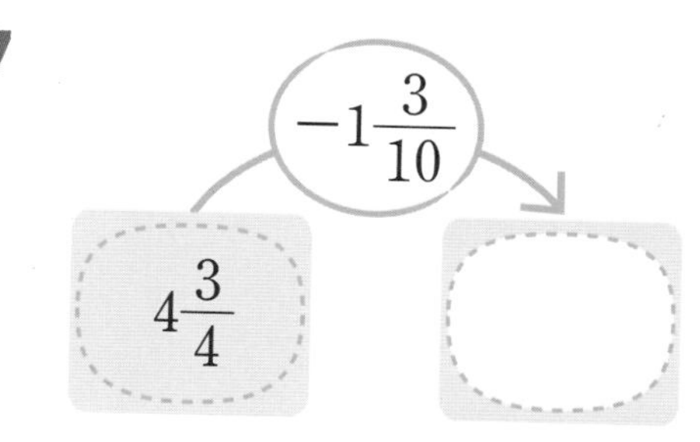

8

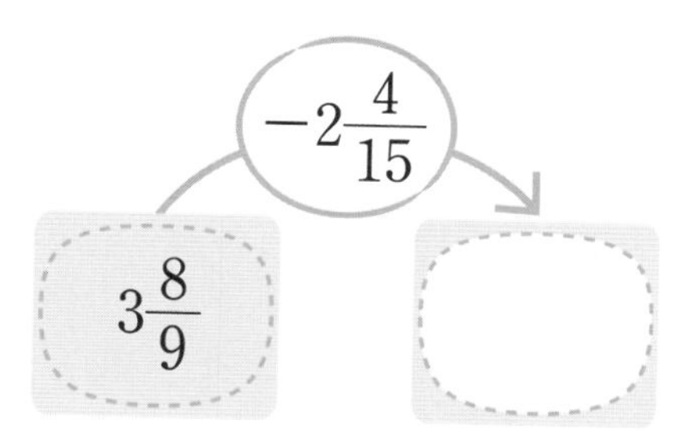

9

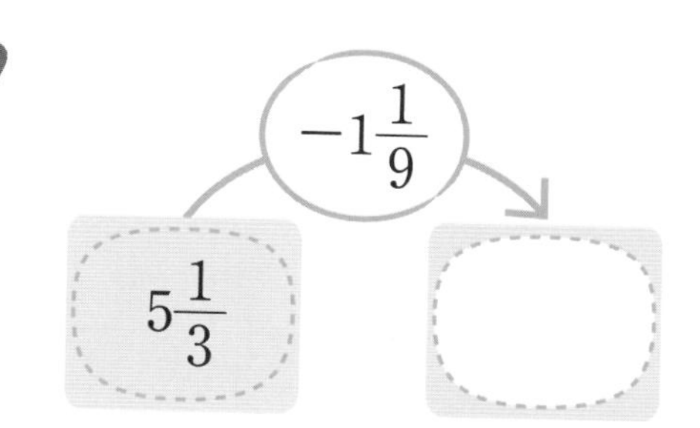

10

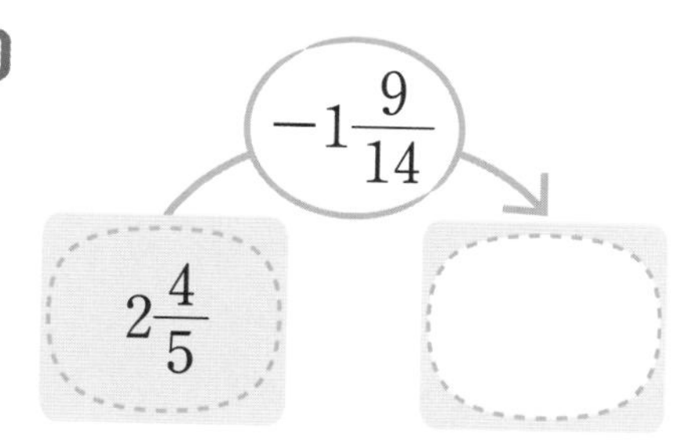

11

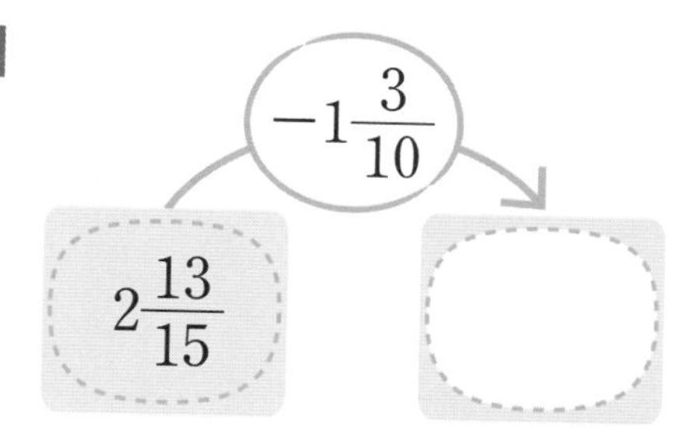

12

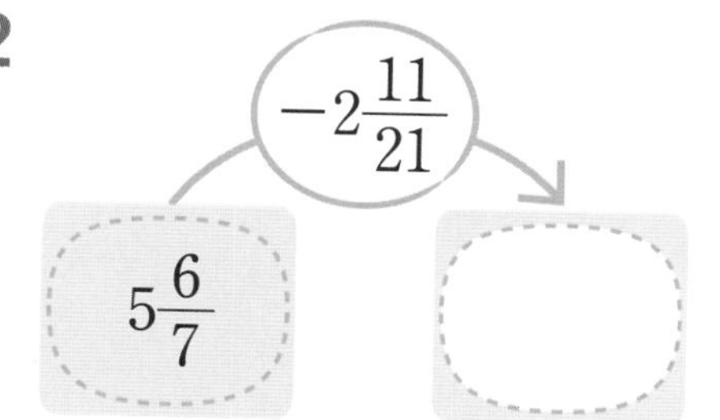

13

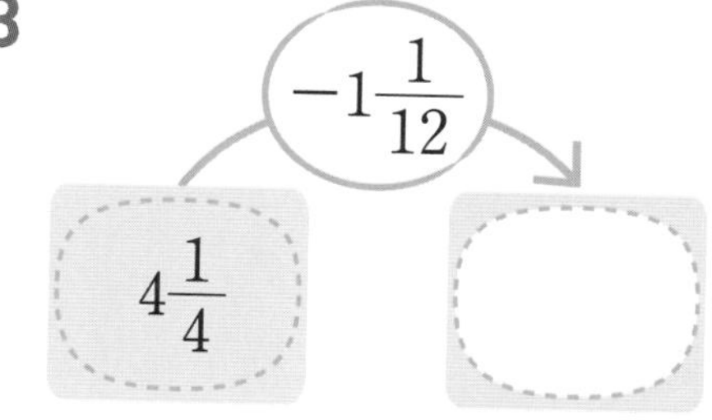

4. 분모가 다른 대분수의 뺄셈

예 $3\frac{1}{4}-1\frac{5}{6}$의 계산

$$3\frac{1}{4}-1\frac{5}{6}=3\frac{3}{12}-1\frac{10}{12}=2\frac{15}{12}-1\frac{10}{12}$$
$$=(2-1)+\left(\frac{15}{12}-\frac{10}{12}\right)$$
$$=1+\frac{5}{12}=1\frac{5}{12}$$

자연수는 자연수끼리, 분수는 분수끼리 계산하려고 합니다. □ 안에 알맞은 수를 써넣으세요.

1 $3\frac{1}{5}-1\frac{1}{3}=3\frac{\square}{15}-1\frac{\square}{15}=2\frac{\square}{15}-1\frac{\square}{15}$

$=(2-1)+\left(\frac{\square}{15}-\frac{\square}{15}\right)=\square+\frac{\square}{15}=\square\frac{\square}{15}$

2 $4\frac{1}{2}-1\frac{5}{8}=4\frac{\square}{8}-1\frac{\square}{8}=3\frac{\square}{8}-1\frac{\square}{8}$

$=(3-1)+\left(\frac{\square}{8}-\frac{\square}{8}\right)=\square+\frac{\square}{8}=\square\frac{\square}{8}$

3 $4\frac{2}{7}-1\frac{3}{5}=4\frac{\square}{35}-1\frac{\square}{35}=3\frac{\square}{35}-1\frac{\square}{35}$

$=(3-1)+\left(\frac{\square}{35}-\frac{\square}{35}\right)=\square+\frac{\square}{35}=\square\frac{\square}{35}$

계산을 하여 기약분수로 나타내세요.

4

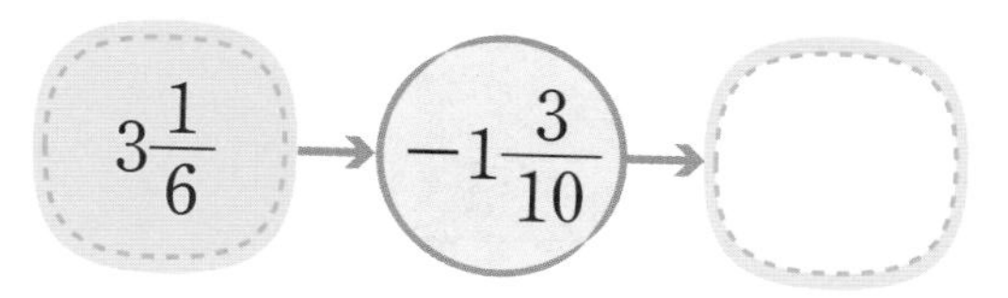

5

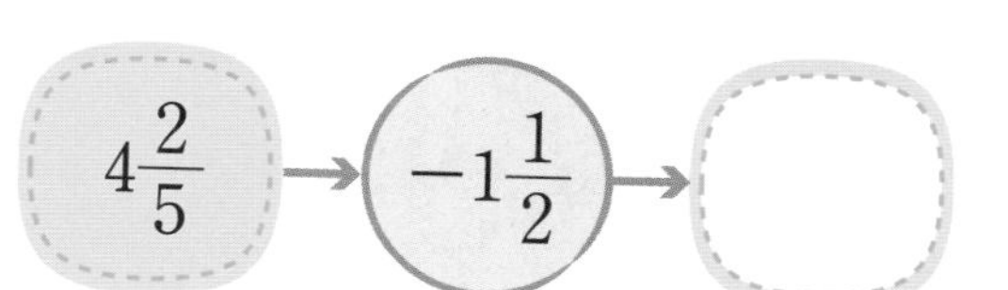

6 $4\frac{5}{12}$ → $-2\frac{8}{9}$ → ☐

7

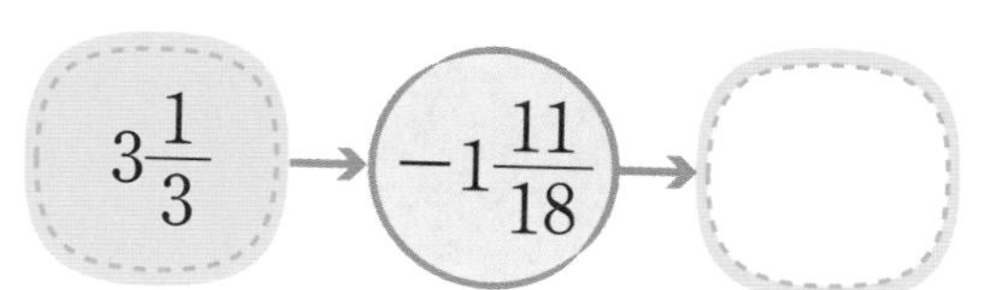

8 $5\frac{1}{8}$ → $-2\frac{11}{12}$ → ☐

9

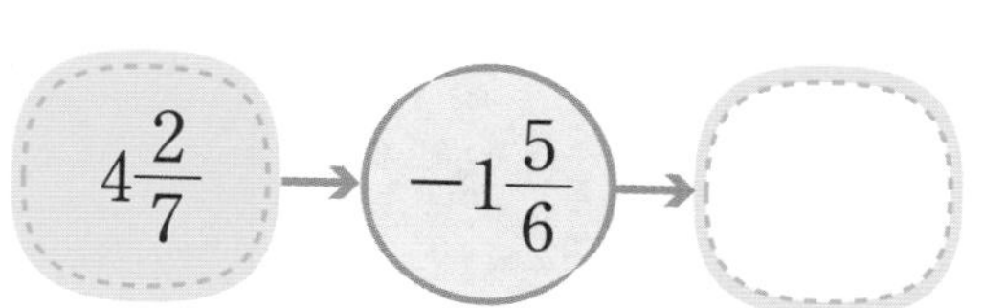

10 $5\frac{1}{5}$ → $-2\frac{7}{15}$ → ☐

11 $4\frac{3}{16}$ → $-1\frac{13}{24}$ → ☐

12

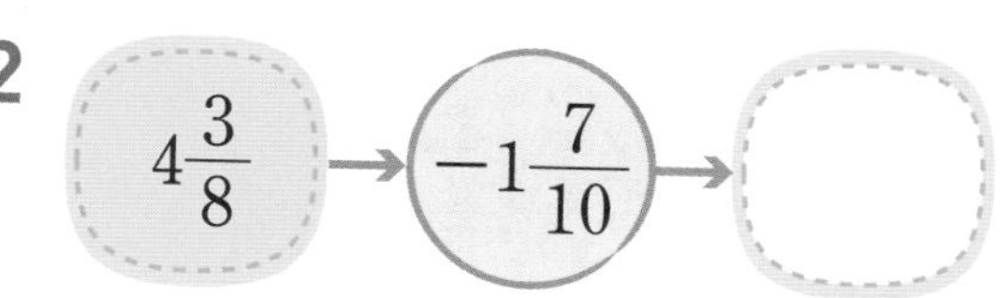

13 $3\frac{5}{14}$ → $-1\frac{17}{21}$ → ☐

4. 분모가 다른 대분수의 뺄셈

예 $3\frac{1}{3}-1\frac{1}{2}$의 계산

$$3\frac{1}{3}-1\frac{1}{2}=\frac{10}{3}-\frac{3}{2}=\frac{20}{6}-\frac{9}{6}=\frac{11}{6}=1\frac{5}{6}$$

계산 결과를 대분수로 나타내기

대분수를 가분수로 나타내어 계산하려고 합니다. □ 안에 알맞은 수를 써넣으세요.

1 $3\frac{1}{4}-1\frac{3}{5}=\frac{\square}{4}-\frac{\square}{5}=\frac{\square}{20}-\frac{\square}{20}=\frac{\square}{20}=\square\frac{\square}{20}$

2 $2\frac{3}{8}-1\frac{1}{6}=\frac{\square}{8}-\frac{\square}{6}=\frac{\square}{24}-\frac{\square}{24}=\frac{\square}{24}=\square\frac{\square}{24}$

3 $4\frac{3}{4}-2\frac{7}{10}=\frac{\square}{4}-\frac{\square}{10}=\frac{\square}{20}-\frac{\square}{20}=\frac{\square}{20}=\square\frac{\square}{20}$

4 $3\frac{1}{2}-1\frac{7}{9}=\frac{\square}{2}-\frac{\square}{9}=\frac{\square}{18}-\frac{\square}{18}=\frac{\square}{18}=\square\frac{\square}{18}$

계산을 하여 기약분수로 나타내세요.

5 $-$

$3\frac{1}{5}$	$2\frac{3}{4}$	

6 $-$

$4\frac{1}{2}$	$2\frac{1}{4}$	

7 $-$

$5\frac{5}{8}$	$2\frac{9}{10}$	

8 $-$

$4\frac{2}{3}$	$2\frac{11}{13}$	

9 $-$

$4\frac{2}{15}$	$1\frac{5}{9}$	

10 $-$

$5\frac{3}{10}$	$2\frac{5}{6}$	

11 $-$

$5\frac{5}{14}$	$3\frac{5}{6}$	

12 $-$

$3\frac{7}{16}$	$1\frac{9}{20}$	

13 $-$

$5\frac{5}{12}$	$2\frac{8}{9}$	

14 $-$

$4\frac{1}{8}$	$1\frac{11}{18}$	

4. 분모가 다른 대분수의 뺄셈

계산을 하여 기약분수로 나타내세요.

1 $3\frac{1}{4}-1\frac{1}{7}$

2 $4\frac{4}{5}-1\frac{1}{2}$

3 $3\frac{5}{8}-1\frac{1}{6}$

4 $4\frac{5}{6}-1\frac{7}{18}$

5 $5\frac{1}{3}-2\frac{7}{12}$

6 $6\frac{3}{20}-2\frac{7}{8}$

7 $5\frac{3}{10}-1\frac{8}{15}$

8 $7\frac{2}{9}-3\frac{4}{5}$

9 $4\frac{1}{12}-1\frac{7}{9}$

10 $6\frac{3}{16}-2\frac{13}{24}$

11 $4\frac{3}{20}-2\frac{19}{60}$

12 $8\frac{2}{11}-3\frac{1}{4}$

13 $5\frac{5}{12}-2\frac{5}{8}$

14 $4\frac{9}{25}-1\frac{13}{20}$

두 수의 차를 기약분수로 나타내어 빈칸에 써넣으세요.

15

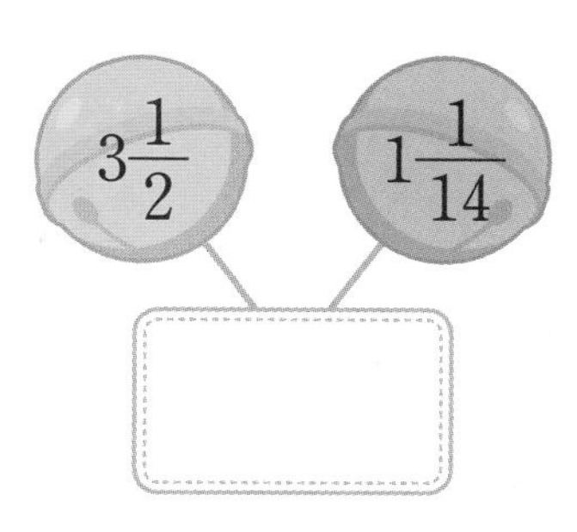

16

17

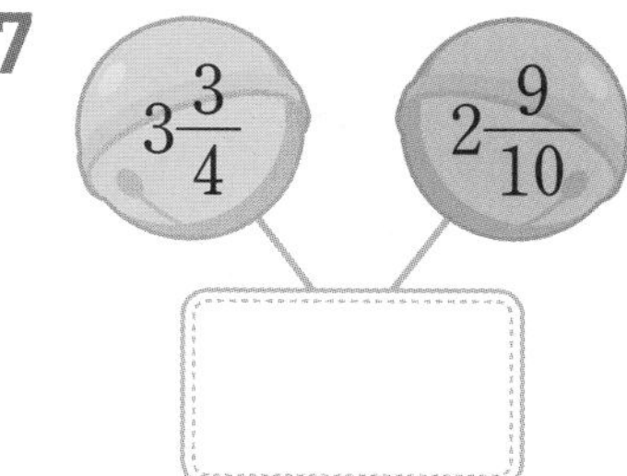

18

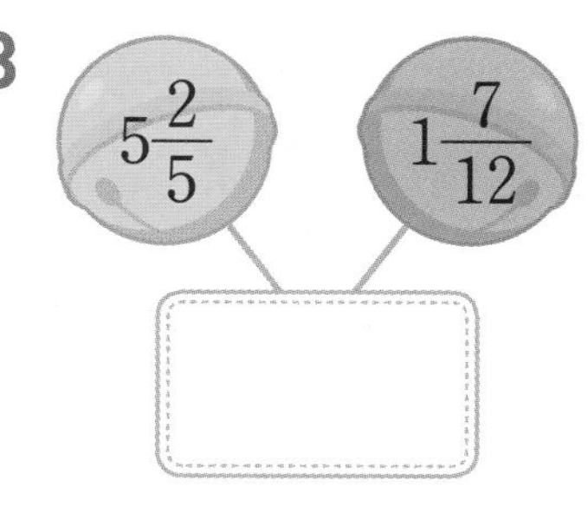

19

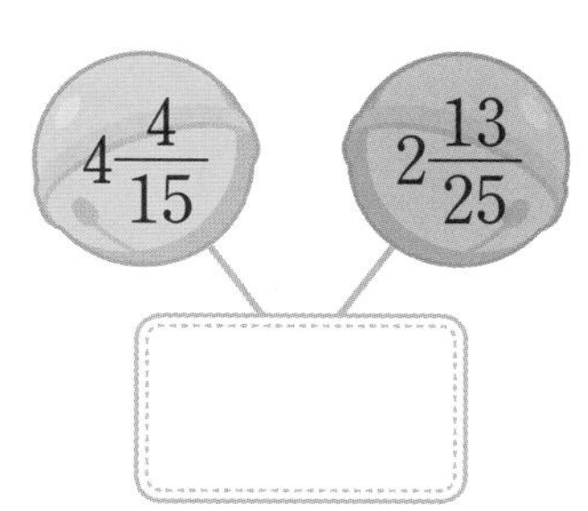

20

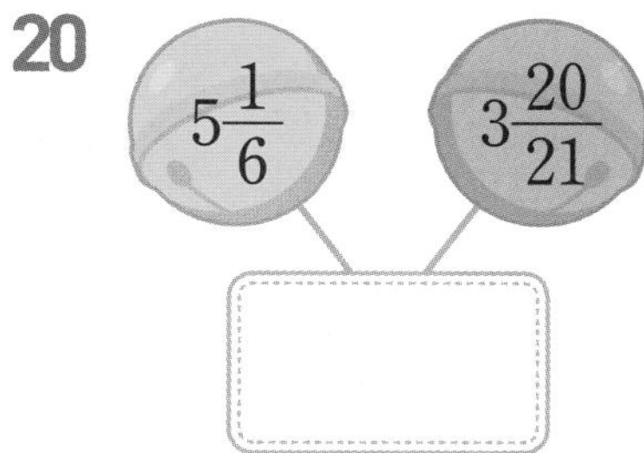

21

22

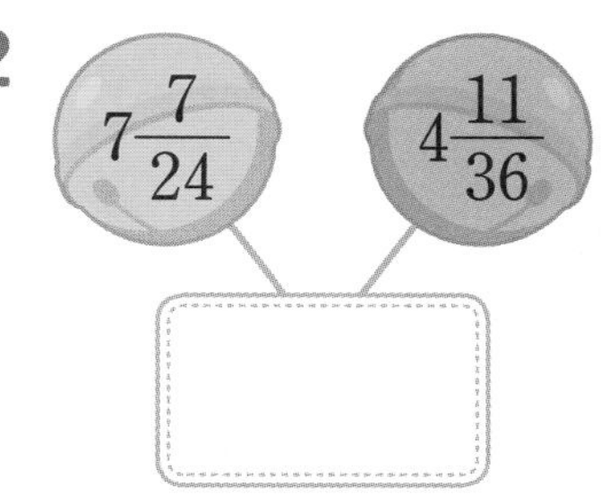

생활 속 연산

아린이와 준서는 크기가 같은 종이컵을 사용하여 각각 그릇에 물을 가득 채웠습니다. 어느 친구의 그릇의 들이가 몇 컵 더 많은지 구하세요.

그릇에 물 $8\frac{5}{6}$컵을 부었더니 가득 찼어.

그릇에 물 $11\frac{1}{4}$컵을 부었더니 가득 찼어.

(　　　　,　　　　)

5. 세 분수의 덧셈과 뺄셈

예 $2\frac{2}{5}+1\frac{1}{2}-\frac{3}{4}$의 계산

$$2\frac{2}{5}+1\frac{1}{2}-\frac{3}{4}=\left(2\frac{4}{10}+1\frac{5}{10}\right)-\frac{3}{4}=3\frac{9}{10}-\frac{3}{4}$$

$$=3\frac{18}{20}-\frac{15}{20}=3\frac{3}{20}$$

두 분수씩 통분하여 차례로 계산해.

□ 안에 알맞은 수를 써넣으세요.

1 $\frac{1}{3}+\frac{2}{5}-\frac{7}{10}=\square$

$\frac{1}{3}+\frac{2}{5}=\frac{11}{15}$, $\frac{11}{15}-\frac{7}{10}=\square$

2 $\frac{3}{8}+\frac{1}{6}-\frac{1}{4}=\square$

$\frac{3}{8}+\frac{1}{6}=\frac{13}{24}$, $\frac{13}{24}-\frac{1}{4}=\square$

3 $1\frac{1}{7}-\frac{2}{3}+\frac{1}{6}=\square$

$1\frac{1}{7}-\frac{2}{3}=\square$, $\square+\frac{1}{6}=\square$

4 $\frac{5}{8}-\frac{1}{9}+1\frac{3}{4}=\square$

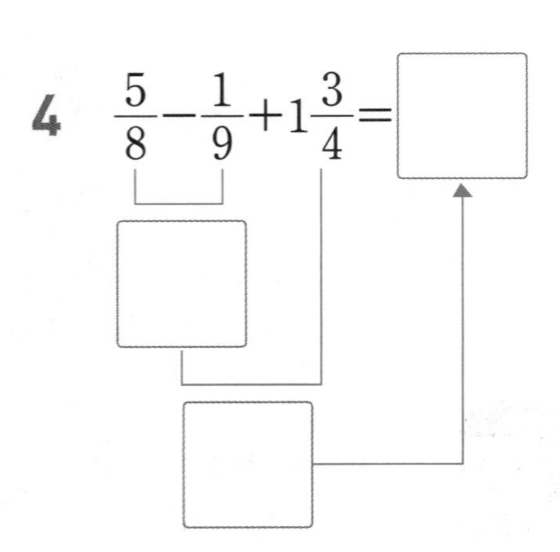

$\frac{5}{8}-\frac{1}{9}=\square$, $\square+1\frac{3}{4}=\square$

계산을 하여 기약분수로 나타내세요.

5

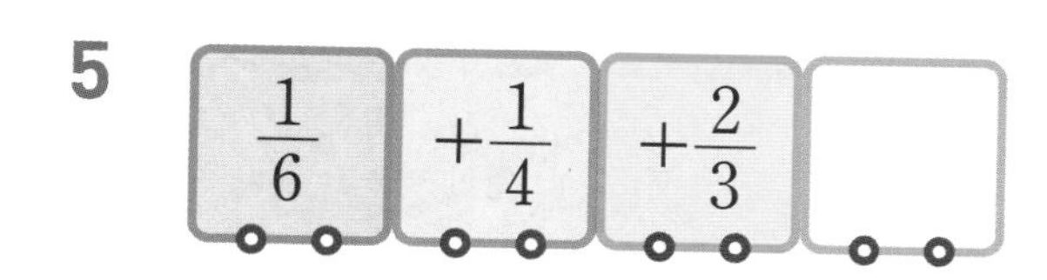

6 $\frac{11}{12}$ $-\frac{1}{8}$ $-\frac{1}{3}$ $\square$

세 분수의 덧셈과 뺄셈은
두 분수씩 차례로 계산해.

7 $\frac{4}{9}$ $+\frac{1}{6}$ $-\frac{1}{2}$ $\square$

8 $\frac{7}{8}$ $-\frac{2}{9}$ $+\frac{1}{3}$ $\square$

9 $\frac{1}{6}$ $+\frac{3}{5}$ $-\frac{3}{10}$ $\square$

10 $\frac{9}{10}$ $-\frac{5}{6}$ $+\frac{1}{9}$ $\square$

11 $4\frac{6}{7}$ $-\frac{9}{14}$ $-1\frac{1}{3}$ $\square$

12 $2\frac{7}{8}$ $+\frac{1}{4}$ $-1\frac{5}{6}$ $\square$

13 $1\frac{5}{9}$ $-\frac{2}{3}$ $+1\frac{5}{6}$ $\square$

14 $2\frac{1}{2}$ $+2\frac{1}{5}$ $-3\frac{1}{4}$ $\square$

5. 세 분수의 덧셈과 뺄셈

예 $\frac{2}{5}+\frac{1}{2}-\frac{3}{4}$의 계산

$$\frac{2}{5}+\frac{1}{2}-\frac{3}{4}=\frac{8}{20}+\frac{10}{20}-\frac{15}{20}$$

5, 2, 4의 최소공배수 20으로 통분하기

$$=\frac{3}{20}$$

세 분수를 한꺼번에 통분하여 계산하려고 합니다. □ 안에 알맞은 수를 써넣으세요.

1 $\frac{1}{2}+\frac{2}{3}-\frac{1}{4}=\frac{\square}{12}+\frac{\square}{12}-\frac{\square}{12}=\frac{\square}{12}$

2 $\frac{3}{4}+\frac{1}{6}+\frac{5}{8}=\frac{\square}{24}+\frac{\square}{24}+\frac{\square}{24}=\frac{\square}{24}=1\frac{\square}{24}$

3 $\frac{5}{6}-\frac{2}{5}+\frac{1}{10}=\frac{\square}{30}-\frac{\square}{30}+\frac{\square}{30}=\frac{\square}{30}=\frac{\square}{15}$

4 $\frac{7}{8}+\frac{5}{12}-\frac{1}{6}=\frac{\square}{24}+\frac{\square}{24}-\frac{\square}{24}=\frac{\square}{24}=1\frac{\square}{24}=1\frac{\square}{8}$

계산을 하여 기약분수로 나타내세요.

5

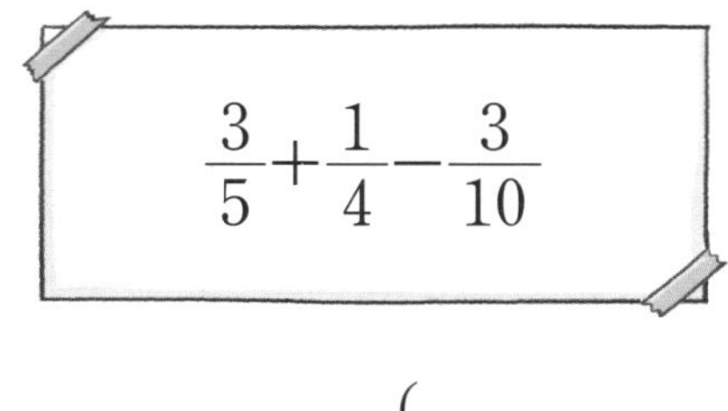

$\frac{3}{5}+\frac{1}{4}-\frac{3}{10}$

(　　　　　　　　)

6

$\frac{1}{3}+\frac{1}{2}+\frac{7}{12}$

(　　　　　　　　)

7

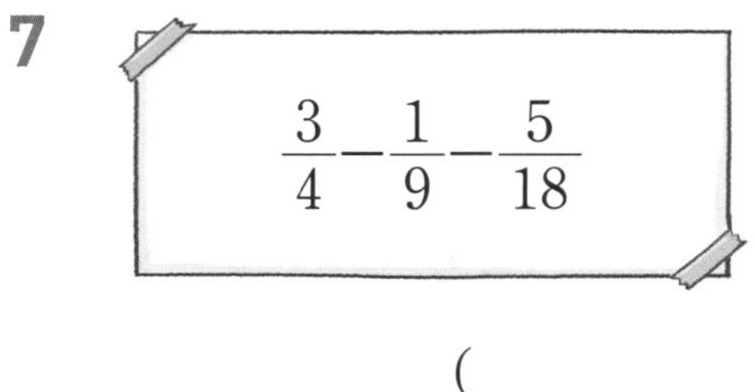

$\frac{3}{4}-\frac{1}{9}-\frac{5}{18}$

(　　　　　　　　)

8

$\frac{5}{9}-\frac{4}{15}+\frac{1}{3}$

(　　　　　　　　)

9

$\frac{1}{7}+\frac{2}{5}+\frac{1}{14}$

(　　　　　　　　)

10

$\frac{2}{3}+\frac{1}{2}-\frac{5}{7}$

(　　　　　　　　)

11

$2\frac{1}{6}+2\frac{1}{4}-3\frac{11}{12}$

(　　　　　　　　)

12

$5\frac{7}{8}-1\frac{3}{10}-2\frac{1}{5}$

(　　　　　　　　)

13

$1\frac{4}{9}+\frac{5}{7}+1\frac{11}{21}$

(　　　　　　　　)

14

$2\frac{7}{10}-1\frac{1}{4}+\frac{1}{2}$

(　　　　　　　　)

5. 세 분수의 덧셈과 뺄셈

계산을 하여 기약분수로 나타내세요.

1 $\frac{1}{2}-\frac{2}{9}+\frac{1}{6}$

2 $\frac{1}{3}+\frac{1}{4}+\frac{1}{8}$

3 $\frac{6}{7}-\frac{5}{28}-\frac{1}{8}$

4 $\frac{4}{5}+\frac{5}{12}-\frac{9}{10}$

5 $\frac{4}{15}+\frac{2}{3}+\frac{11}{30}$

6 $\frac{11}{12}-\frac{2}{9}-\frac{1}{6}$

7 $1\frac{1}{5}+2\frac{1}{8}-\frac{3}{4}$

8 $3\frac{5}{6}-2\frac{7}{9}+\frac{11}{18}$

9 $2\frac{1}{2}-1\frac{19}{28}+1\frac{3}{7}$

10 $4\frac{9}{10}-1\frac{3}{5}-1\frac{7}{8}$

11 $1\frac{3}{8}+\frac{7}{12}+2\frac{1}{6}$

12 $1\frac{5}{16}+1\frac{1}{4}-\frac{13}{24}$

13 $1\frac{7}{9}-\frac{20}{21}+4\frac{1}{3}$

14 $2\frac{9}{10}+1\frac{3}{7}-1\frac{5}{14}$

계산을 하여 기약분수로 나타내세요.

15

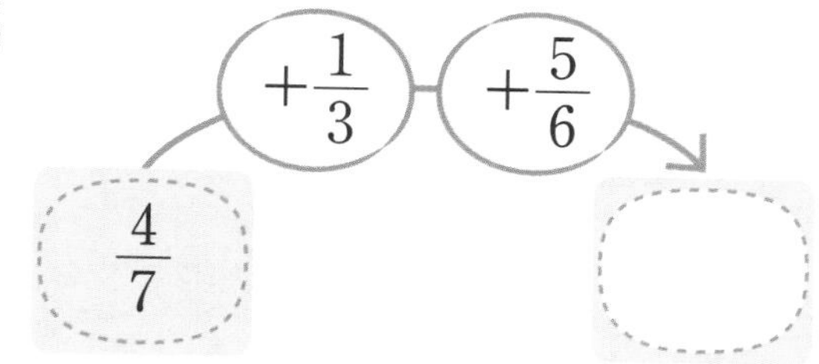

16

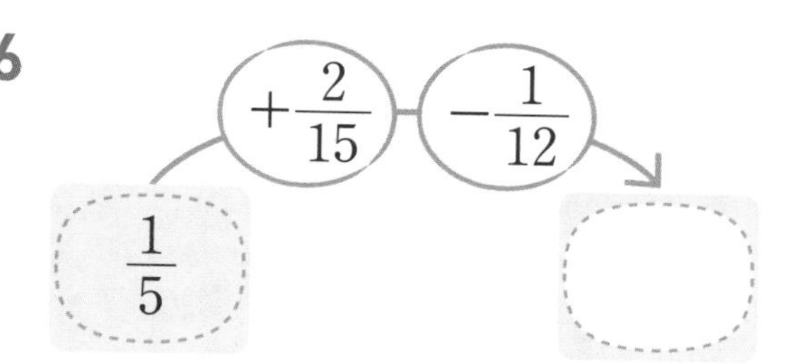

17

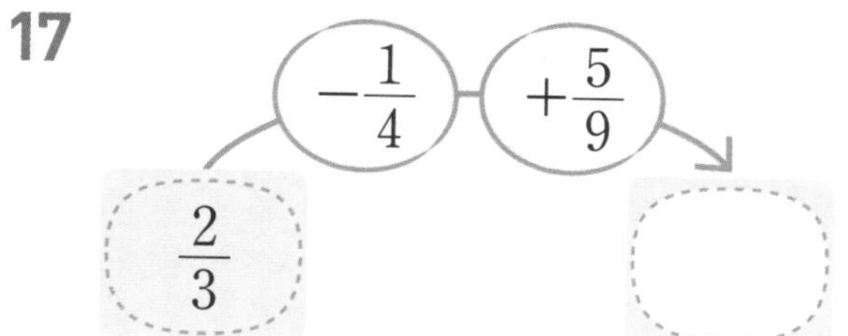

18

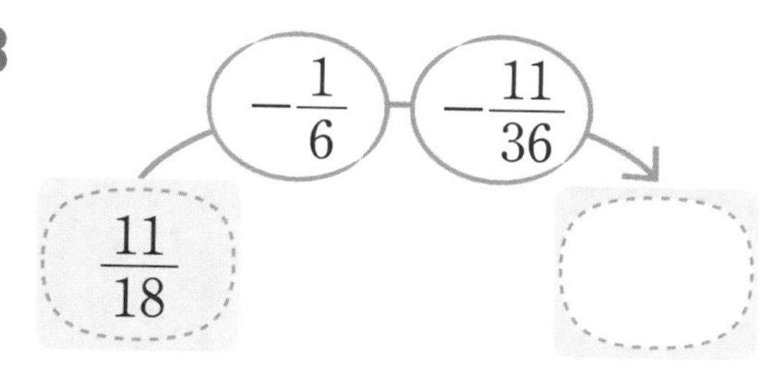

19

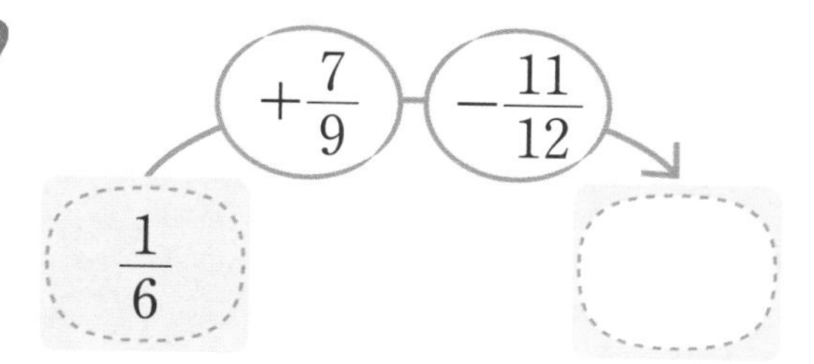

20

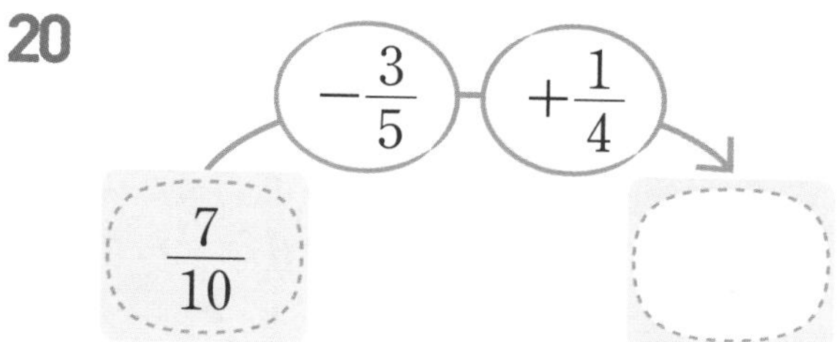

21

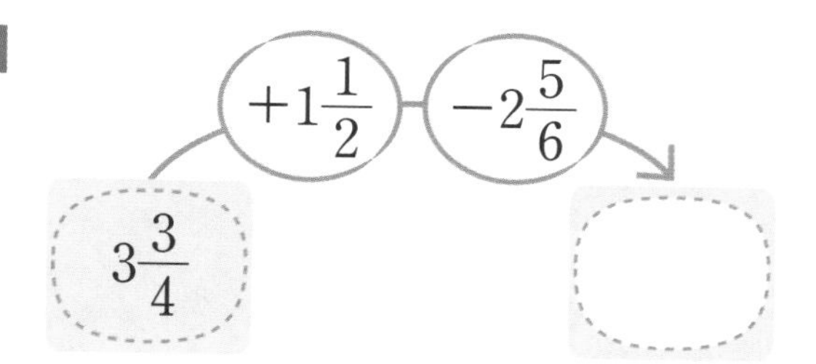

22

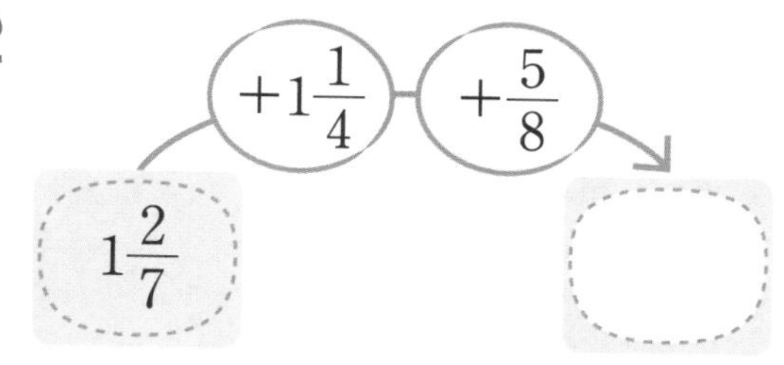

생활 속 연산

현서는 레모네이드를 만들었습니다. 동생이 마시고 남은 레모네이드는 몇 컵인지 구하세요.

레몬즙 $\frac{3}{4}$컵에 탄산수 $2\frac{1}{2}$컵을 섞어서 레모네이드를 만들었어.

누나가 만든 것 중에서 $1\frac{3}{5}$컵을 마셨는데 너무 맛있다.

( )

마무리 연산

계산을 하여 기약분수로 나타내세요.

1 $\frac{1}{4}+\frac{1}{6}$

2 $\frac{5}{9}+\frac{1}{3}$

3 $\frac{2}{5}+\frac{4}{9}$

4 $\frac{11}{20}+\frac{3}{8}$

5 $\frac{2}{5}+\frac{3}{4}$

6 $\frac{2}{3}+\frac{5}{7}$

7 $\frac{5}{8}+\frac{7}{12}$

8 $\frac{5}{9}+\frac{7}{15}$

9 $\frac{5}{6}+\frac{11}{15}$

10 $\frac{3}{4}+\frac{13}{20}$

11 $\frac{3}{14}+\frac{5}{6}$

12 $\frac{13}{28}+\frac{16}{21}$

13 $\frac{4}{5}+\frac{9}{14}$

14 $\frac{7}{10}+\frac{19}{24}$

계산을 하여 기약분수로 나타내세요.

15 $1\frac{2}{5}+2\frac{1}{10}$

16 $2\frac{1}{5}+1\frac{5}{6}$

17 $2\frac{7}{8}+2\frac{1}{2}$

18 $2\frac{3}{8}+2\frac{7}{10}$

19 $1\frac{5}{9}+1\frac{1}{12}$

20 $3\frac{5}{18}+1\frac{3}{4}$

21 $1\frac{7}{15}+3\frac{5}{9}$

22 $3\frac{2}{3}+2\frac{11}{16}$

23 $1\frac{7}{15}+2\frac{3}{10}$

24 $1\frac{7}{8}+1\frac{5}{12}$

25 $2\frac{4}{25}+4\frac{8}{15}$

26 $3\frac{6}{7}+2\frac{2}{3}$

27 $4\frac{3}{10}+2\frac{13}{14}$

28 $5\frac{11}{18}+3\frac{17}{24}$

DAY 21

4단계 분수의 덧셈과 뺄셈

마무리 연산

계산을 하여 기약분수로 나타내세요.

1 $\frac{2}{3}-\frac{2}{5}$

2 $\frac{5}{9}-\frac{1}{6}$

3 $\frac{3}{4}-\frac{5}{8}$

4 $\frac{5}{6}-\frac{3}{10}$

5 $\frac{11}{12}-\frac{8}{15}$

6 $\frac{13}{14}-\frac{5}{6}$

7 $\frac{11}{15}-\frac{3}{10}$

8 $\frac{7}{12}-\frac{4}{9}$

9 $4\frac{3}{8}-2\frac{1}{3}$

10 $5\frac{1}{6}-3\frac{8}{9}$

11 $6\frac{2}{3}-3\frac{1}{2}$

12 $3\frac{3}{5}-1\frac{11}{15}$

13 $4\frac{5}{16}-1\frac{7}{12}$

14 $5\frac{1}{8}-2\frac{5}{6}$

계산을 하여 기약분수로 나타내세요.

15 $5\frac{1}{6}-2\frac{7}{9}$

16 $3\frac{9}{14}-1\frac{7}{8}$

17 $3\frac{3}{4}-1\frac{3}{5}$

18 $2\frac{7}{12}-1\frac{4}{5}$

19 $5\frac{1}{2}-1\frac{13}{19}$

20 $5\frac{7}{10}-1\frac{11}{16}$

21 $\frac{1}{2}+\frac{1}{6}+\frac{1}{8}$

22 $\frac{17}{24}-\frac{2}{9}-\frac{3}{8}$

23 $\frac{9}{14}-\frac{5}{28}+\frac{3}{8}$

24 $\frac{8}{15}+\frac{5}{12}-\frac{7}{10}$

25 $3\frac{7}{9}-2\frac{5}{6}+\frac{13}{18}$

26 $3\frac{1}{8}+\frac{2}{3}+2\frac{5}{6}$

27 $1\frac{11}{16}+2\frac{1}{4}-\frac{17}{24}$

28 $4\frac{1}{2}-2\frac{5}{28}+1\frac{3}{7}$

5

다각형의 둘레와 넓이

학습 결과와 시간을 써 보세요!

학습 내용	학습 회차	맞힌 개수/걸린 시간
1. 정다각형의 둘레	DAY 01	/
	DAY 02	/
2. 사각형의 둘레	DAY 03	/
	DAY 04	/
3. 직사각형의 넓이	DAY 05	/
	DAY 06	/
	DAY 07	/
4. 평행사변형의 넓이	DAY 08	/
	DAY 09	/
	DAY 10	/
5. 삼각형의 넓이	DAY 11	/
	DAY 12	/
	DAY 13	/
6. 마름모의 넓이	DAY 14	/
	DAY 15	/
	DAY 16	/
7. 사다리꼴의 넓이	DAY 17	/
	DAY 18	/
	DAY 19	/
마무리 연산	DAY 20	/
	DAY 21	/

1. 정다각형의 둘레

● **정다각형의 둘레 구하기**

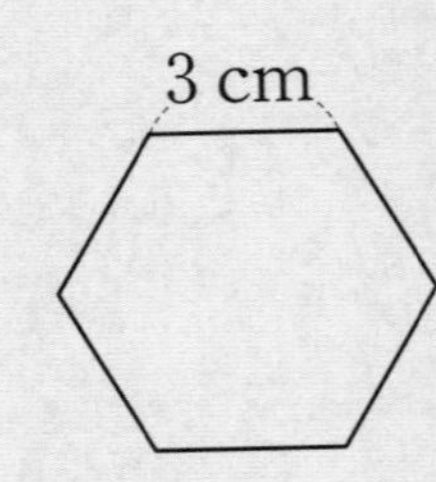

(정육각형의 둘레)
=(한 변의 길이)×6
=3×6=18 (cm)

(정다각형의 둘레)
=(한 변의 길이)×(변의 수)

도형의 둘레를 구하려고 합니다. □ 안에 알맞은 수를 써넣으세요.

1

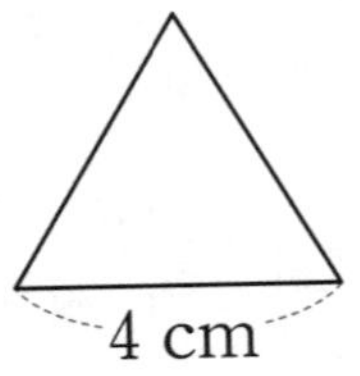

(정삼각형의 둘레)
=4×3=□ (cm)

2

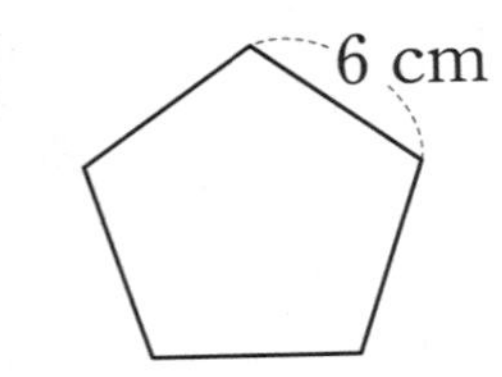

(정오각형의 둘레)
=6×□=□ (cm)

3

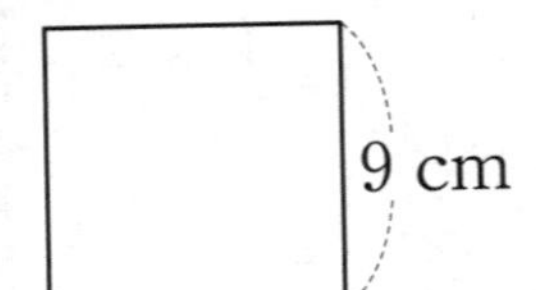

(정사각형의 둘레)
=9×□=□ (cm)

4

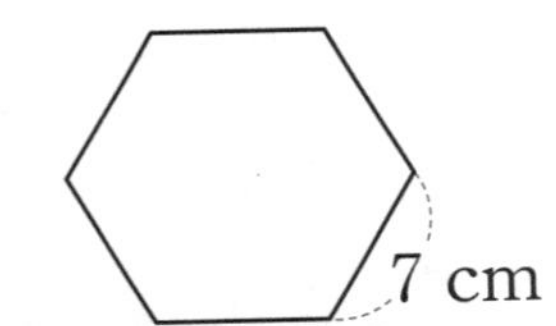

(정육각형의 둘레)
=7×□=□ (cm)

5

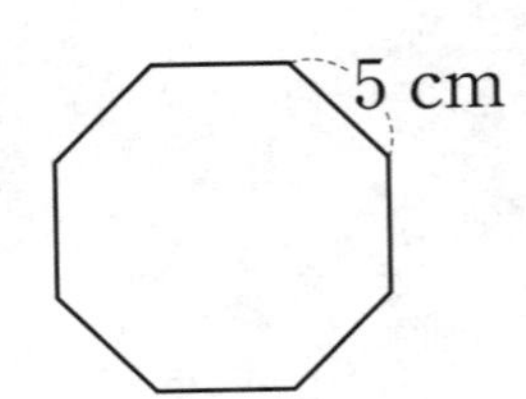

(정팔각형의 둘레)
=5×□=□ (cm)

6

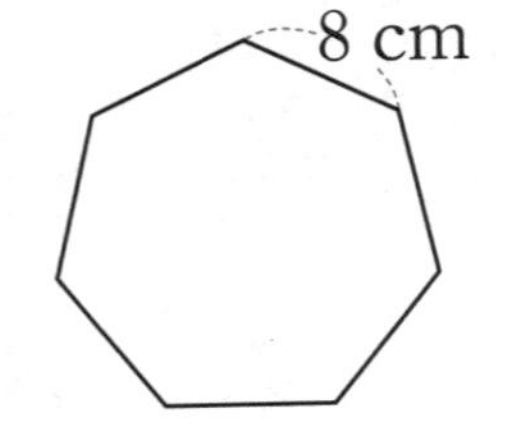

(정칠각형의 둘레)
=8×□=□ (cm)

정다각형의 둘레를 구하세요.

7

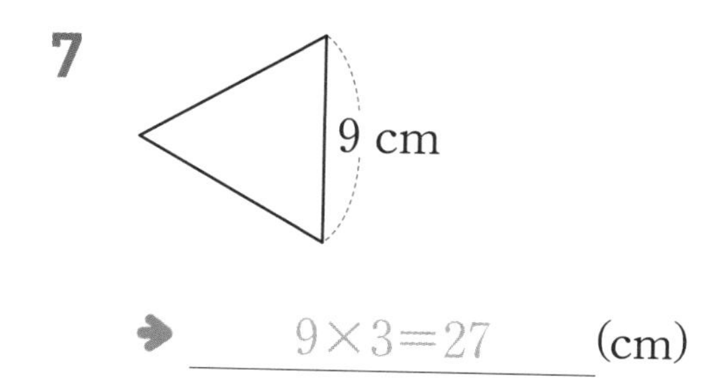

➔ $9\times3=27$ (cm)

8

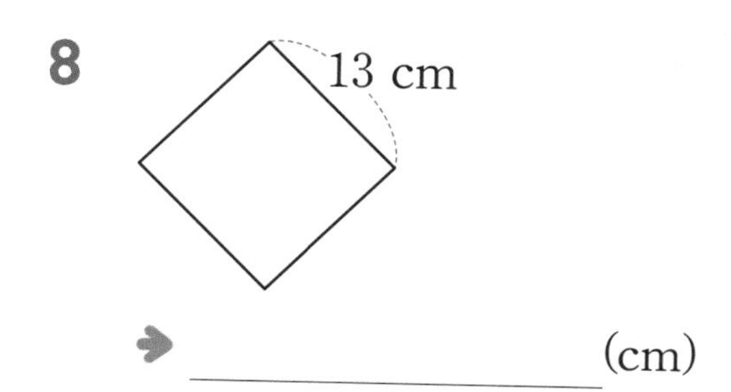

➔ ______ (cm)

9

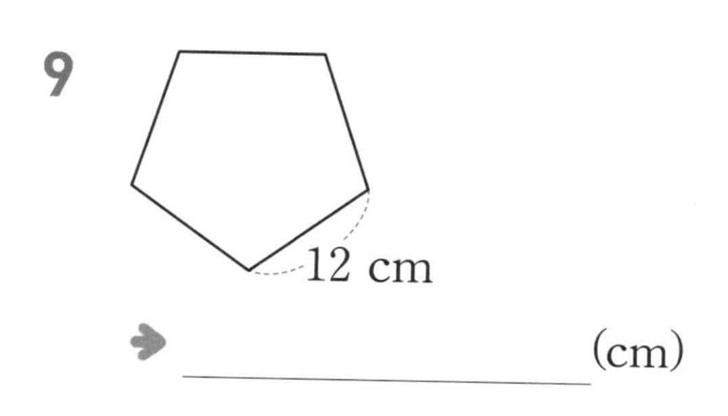

➔ ______ (cm)

10

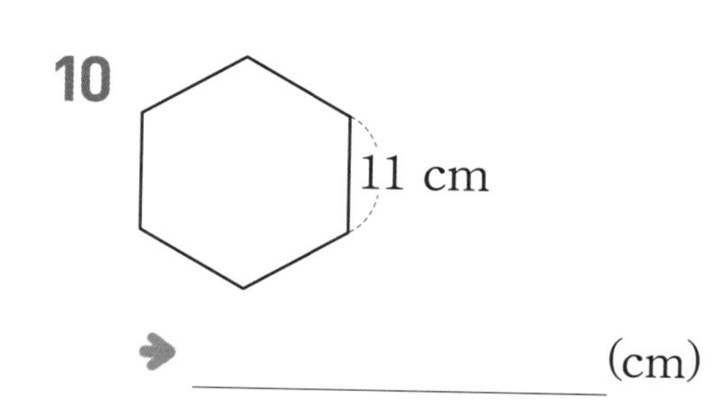

➔ ______ (cm)

11

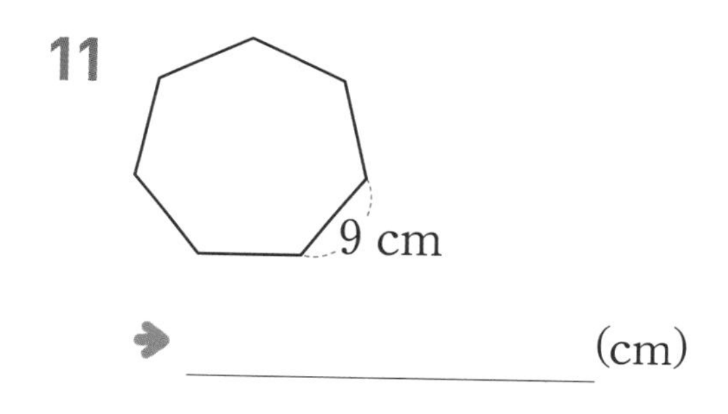

➔ ______ (cm)

12

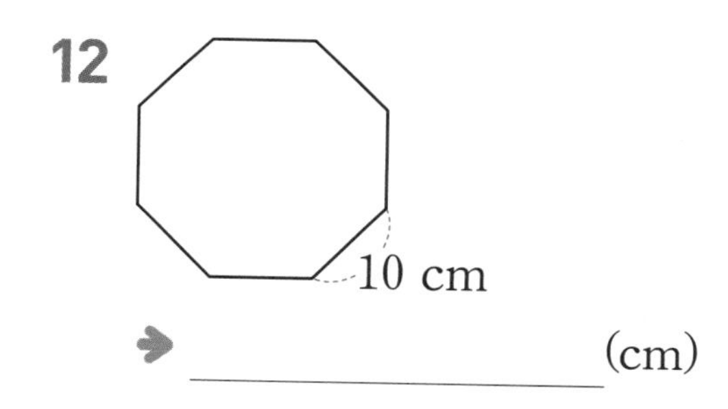

➔ ______ (cm)

13

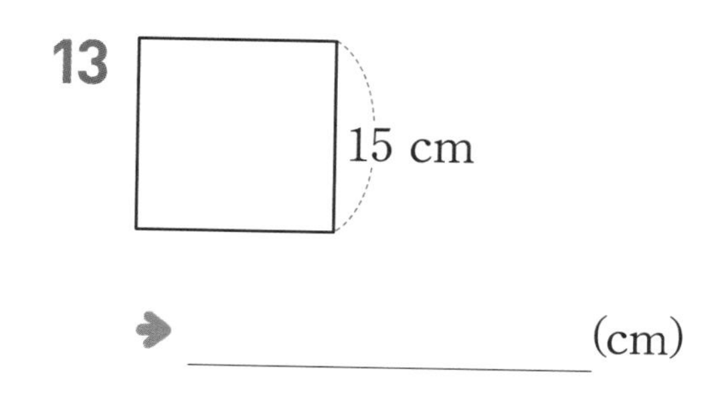

➔ ______ (cm)

14

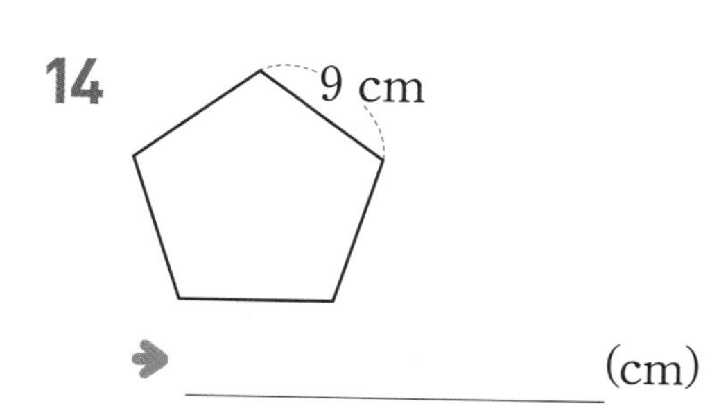

➔ ______ (cm)

1. 정다각형의 둘레

 정다각형의 둘레를 구하세요.

1

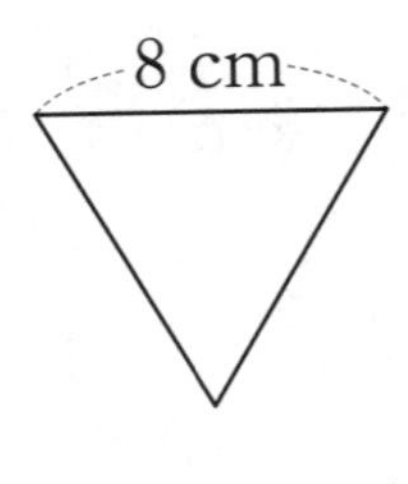

(　　　　　　　　　) cm

2

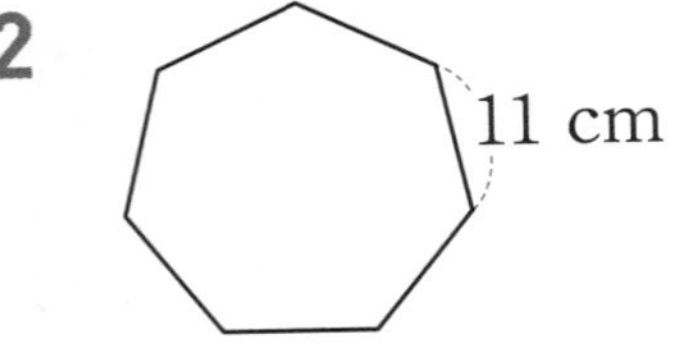

(　　　　　　　　　) cm

3

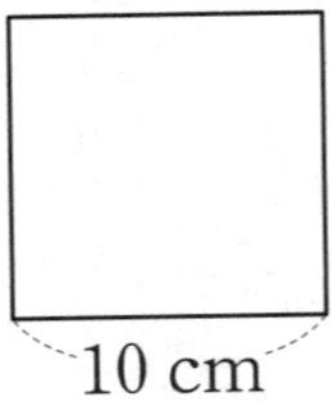

(　　　　　　　　　) cm

4

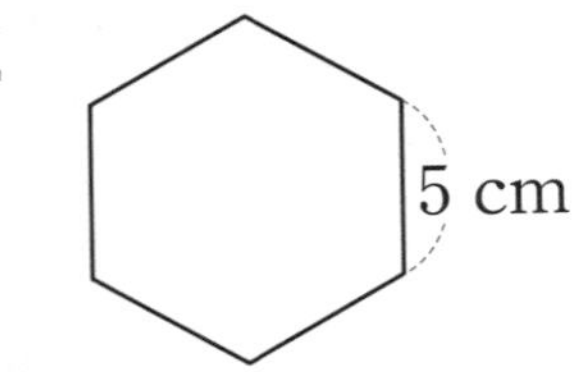

(　　　　　　　　　) cm

5

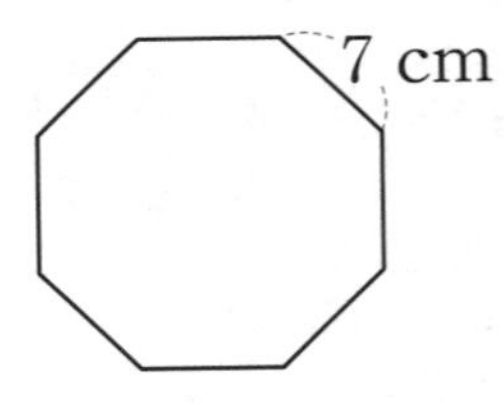

(　　　　　　　　　) cm

6

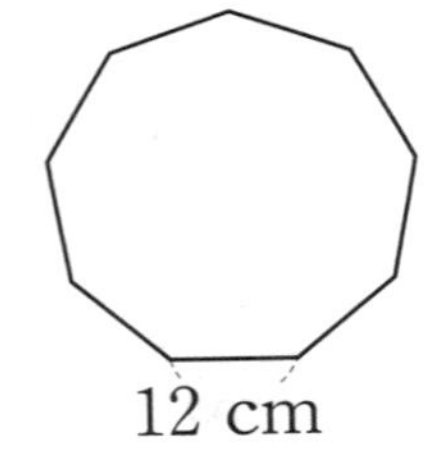

(　　　　　　　　　) cm

7

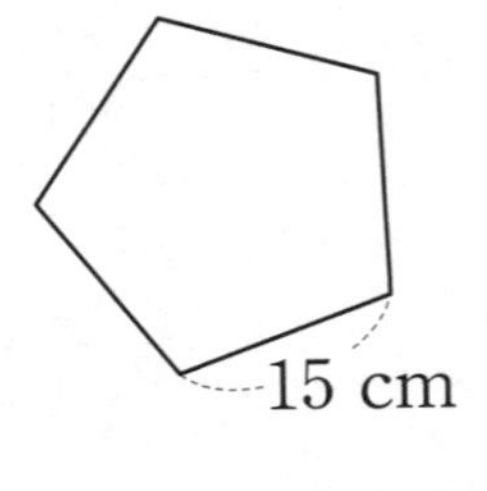

(　　　　　　　　　) cm

8

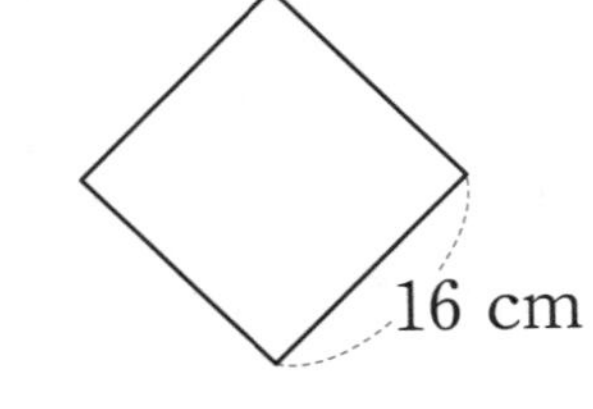

(　　　　　　　　　) cm

정다각형의 둘레를 구하세요.

9

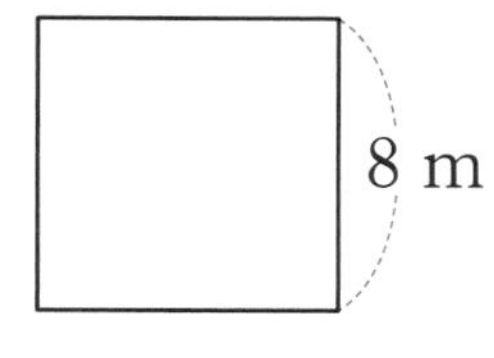

( )m

10

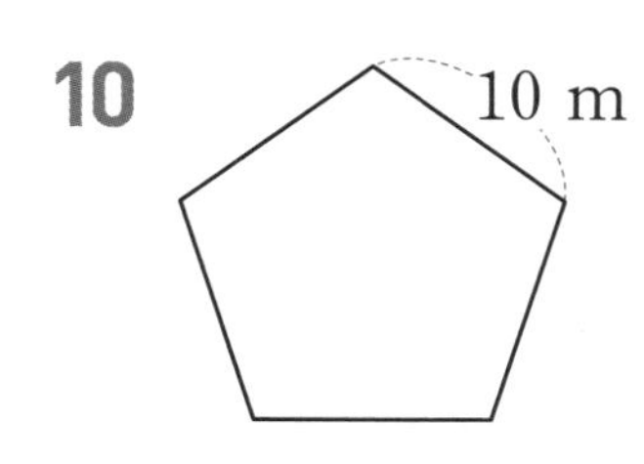

( )m

11

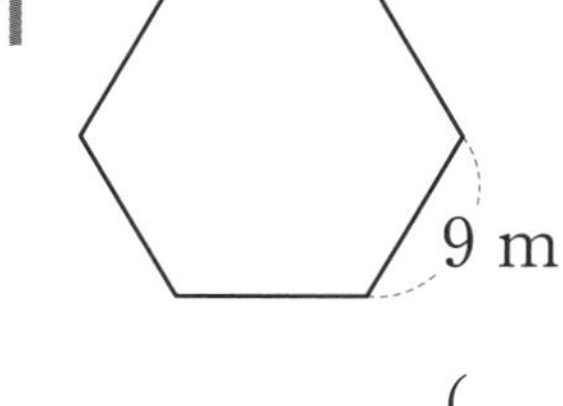

( )m

12

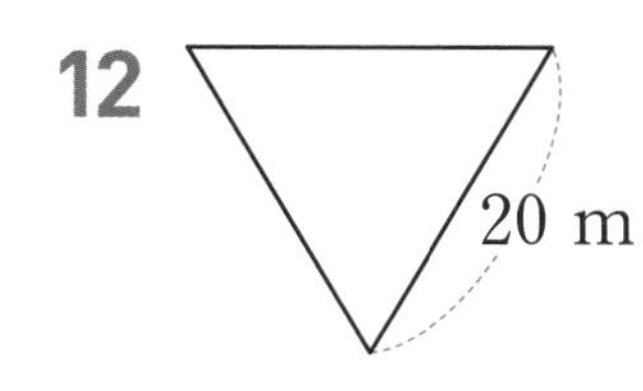

( )m

13

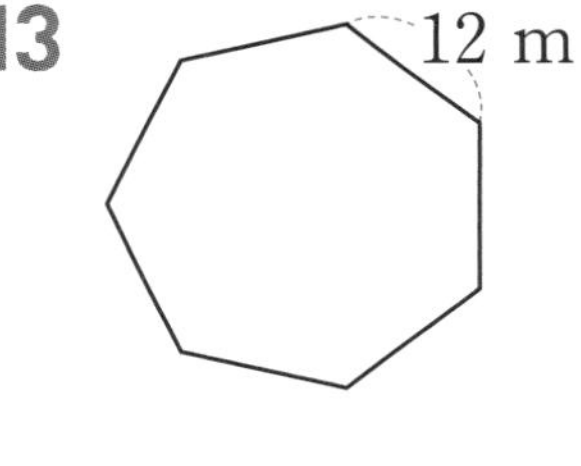

( )m

14

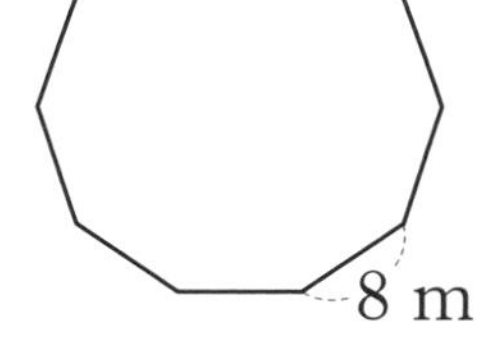

( )m

생활 속 연산

소미는 리듬체조 대회에 참가했습니다. 그림과 같은 정사각형 모양인 리듬체조 경기장의 둘레는 몇 m인지 구하세요.

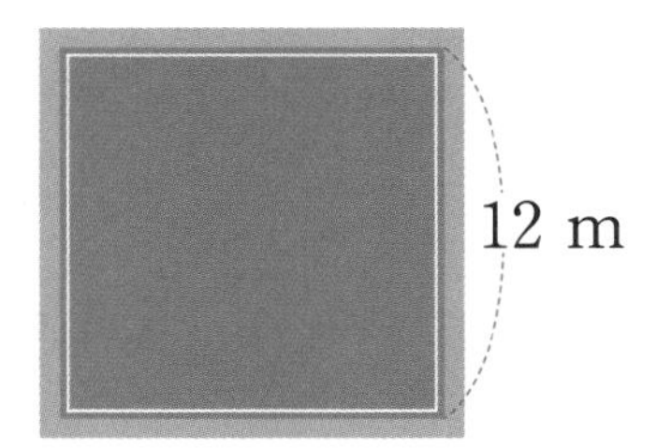

( )

2. 사각형의 둘레

● 사각형의 둘레 구하기

예
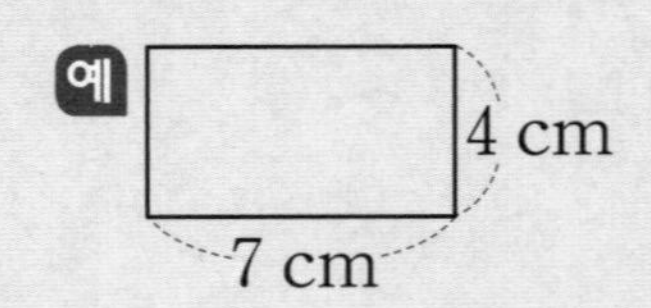

(직사각형의 둘레)
=((가로)+(세로))×2
=(7+4)×2
=22 (cm)

예
3 cm
8 cm

(평행사변형의 둘레)
=((한 변의 길이)+
(다른 한 변의 길이))×2
=(8+3)×2
=22 (cm)

예
6 cm

(마름모의 둘레)
=(한 변의 길이)×4
=6×4
=24 (cm)

도형의 둘레를 구하려고 합니다. □ 안에 알맞은 수를 써넣으세요.

1

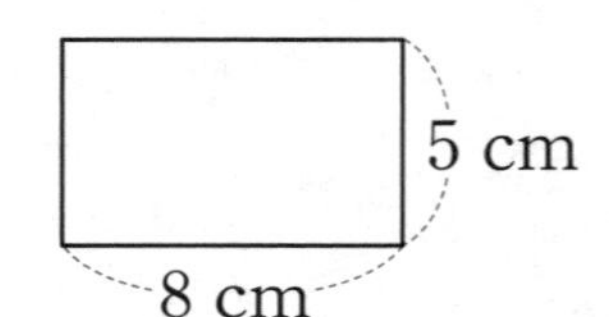

(직사각형의 둘레)
=(8+5)×2=□ (cm)

2

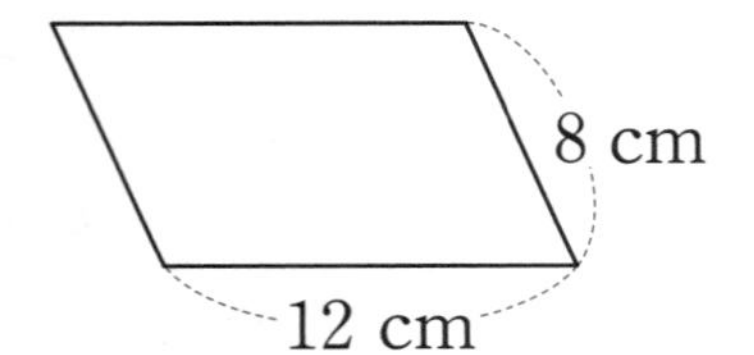

(평행사변형의 둘레)
=(12+8)×□=□ (cm)

3

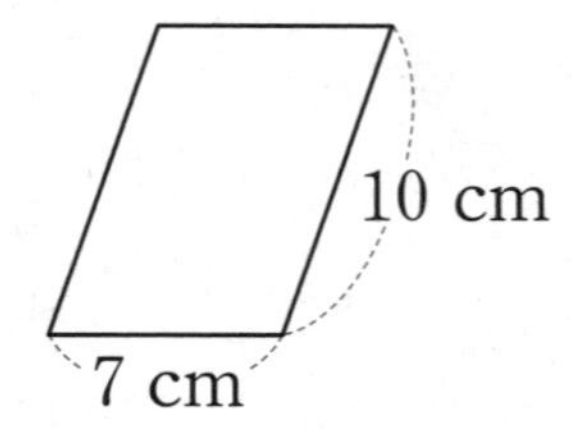

(평행사변형의 둘레)
=(7+□)×□=□ (cm)

4

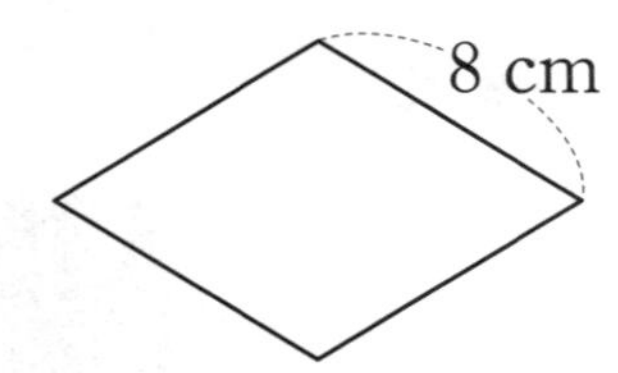

(마름모의 둘레)
=8×□=□ (cm)

직사각형, 평행사변형, 마름모의 둘레를 구하세요.

5

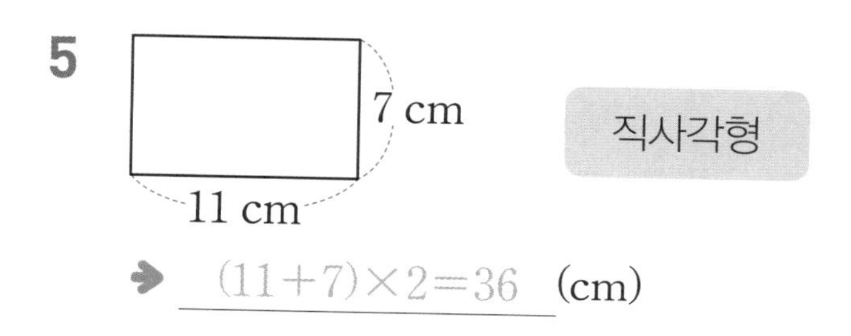

➔ (11+7)×2=36 (cm)

6

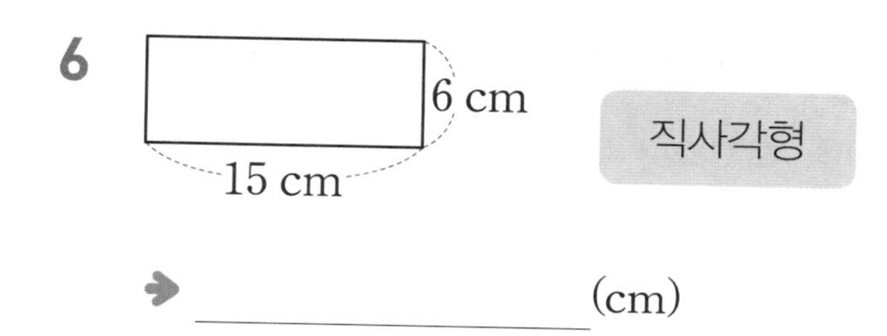

➔ ______ (cm)

7

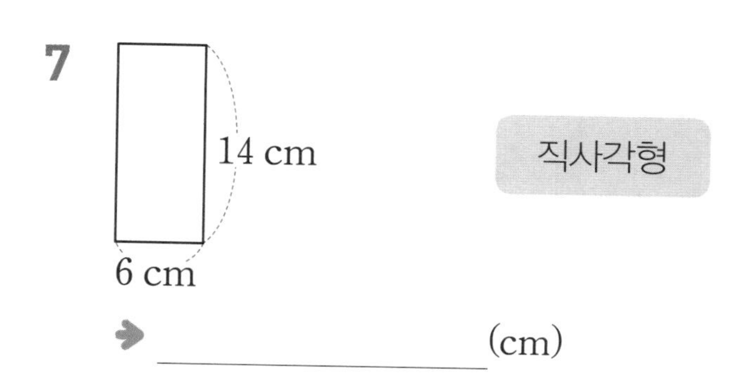

➔ ______ (cm)

8

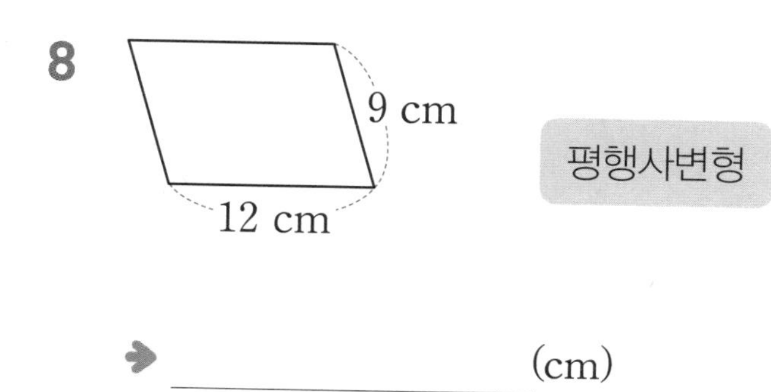

➔ ______ (cm)

9

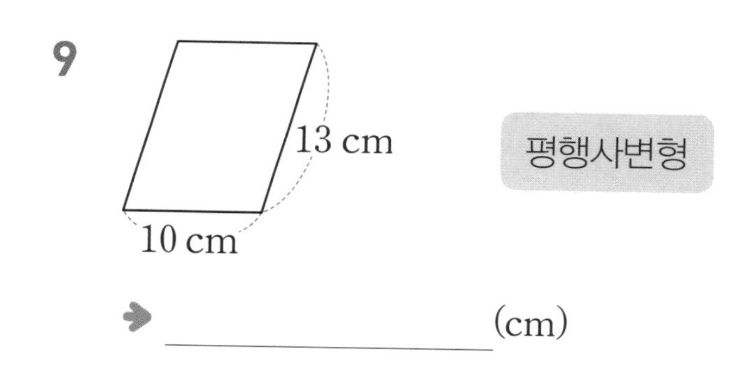

➔ ______ (cm)

10

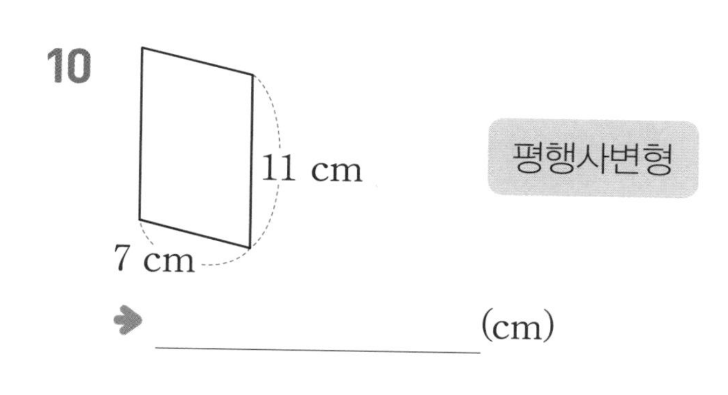

➔ ______ (cm)

11

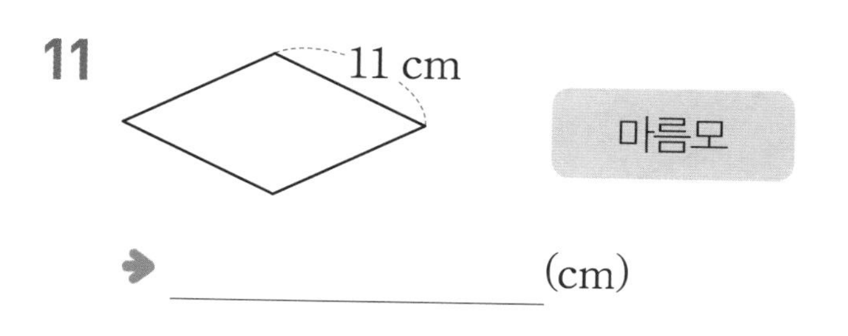

➔ ______ (cm)

12

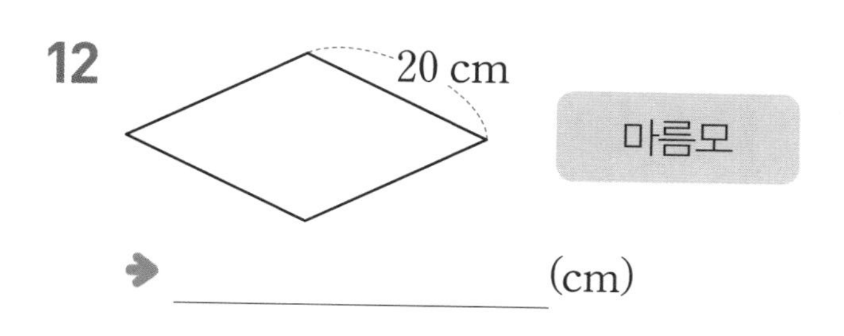

➔ ______ (cm)

2. 사각형의 둘레

직사각형, 평행사변형, 마름모의 둘레를 구하세요.

1
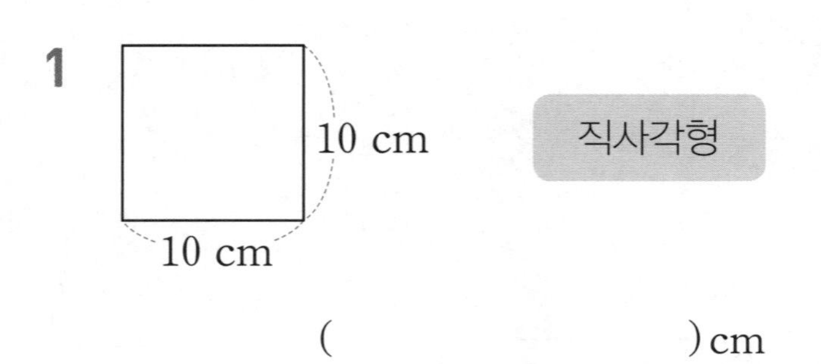

( ) cm

2

8 cm
9 cm
직사각형

( ) cm

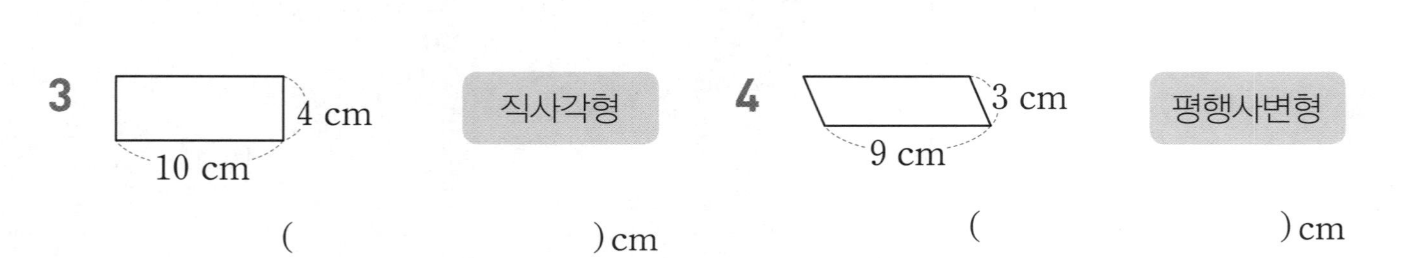

( ) cm

( ) cm

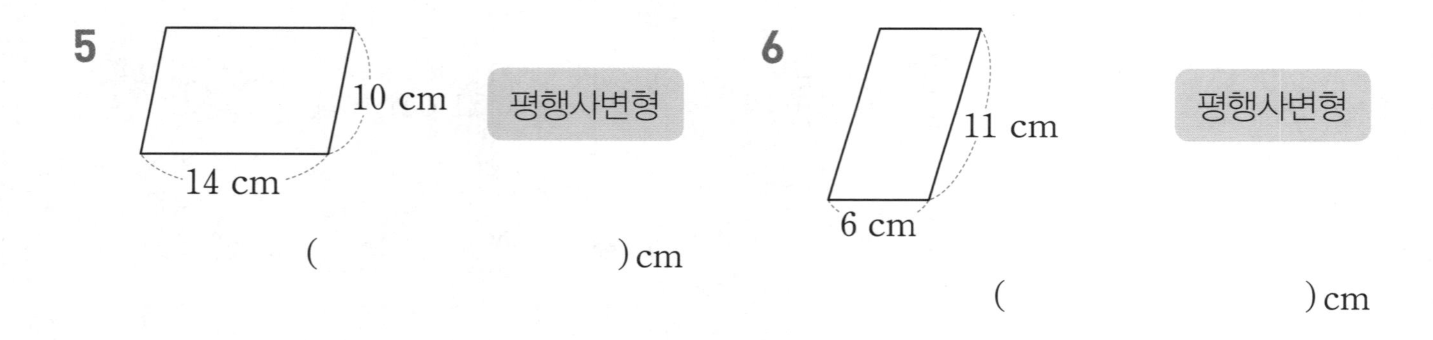

( ) cm

( ) cm

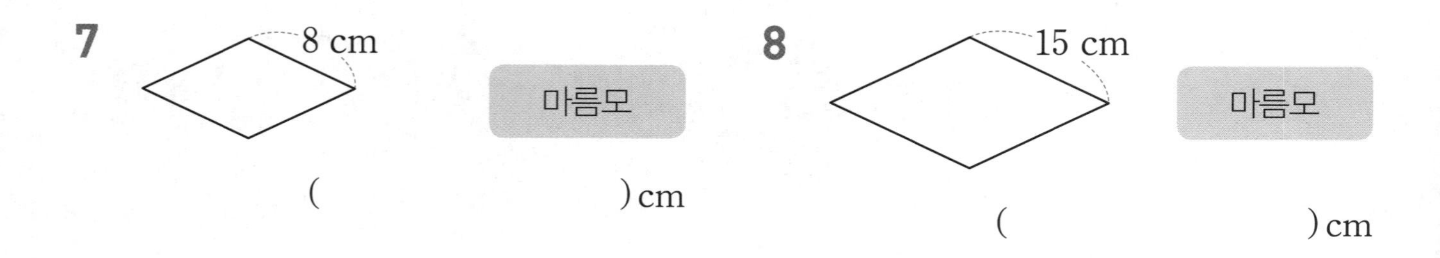

( ) cm

( ) cm

직사각형, 평행사변형, 마름모의 둘레를 구하세요.

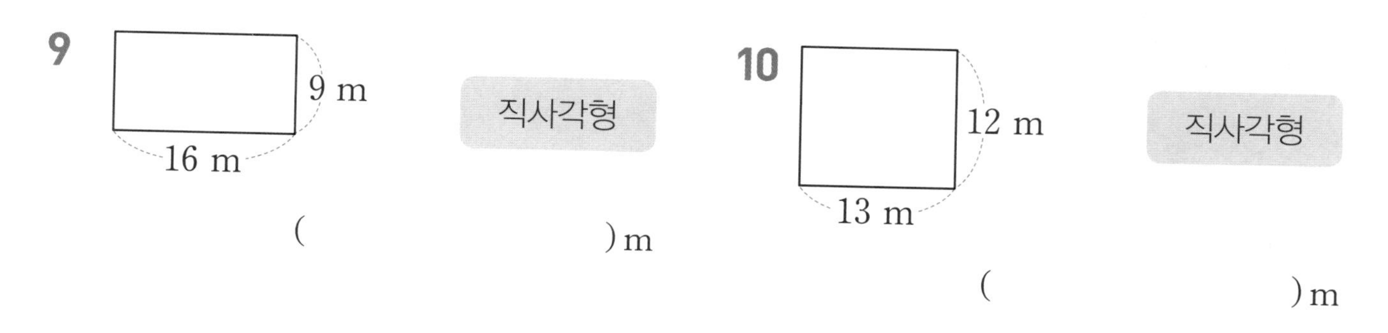

( ) m

( ) m

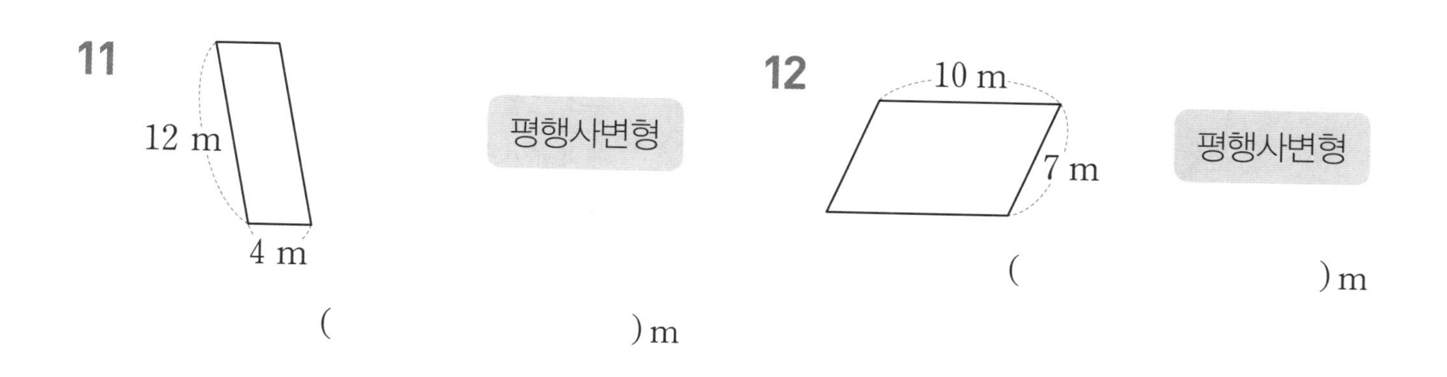

( ) m

( ) m

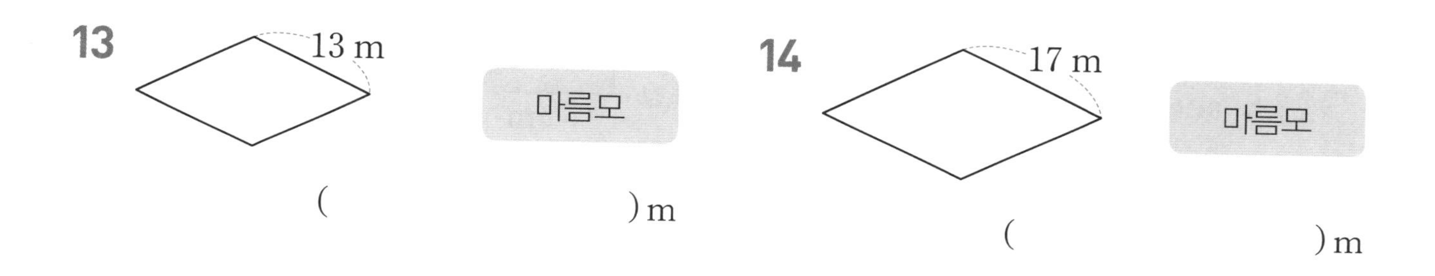

( ) m

( ) m

생활 속 연산

윤재네 반 학생들이 축구를 하고 있습니다. 그림과 같은 직사각형 모양인 축구 경기장의 둘레는 몇 m인지 구하세요.

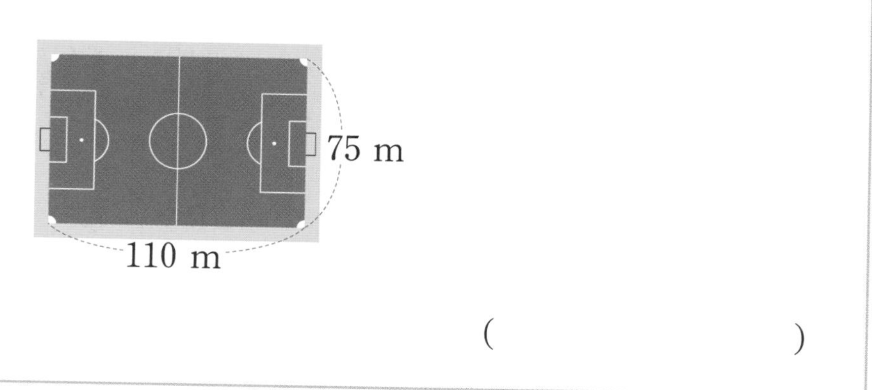

( )

3. 직사각형의 넓이

● 직사각형의 넓이 구하기

예
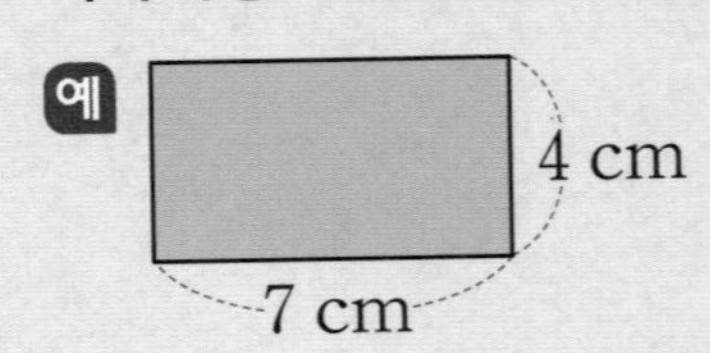

(직사각형의 넓이)
=(가로)×(세로)
$=7\times4=28\ (\text{cm}^2)$

예

(정사각형의 넓이)
=(한 변의 길이)×(한 변의 길이)
$=4\times4=16\ (\text{cm}^2)$

직사각형과 정사각형의 넓이를 구하려고 합니다. □ 안에 알맞은 수를 써넣으세요.

1
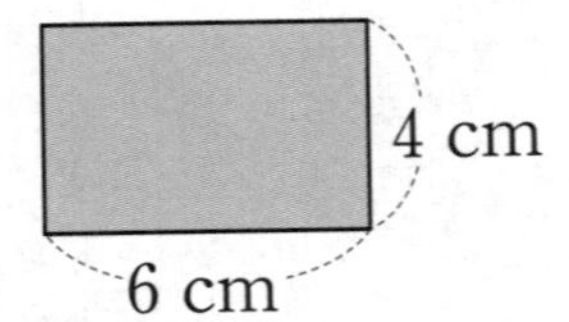

(직사각형의 넓이)
=6×□=□ (cm²)

2
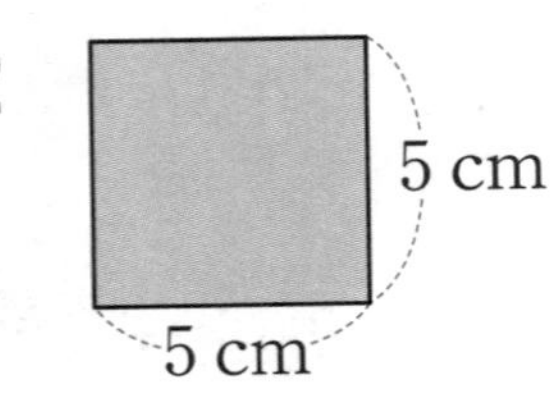

(정사각형의 넓이)
=5×□=□ (cm²)

3
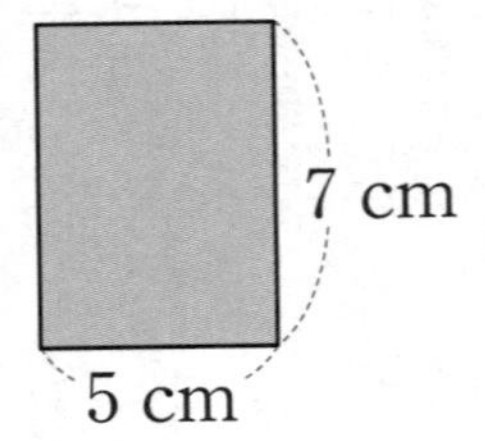

(직사각형의 넓이)
=□×□=□ (cm²)

4
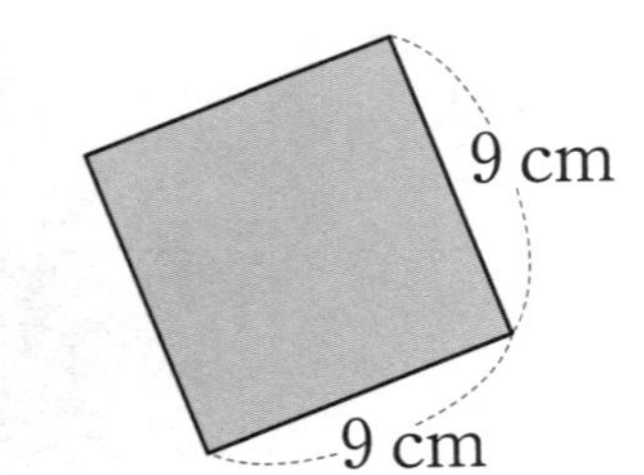

(정사각형의 넓이)
=□×□=□ (cm²)

직사각형과 정사각형의 넓이를 구하세요.

5

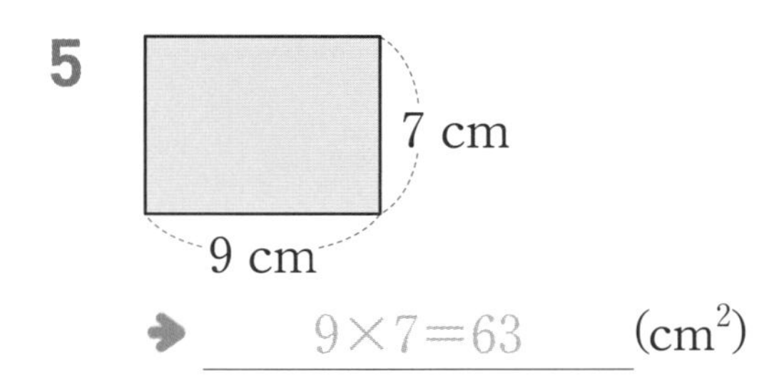

➔ $9\times7=63$ (cm²)

6

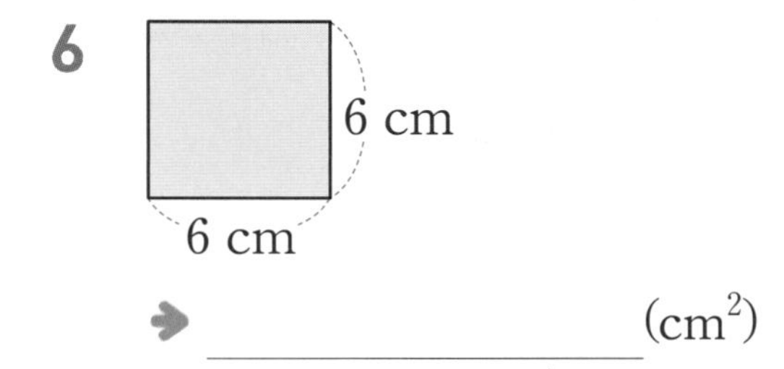

➔ ______ (cm²)

7

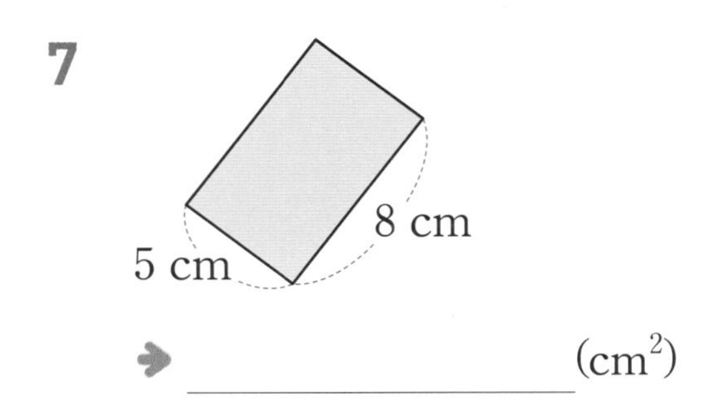

➔ ______ (cm²)

8

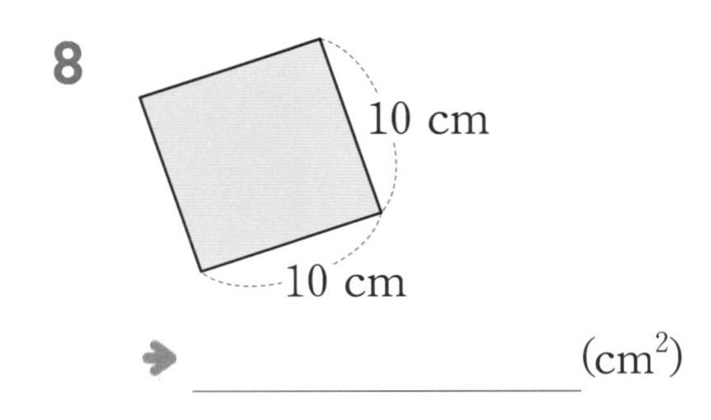

➔ ______ (cm²)

9

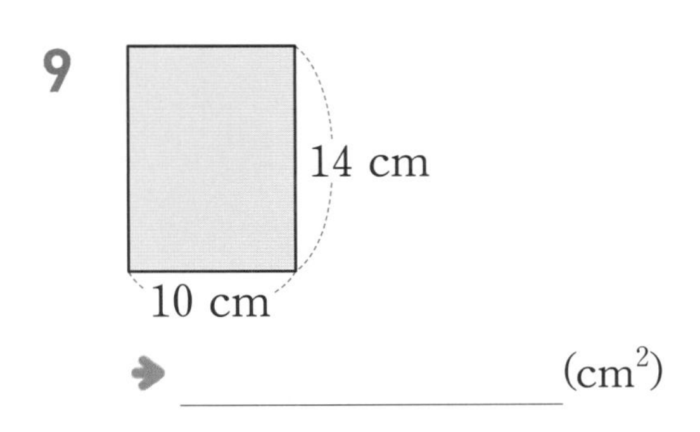

➔ ______ (cm²)

10

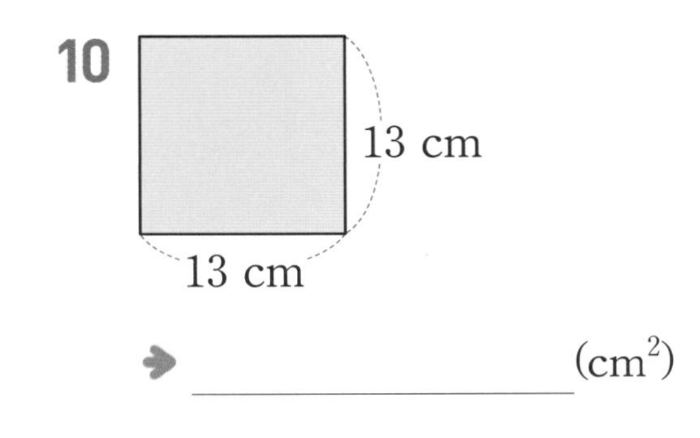

➔ ______ (cm²)

11

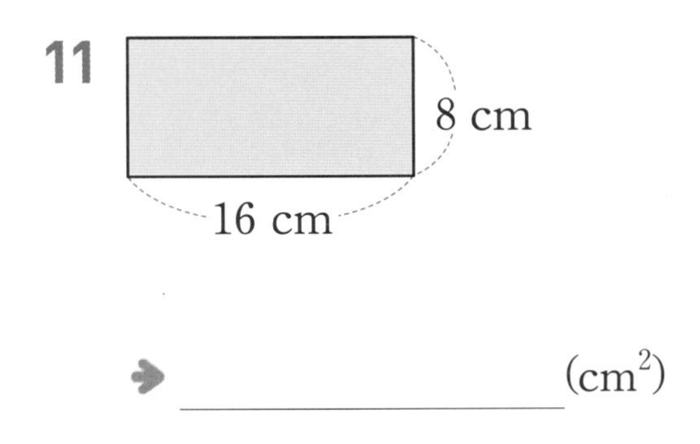

➔ ______ (cm²)

12

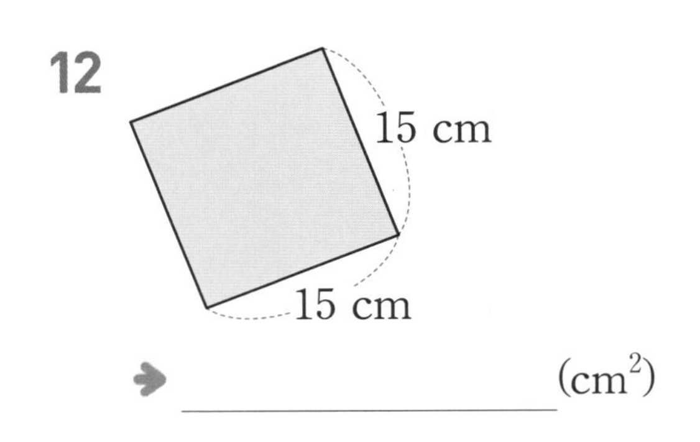

➔ ______ (cm²)

3. 직사각형의 넓이

 직사각형의 넓이를 구하세요.

1

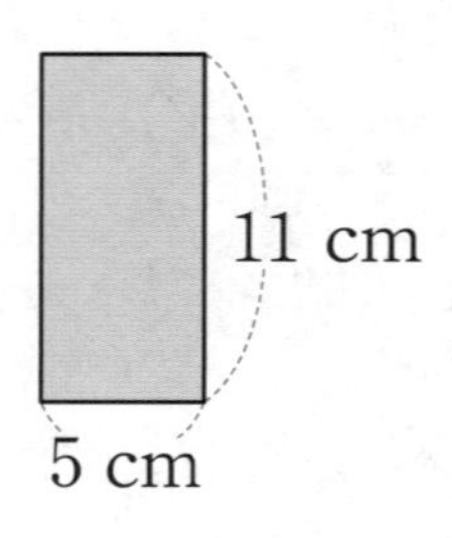

( ) cm^2

2

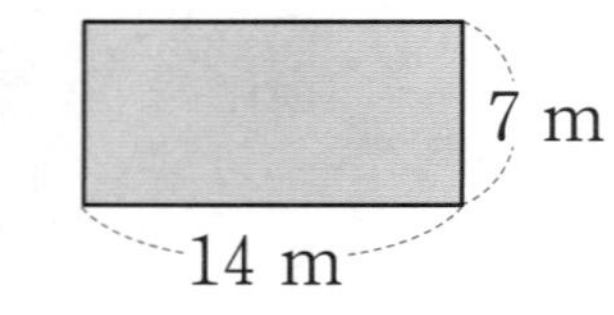

( ) m^2

3

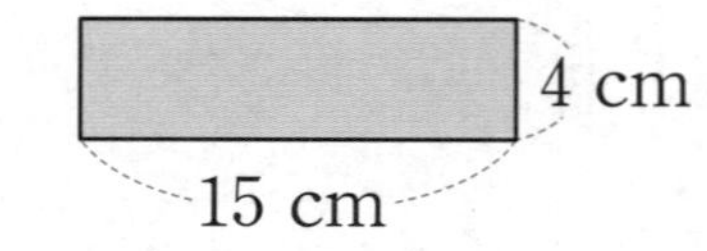

( ) cm^2

4

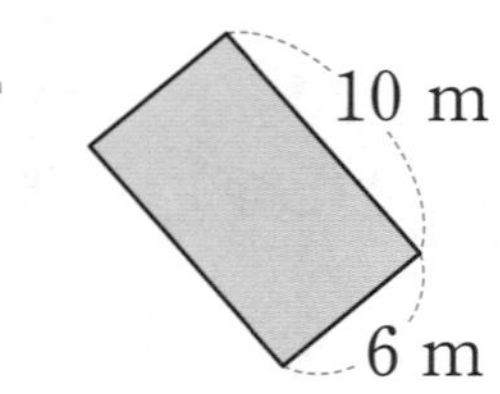

( ) m^2

5

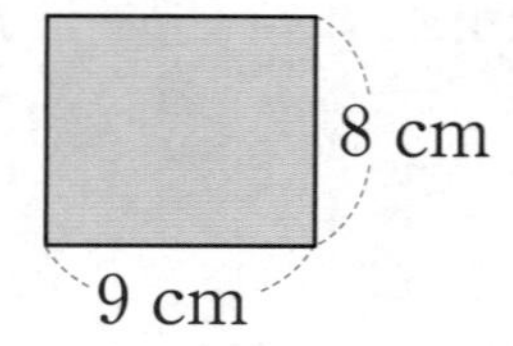

( ) cm^2

6

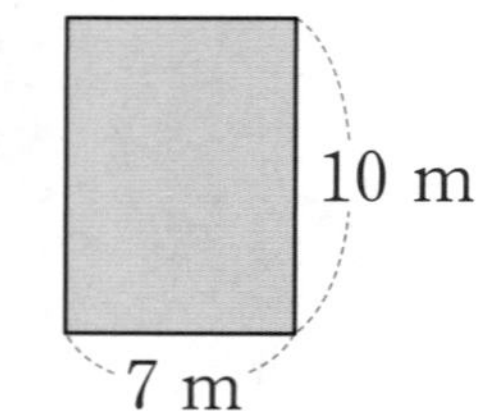

( ) m^2

7

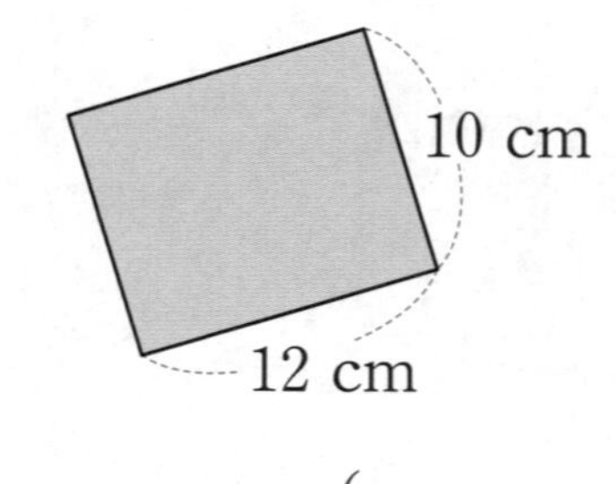

( ) cm^2

8

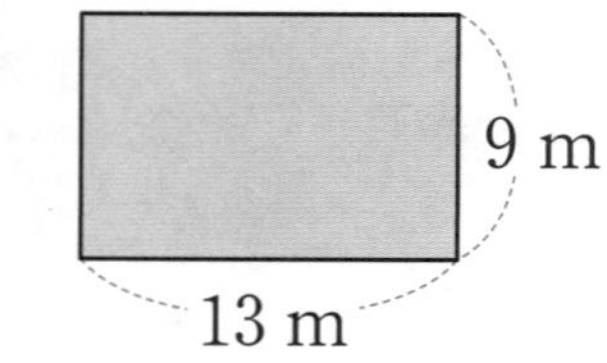

( ) m^2

정사각형의 넓이를 구하세요.

9

7 cm

( ) cm^2

10

5 m

( ) m^2

11

10 cm

( ) cm^2

12

8 m

( ) m^2

13

11 cm

( ) cm^2

14

6 m

( ) m^2

15

12 cm

( ) cm^2

16

20 m

( ) m^2

3. 직사각형의 넓이

유민이가 색종이를 직사각형 모양으로 잘랐습니다. 색종이의 넓이를 구하세요.

1

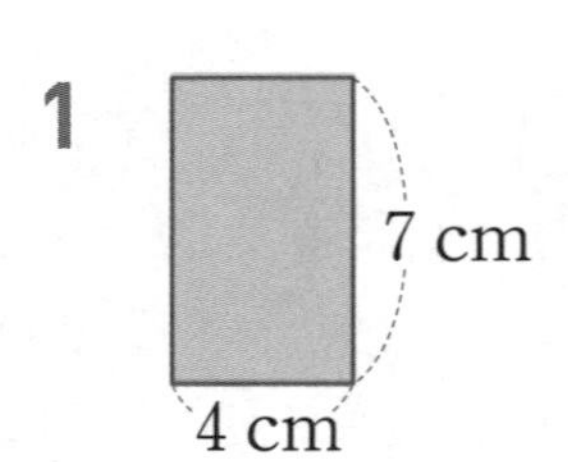

( ) cm^2

2

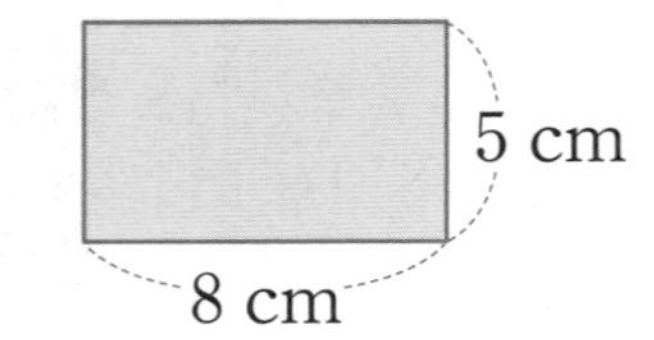

( ) cm^2

3

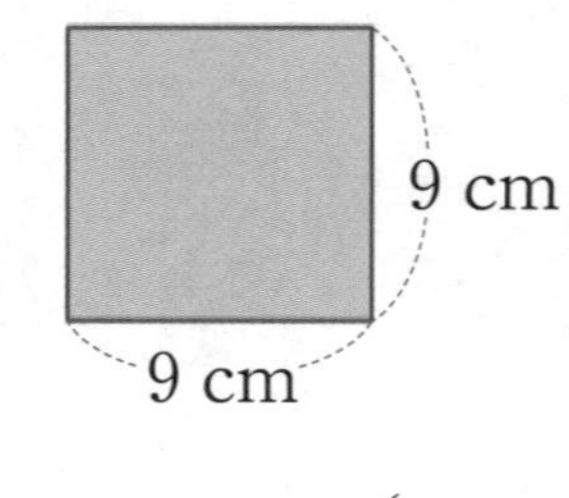

( ) cm^2

4

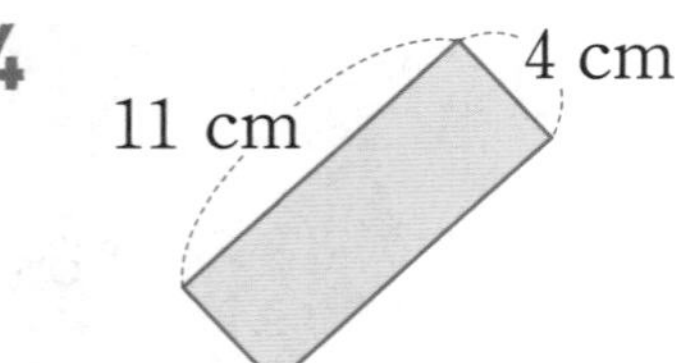

( ) cm^2

5

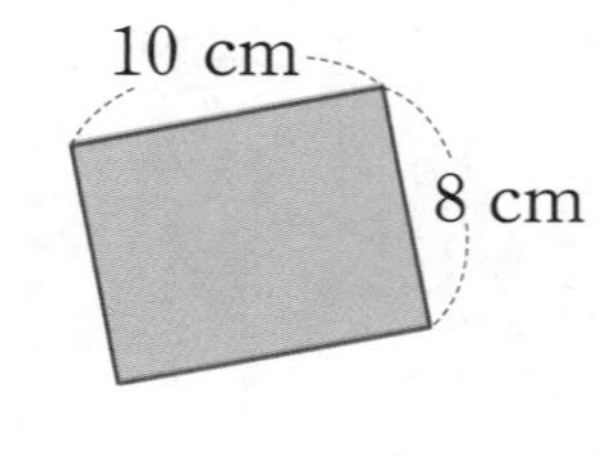

( ) cm^2

6

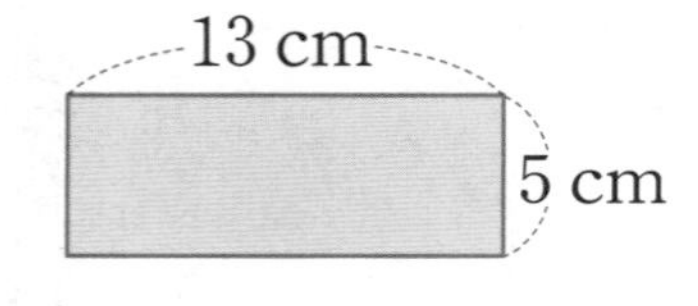

( ) cm^2

7

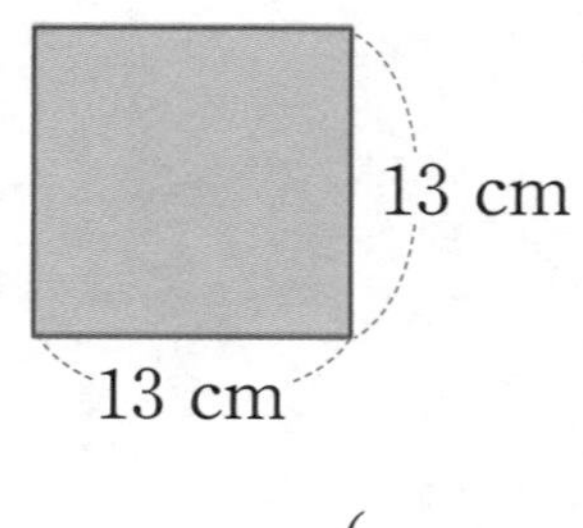

( ) cm^2

8

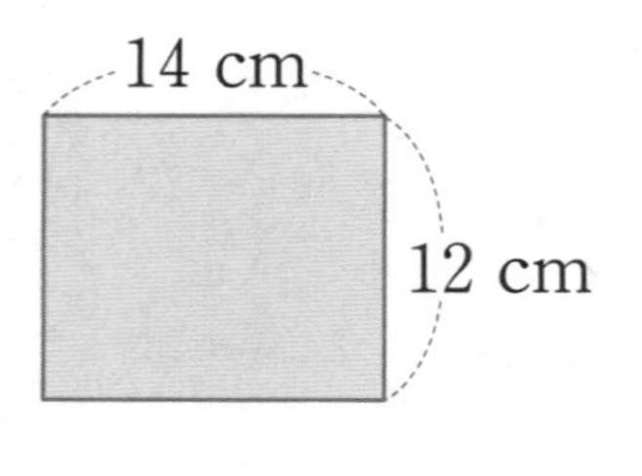

( ) cm^2

직사각형과 정사각형의 넓이를 구하세요.

9 가로가 18 cm, 세로가 16 cm인 직사각형

( ) cm^2

10 가로가 22 cm, 세로가 19 cm인 직사각형

( ) cm^2

11 가로가 14 cm, 세로가 28 cm인 직사각형

( ) cm^2

12 가로가 33 cm, 세로가 27 cm인 직사각형

( ) cm^2

13 가로가 24 cm, 세로가 32 cm인 직사각형

( ) cm^2

14 가로가 41 cm, 세로가 14 cm인 직사각형

( ) cm^2

15 한 변의 길이가 25 cm인 정사각형

( ) cm^2

16 한 변의 길이가 16 cm인 정사각형

( ) cm^2

생활 속 연산

우림이와 친구들은 농구 경기장에서 농구 연습을 했습니다. 그림과 같은 직사각형 모양인 농구 경기장의 넓이는 몇 m^2인지 구하세요.

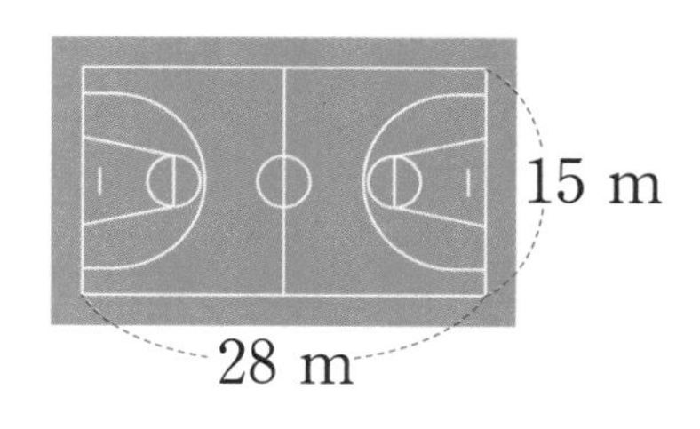

( )

4. 평행사변형의 넓이

● 평행사변형의 넓이 구하기

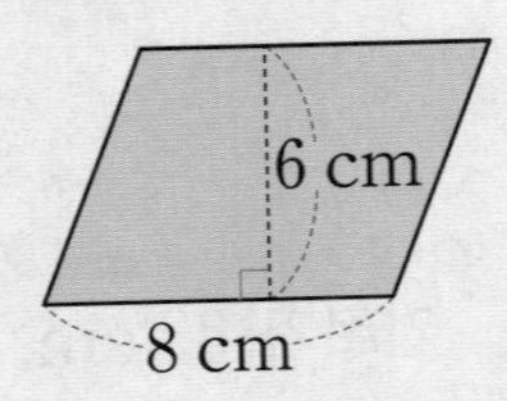

(평행사변형의 넓이)=(밑변의 길이)×(높이)

$=8\times6=48\,(cm^2)$

평행사변형의 넓이를 구하려고 합니다. □ 안에 알맞은 수를 써넣으세요.

1

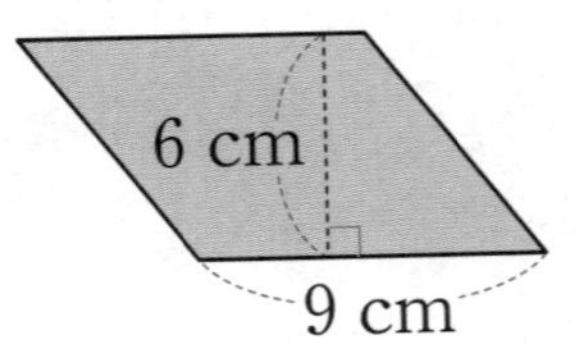

9×□=□ (cm^2)

2

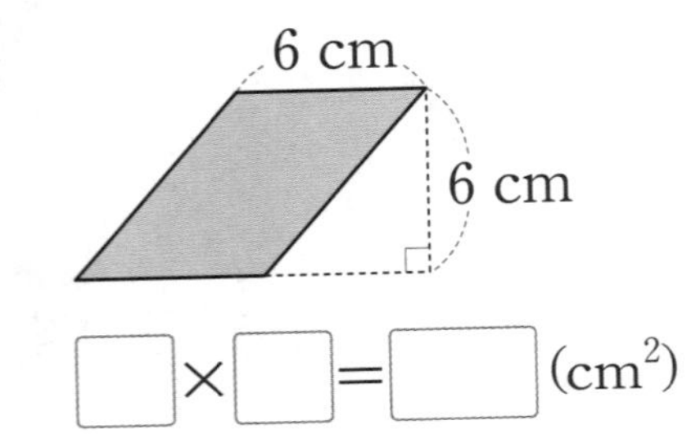

□×□=□ (cm^2)

3

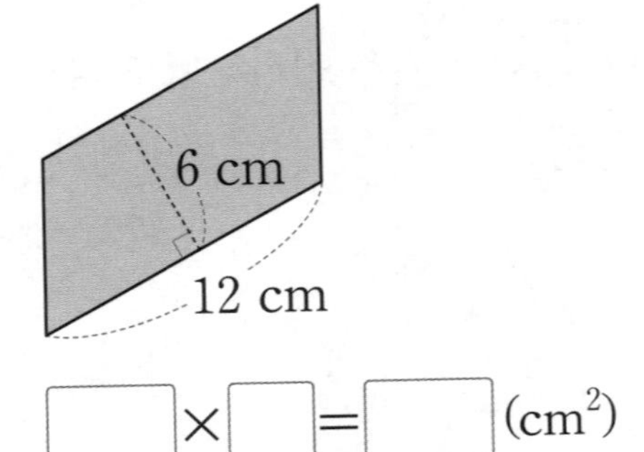

□×□=□ (cm^2)

4

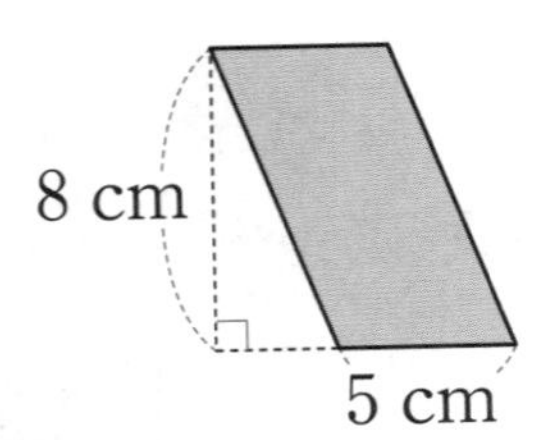

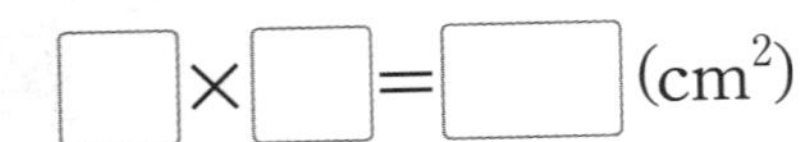

□×□=□ (cm^2)

평행사변형의 넓이를 구하세요.

5

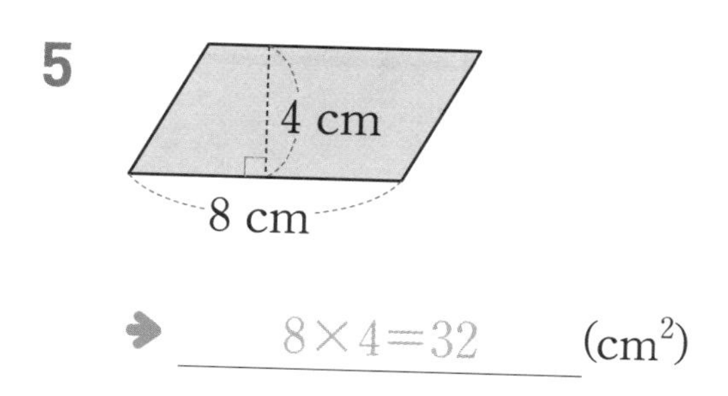

➔ $8 \times 4 = 32$ (cm²)

6

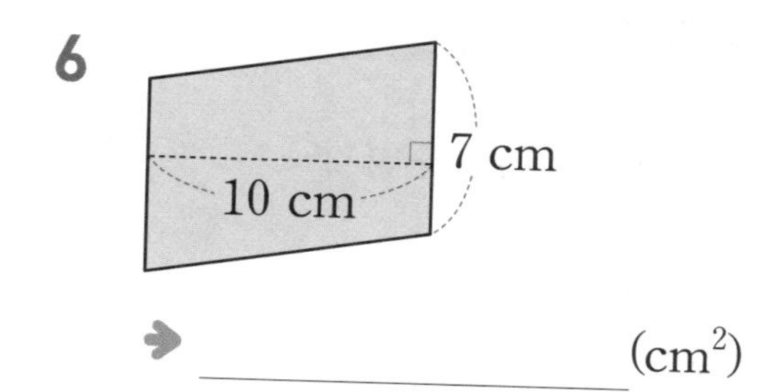

➔ ________ (cm²)

7

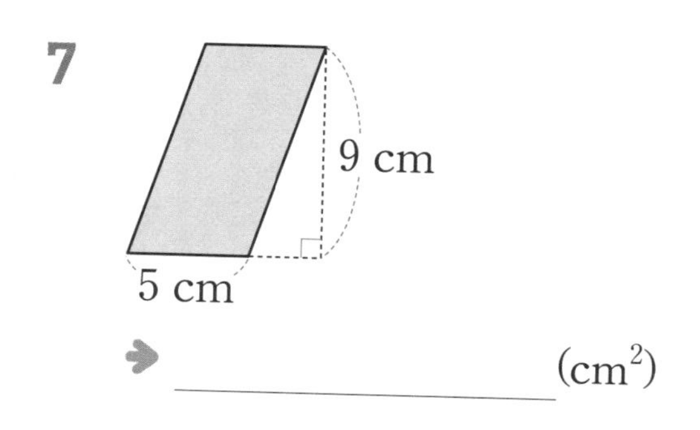

➔ ________ (cm²)

8

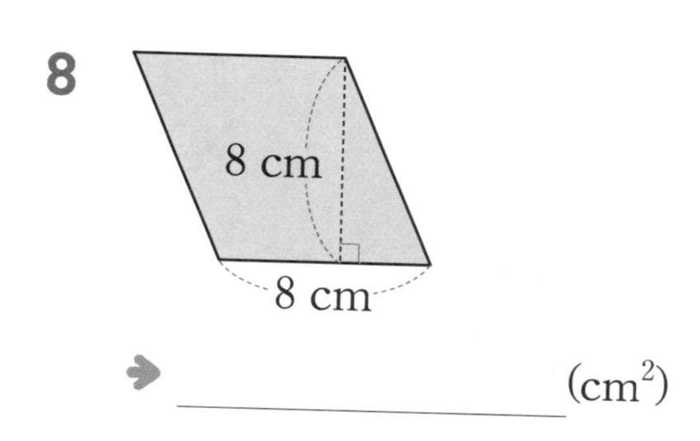

➔ ________ (cm²)

9

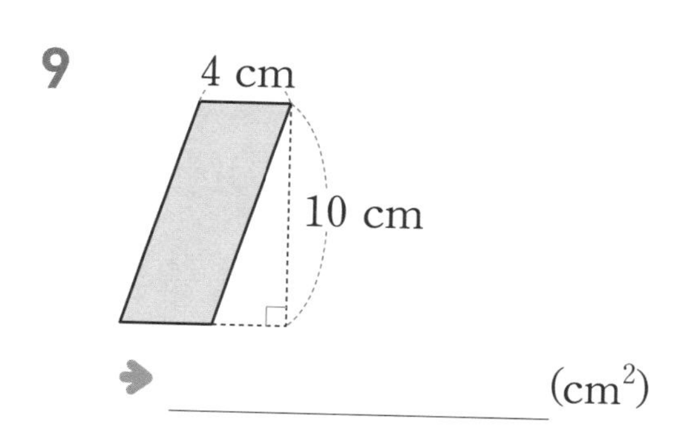

➔ ________ (cm²)

10

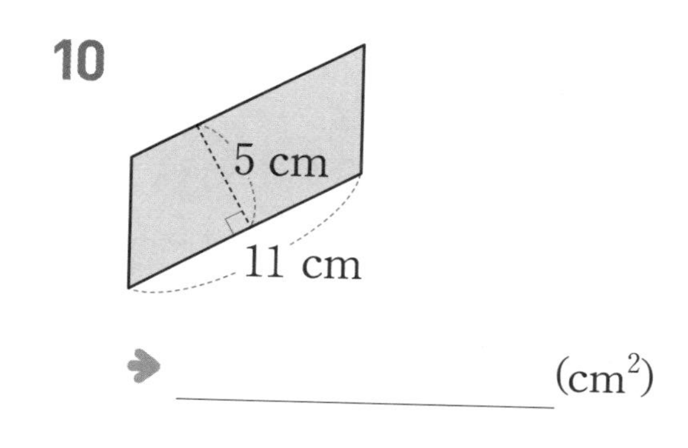

➔ ________ (cm²)

11

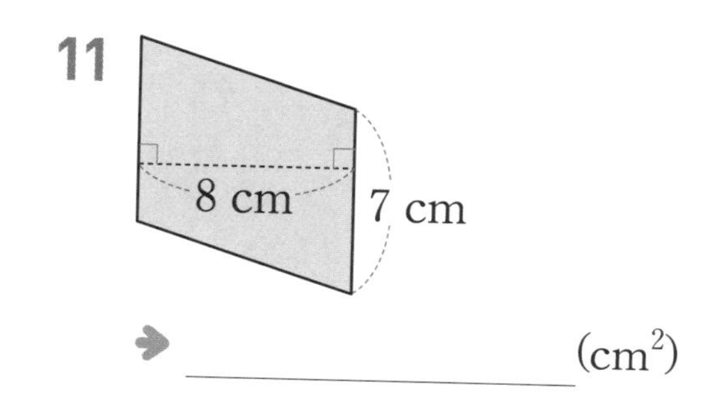

➔ ________ (cm²)

12

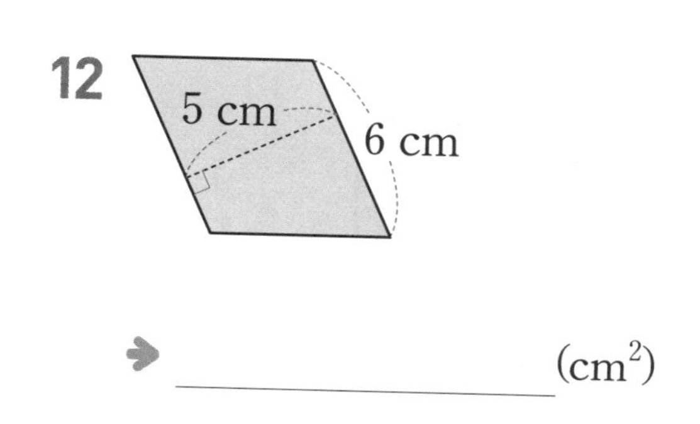

➔ ________ (cm²)

4. 평행사변형의 넓이

 평행사변형의 넓이를 구하세요.

1

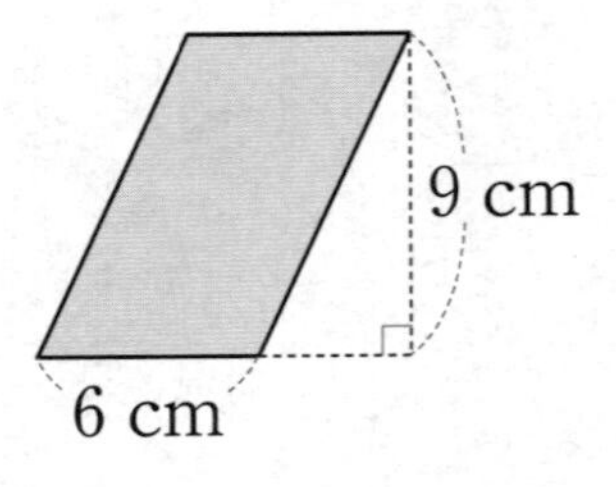

( ) cm^2

2

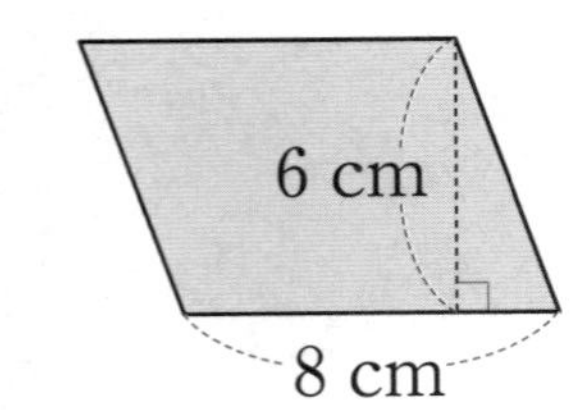

( ) cm^2

3

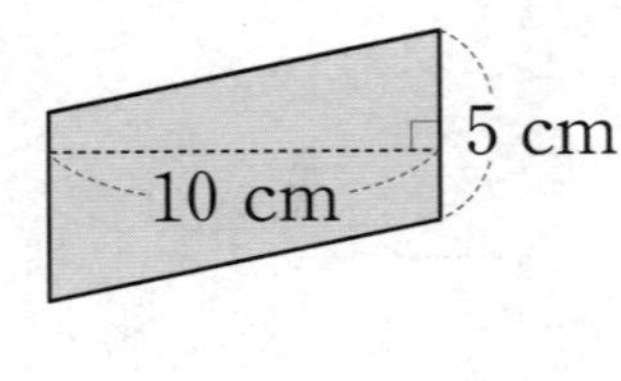

( ) cm^2

4

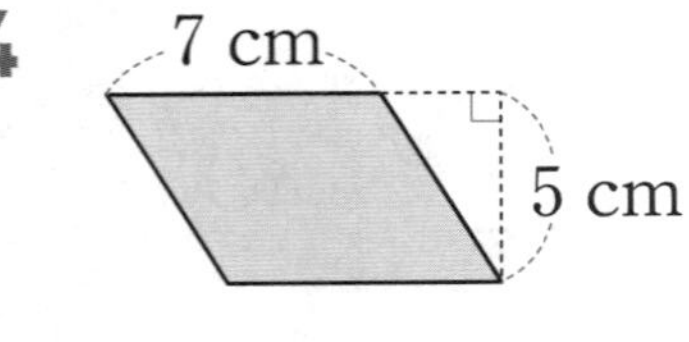

( ) cm^2

5

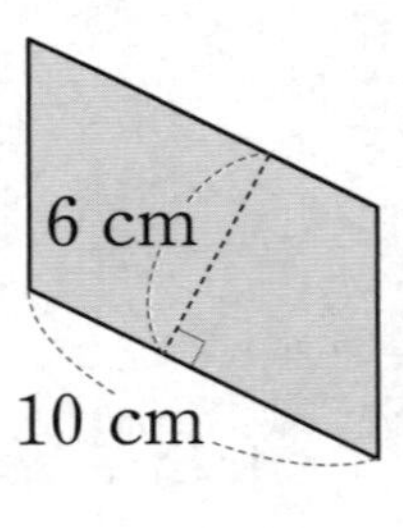

( ) cm^2

6

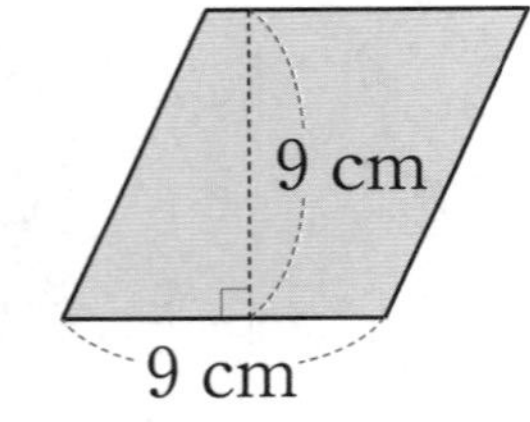

( ) cm^2

7

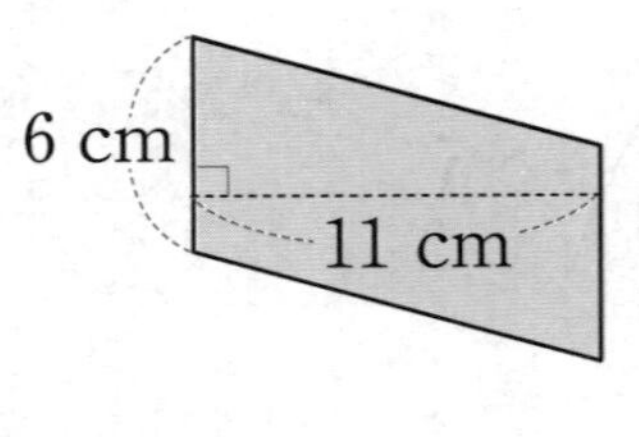

( ) cm^2

8

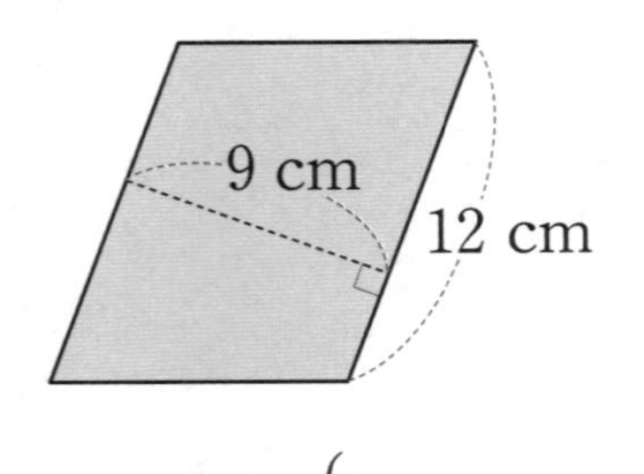

( ) cm^2

평행사변형의 넓이를 구하세요.

9

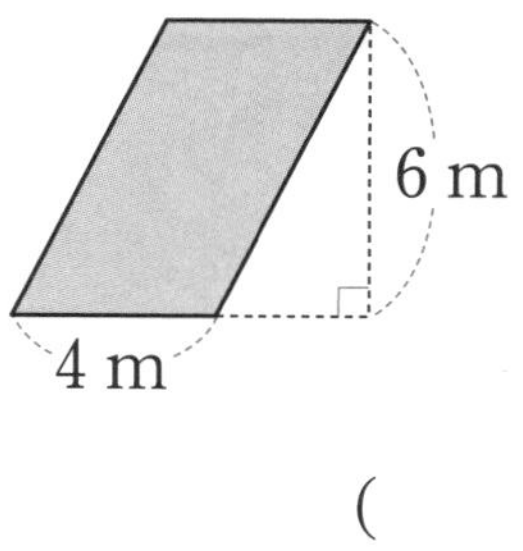

( ) m^2

10

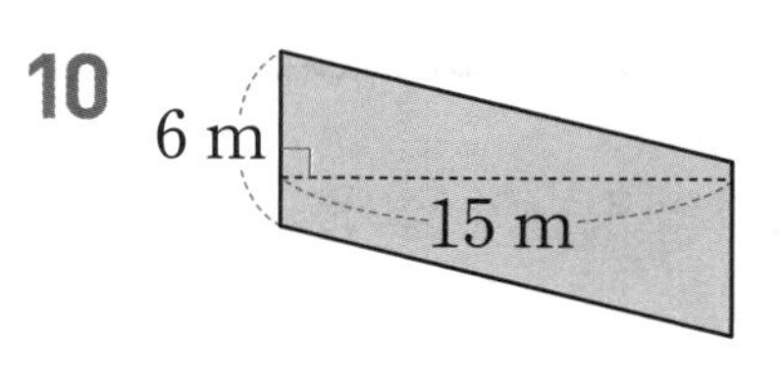

( ) m^2

11

3 m
8 m

( ) m^2

12

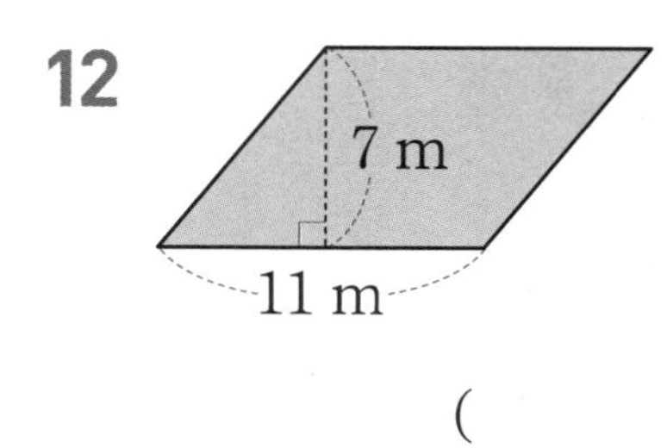

( ) m^2

13

8 m
12 m

( ) m^2

14

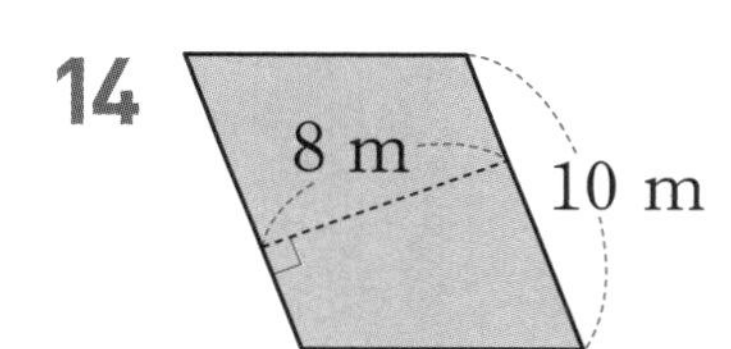

( ) m^2

15

13 m
9 m

( ) m^2

16

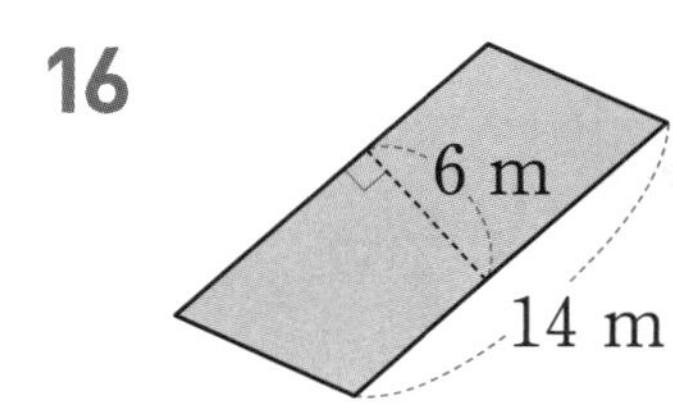

( ) m^2

4. 평행사변형의 넓이

 평행사변형 모양의 텃밭의 넓이를 구하세요.

1

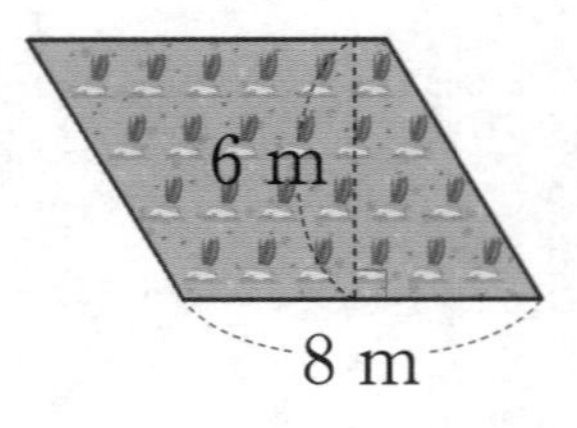

( ) m^2

2

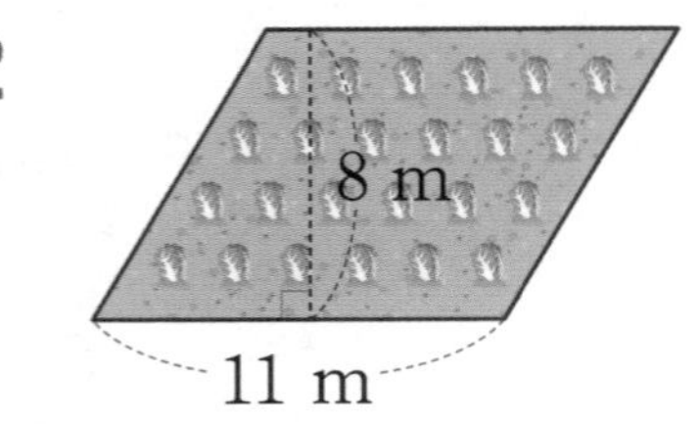

( ) m^2

3

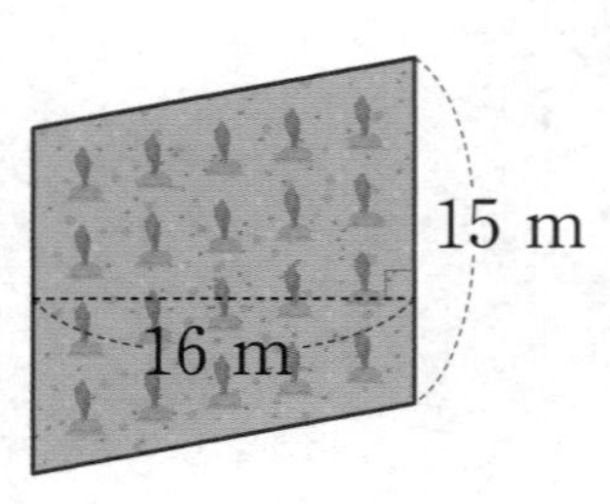

( ) m^2

4

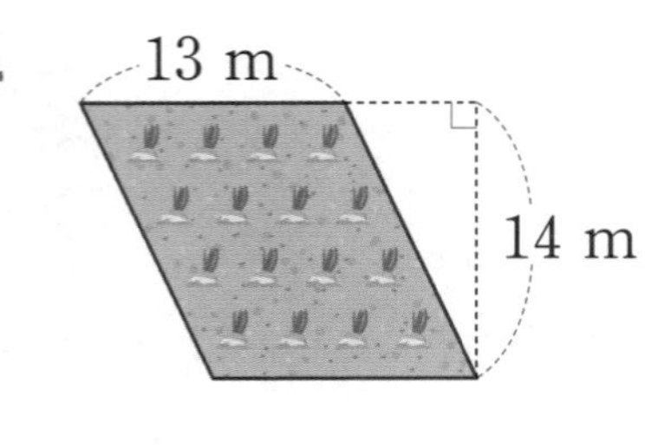

( ) m^2

5

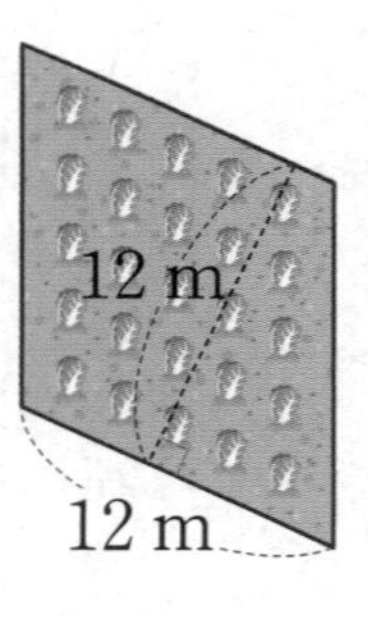

( ) m^2

6

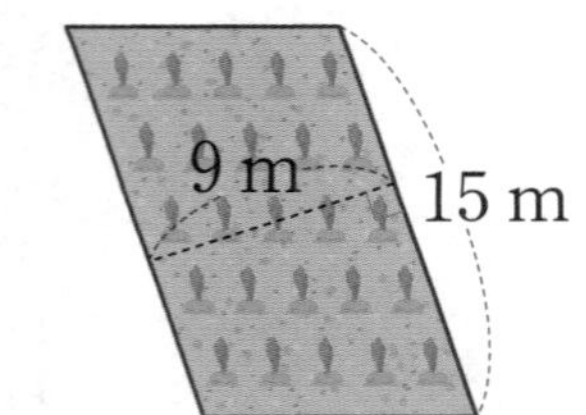

( ) m^2

7

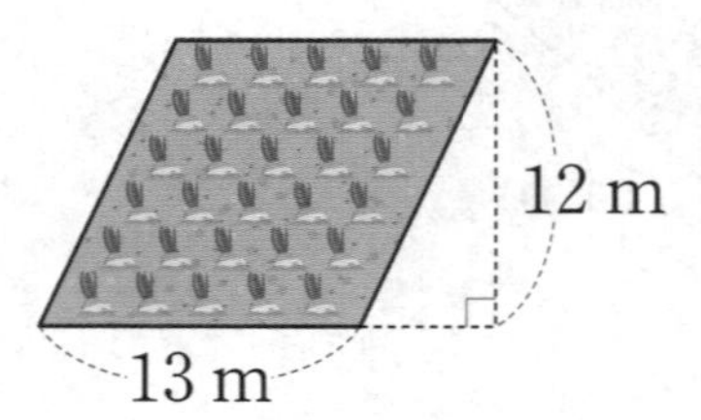

( ) m^2

8

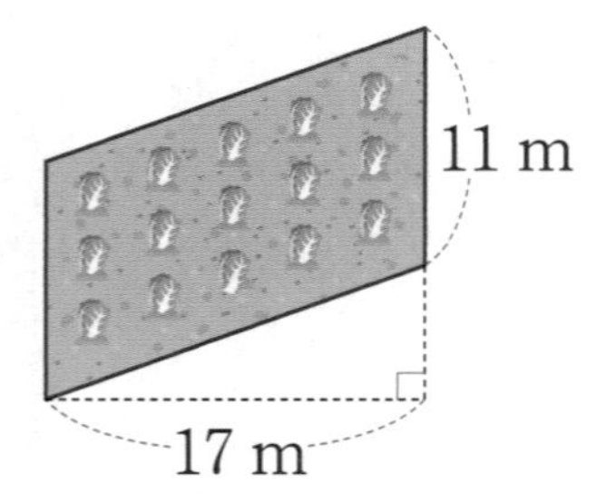

( ) m^2

평행사변형의 넓이를 구하세요.

9

밑변의 길이가 10 cm, 높이가 16 cm인 평행사변형

( ) cm^2

10

밑변의 길이가 19 cm, 높이가 13 cm인 평행사변형

( ) cm^2

11

밑변의 길이가 22 cm, 높이가 16 cm인 평행사변형

( ) cm^2

12

밑변의 길이가 18 cm, 높이가 23 cm인 평행사변형

( ) cm^2

13

밑변의 길이가 15 cm, 높이가 28 cm인 평행사변형

( ) cm^2

14

밑변의 길이가 26 cm, 높이가 21 cm인 평행사변형

( ) cm^2

생활 속 연산

예린이는 거실 바닥에서 그림과 같은 평행사변형 모양을 찾았습니다. 예린이가 찾은 평행사변형의 넓이는 몇 cm^2인지 구하세요.

( )

5. 삼각형의 넓이

● 삼각형의 넓이 구하기

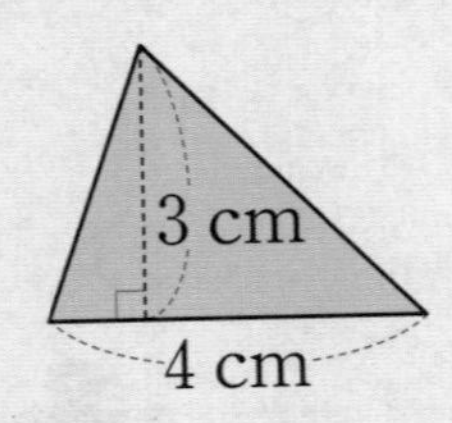

(삼각형의 넓이)=(밑변의 길이)×(높이)÷2
=4×3÷2=6 (cm^2)

삼각형의 넓이를 구하려고 합니다. □ 안에 알맞은 수를 써넣으세요.

1

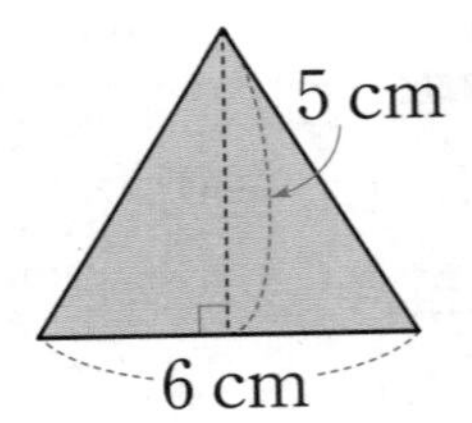

6×□÷2=□ (cm^2)

2

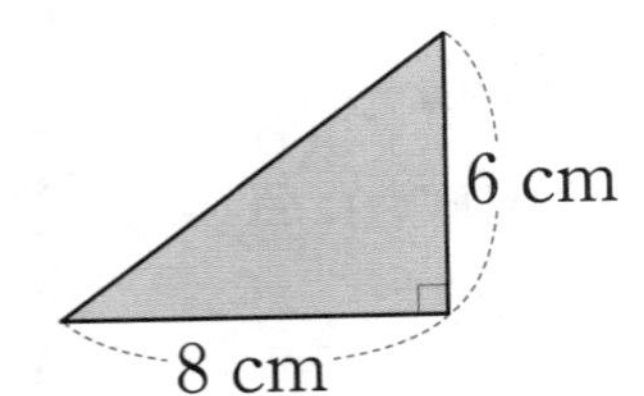

□×□÷2=□ (cm^2)

3

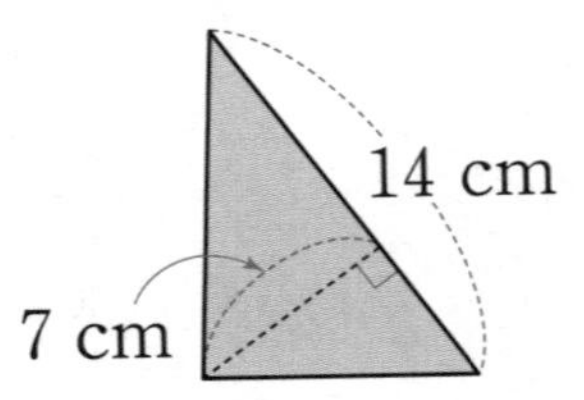

□×□÷2=□ (cm^2)

4

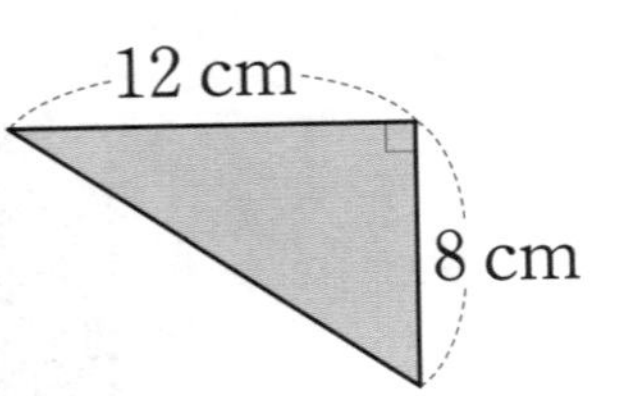

□×□÷2=□ (cm^2)

삼각형의 넓이를 구하세요.

5

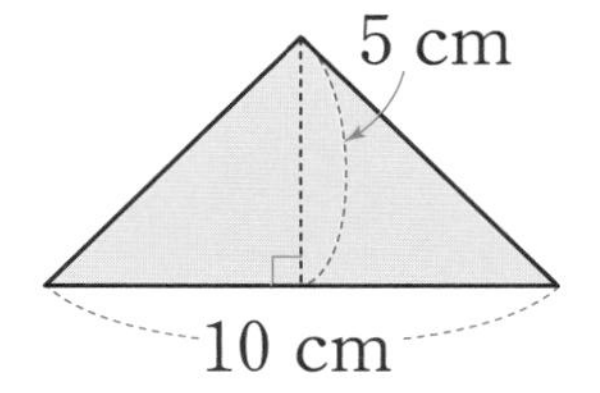

➔ $10\times5\div2=25$ (cm^2)

6

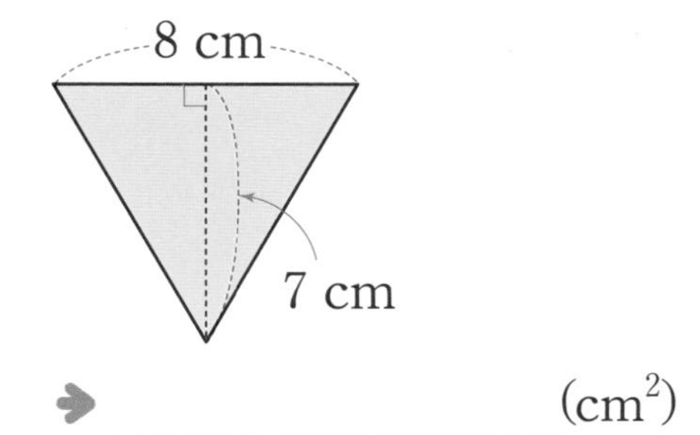

➔ ______ (cm^2)

7

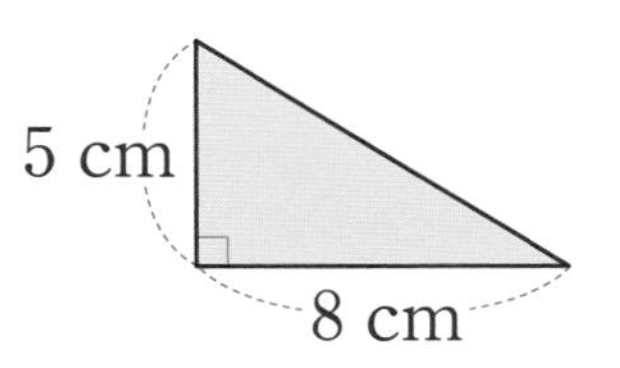

➔ ______ (cm^2)

8

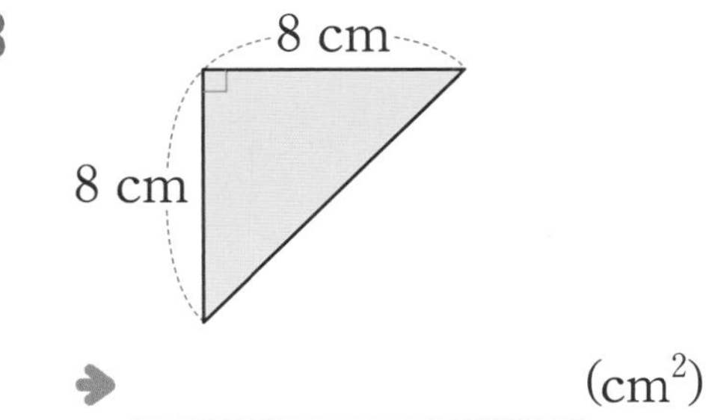

➔ ______ (cm^2)

9

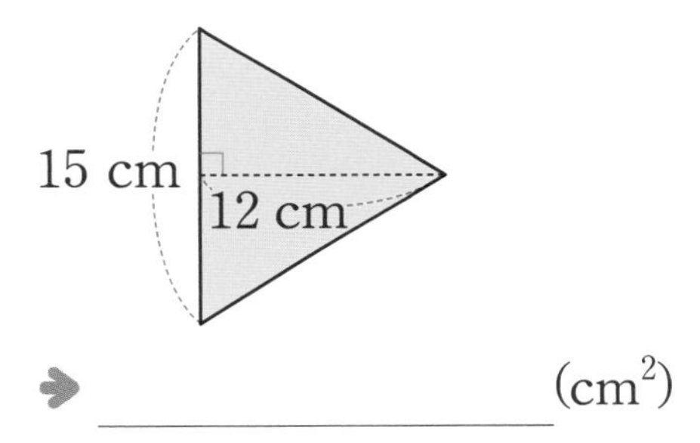

➔ ______ (cm^2)

10

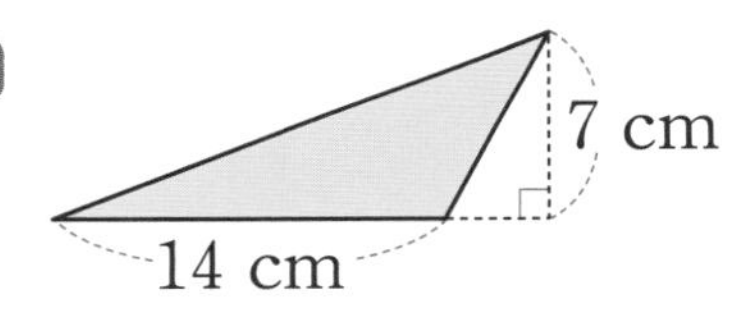

➔ ______ (cm^2)

11

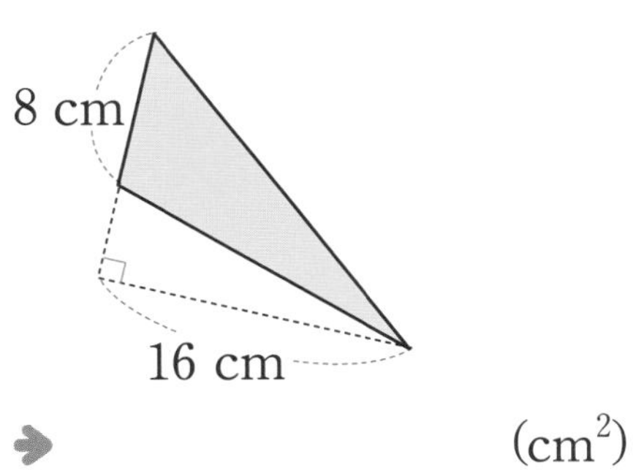

➔ ______ (cm^2)

12

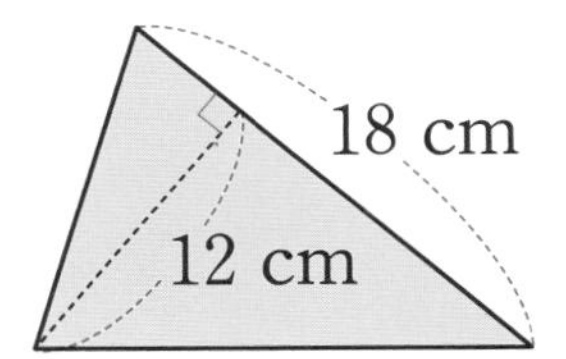

➔ ______ (cm^2)

5. 삼각형의 넓이

 삼각형의 넓이를 구하세요.

1

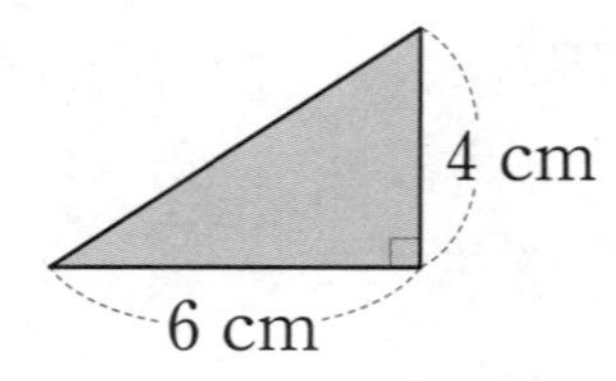

( ) cm^2

2

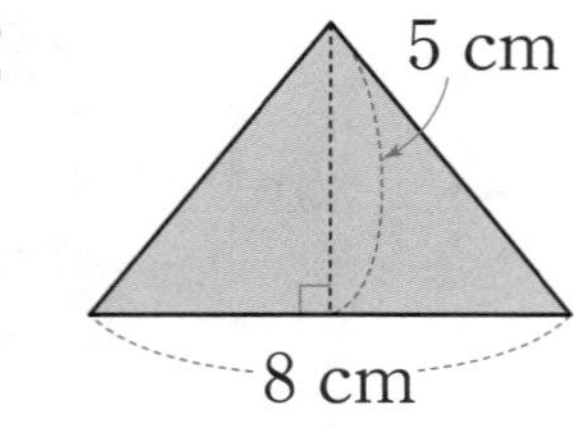

( ) cm^2

3

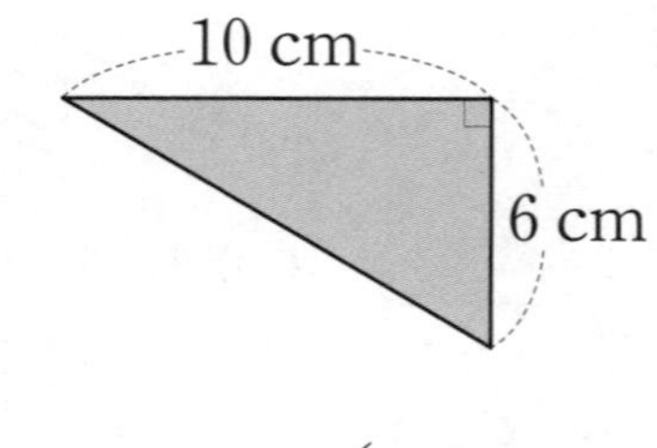

( ) cm^2

4

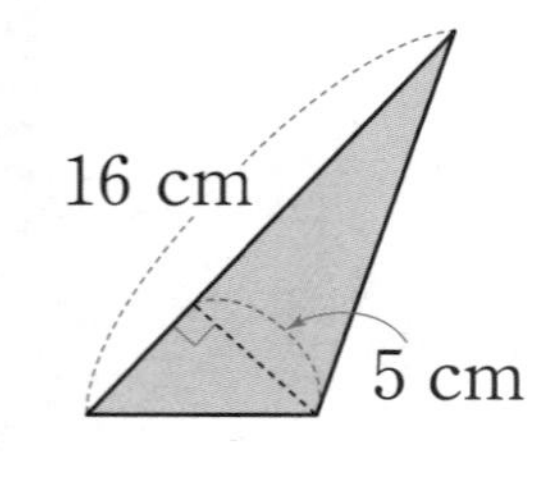

( ) cm^2

5

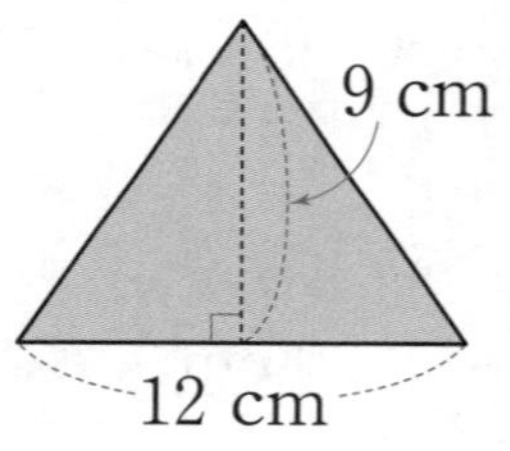

( ) cm^2

6

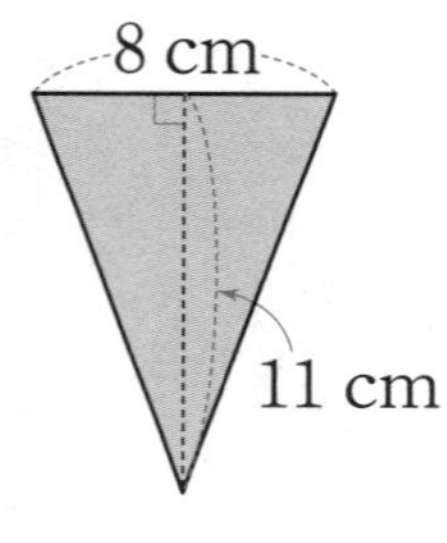

( ) cm^2

7

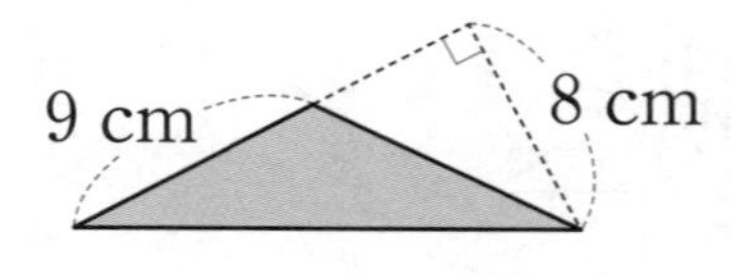

( ) cm^2

8

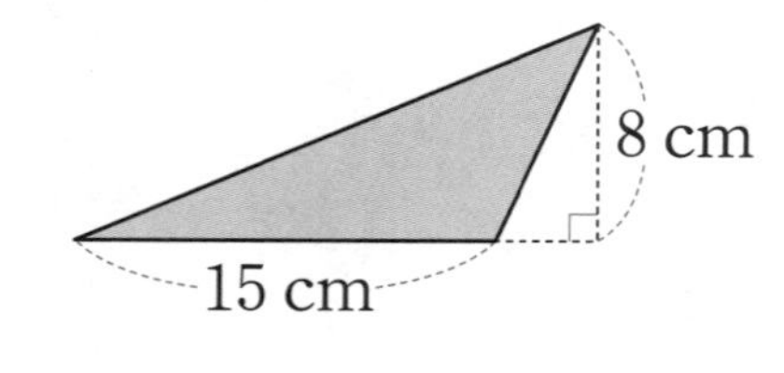

( ) cm^2

삼각형의 넓이를 구하세요.

9

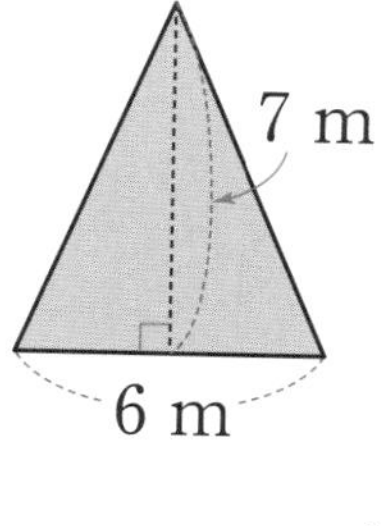

( ) m^2

10

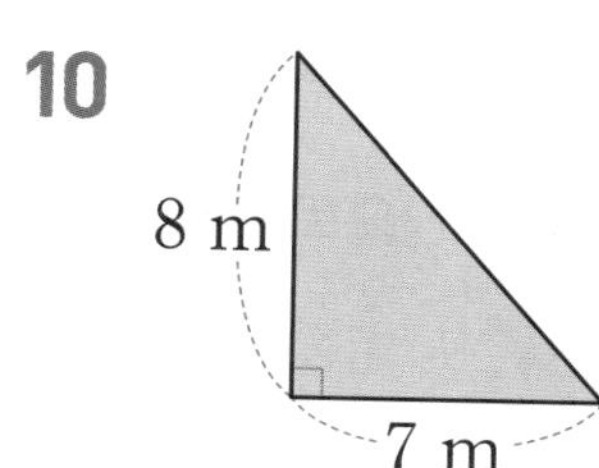
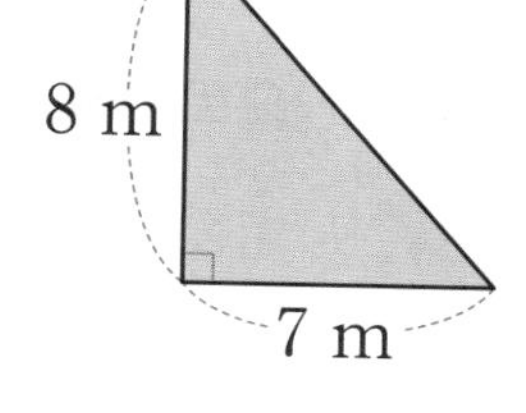

( ) m^2

11

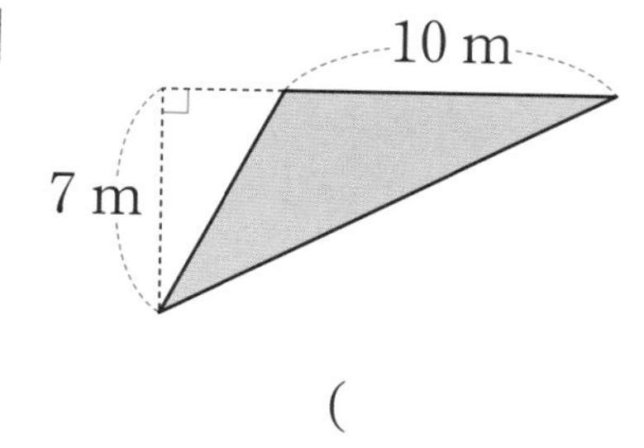

( ) m^2

12

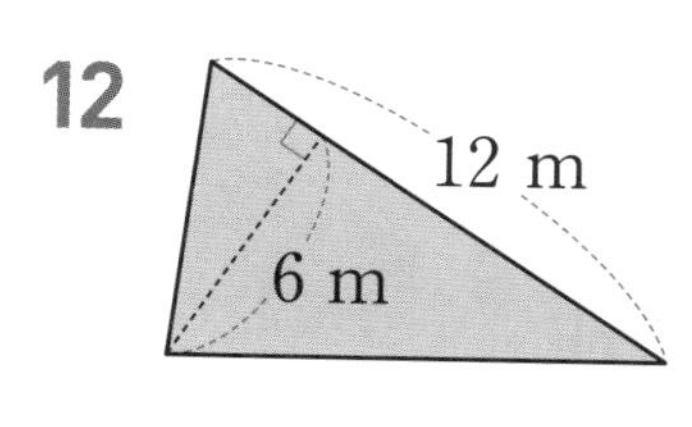

( ) m^2

13

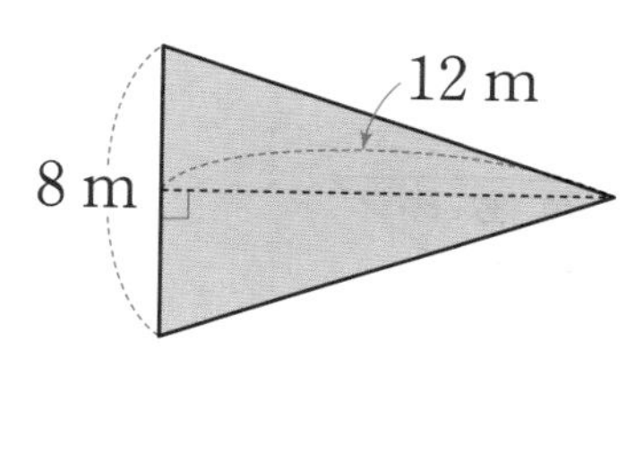

( ) m^2

14

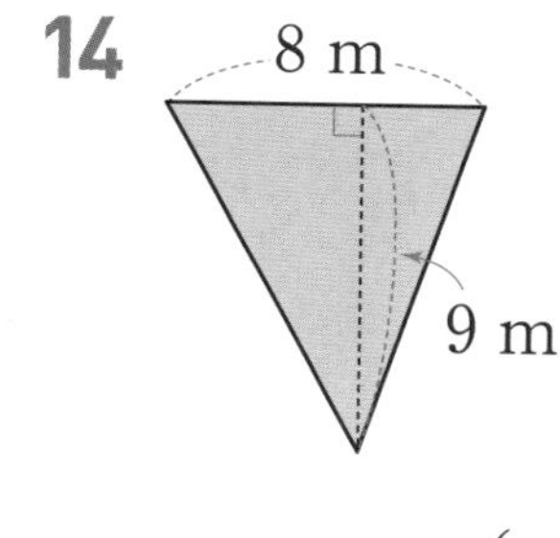

( ) m^2

15

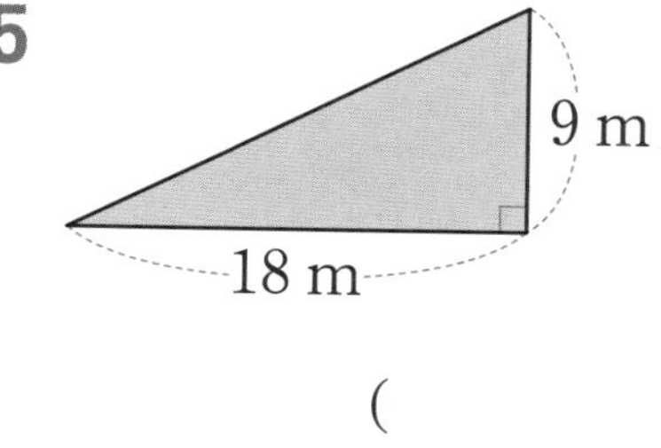

( ) m^2

16

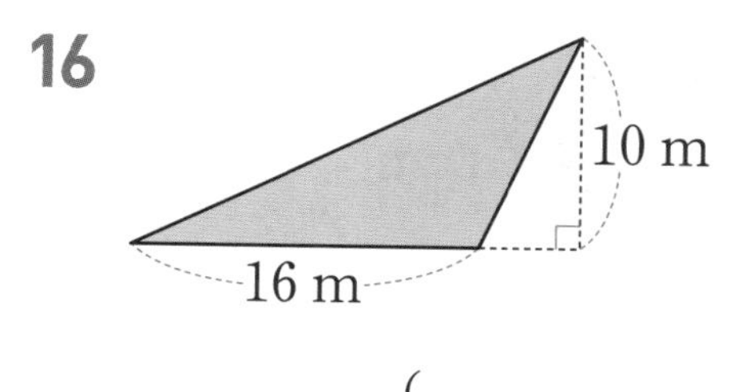

( ) m^2

5. 삼각형의 넓이

우재는 포장지를 삼각형 모양으로 잘랐습니다. 이 포장지의 넓이를 구하세요.

1

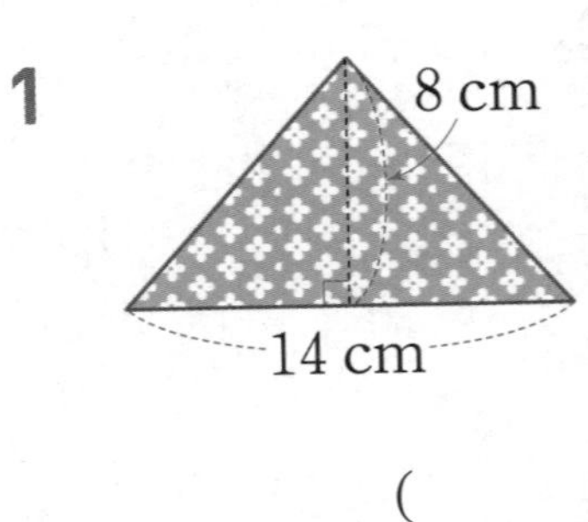

( ) cm^2

2

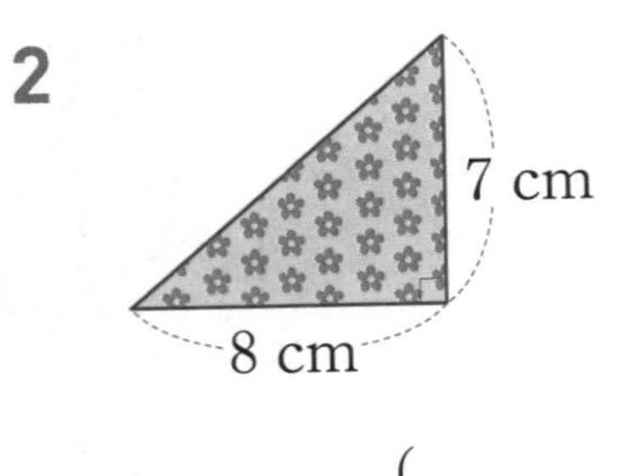

( ) cm^2

3

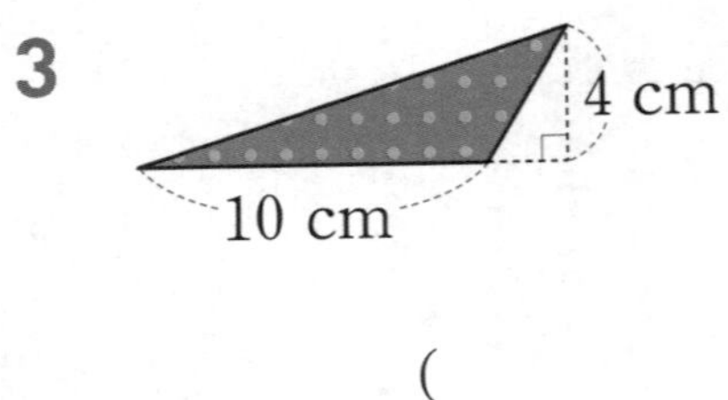

( ) cm^2

4

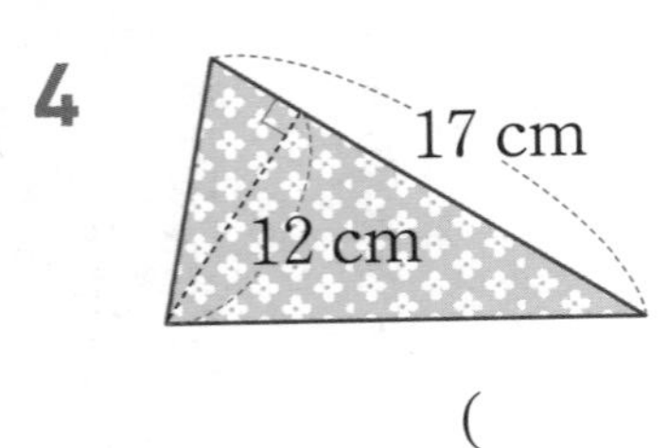

( ) cm^2

5

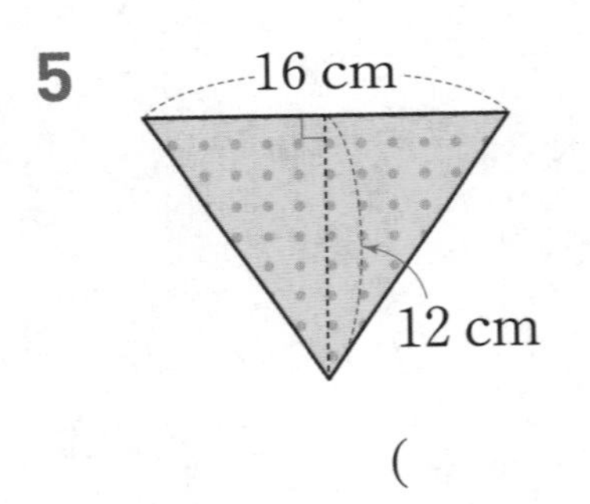

( ) cm^2

6

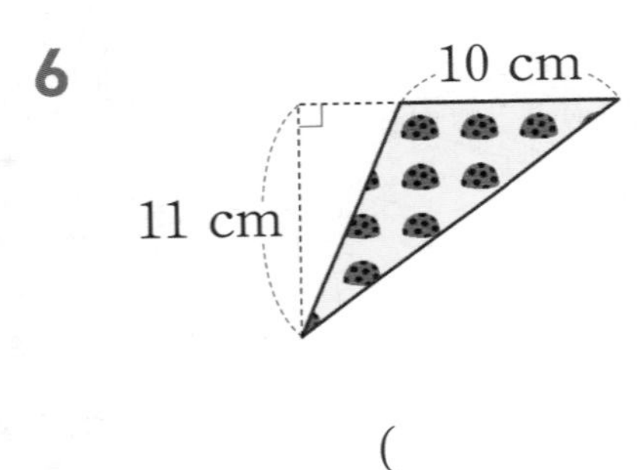

( ) cm^2

7

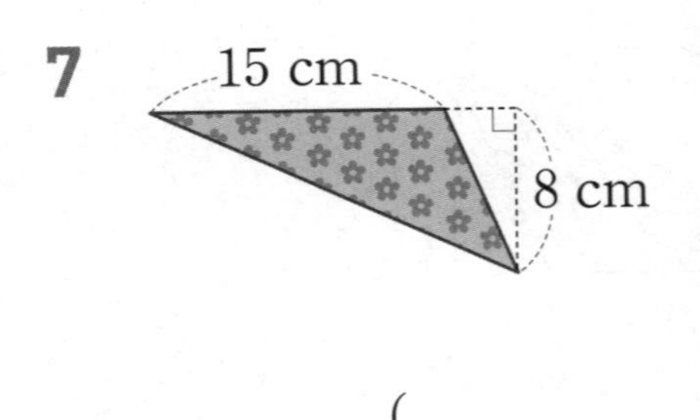

( ) cm^2

8

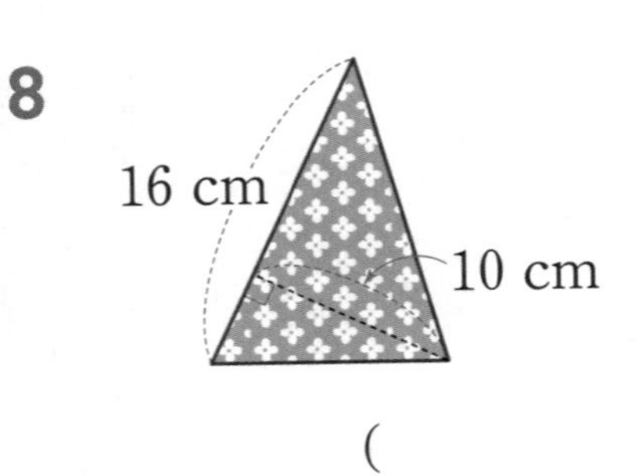

( ) cm^2

삼각형의 넓이를 구하세요.

9 밑변의 길이가 18 cm, 높이가 7 cm인 삼각형

( ) cm^2

10 밑변의 길이가 22 cm, 높이가 9 cm인 삼각형

( ) cm^2

11 밑변의 길이가 25 cm, 높이가 12 cm인 삼각형

( ) cm^2

12 밑변의 길이가 17 cm, 높이가 28 cm인 삼각형

( ) cm^2

13 밑변의 길이가 30 cm, 높이가 15 cm인 삼각형

( ) cm^2

14 밑변의 길이가 24 cm, 높이가 24 cm인 삼각형

( ) cm^2

생활 속 연산

소연이가 식빵을 직각삼각형 모양으로 잘랐습니다. 이 식빵의 넓이는 몇 cm^2인지 구하세요.

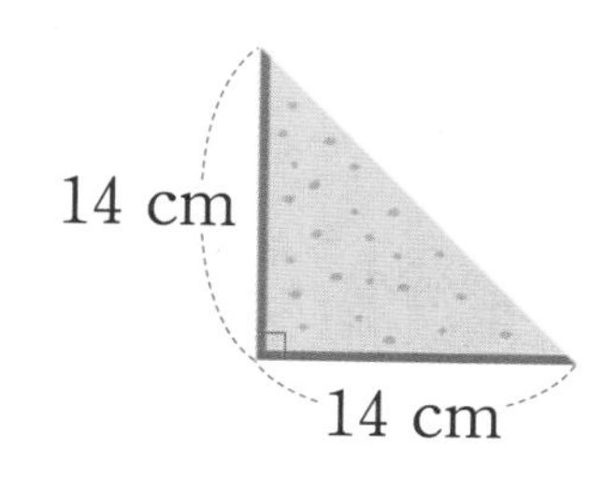

( )

6. 마름모의 넓이

● 마름모의 넓이 구하기

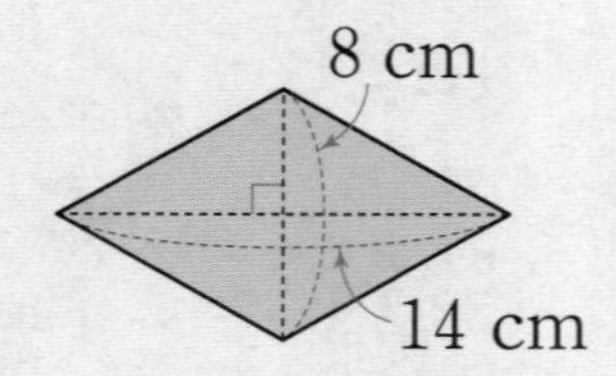

(마름모의 넓이)=(한 대각선의 길이)×(다른 대각선의 길이)÷2
=14×8÷2=56 (cm^2)

마름모의 넓이를 구하려고 합니다. □ 안에 알맞은 수를 써넣으세요.

1

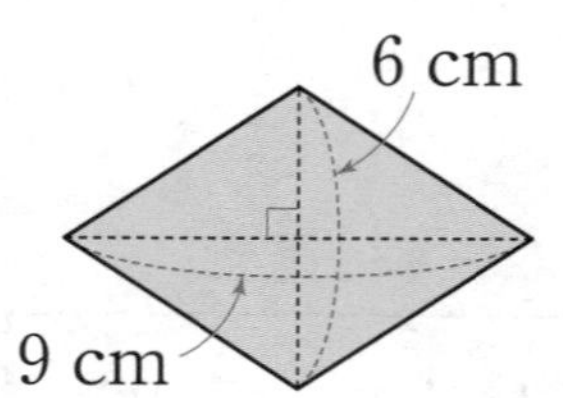

9×□÷2=□ (cm^2)

2

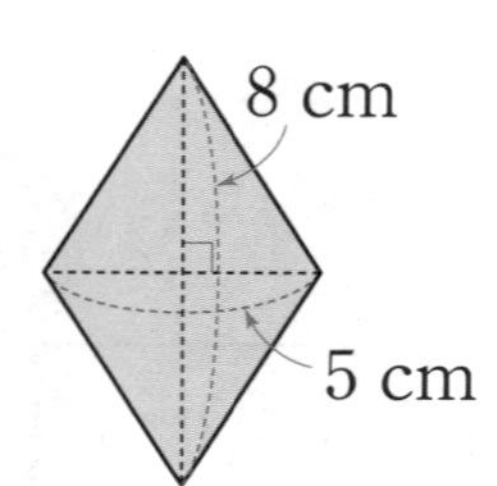

5×□÷2=□ (cm^2)

3

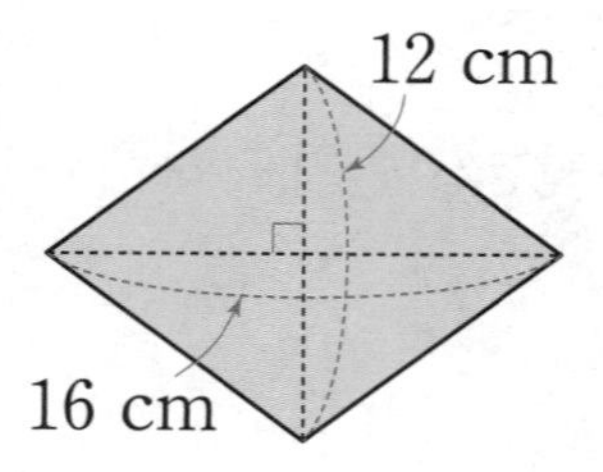

□×□÷2=□ (cm^2)

4

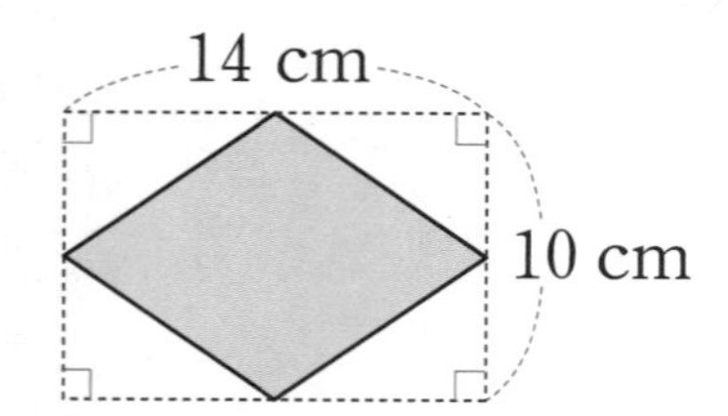

□×□÷2=□ (cm^2)

마름모의 넓이를 구하세요.

5

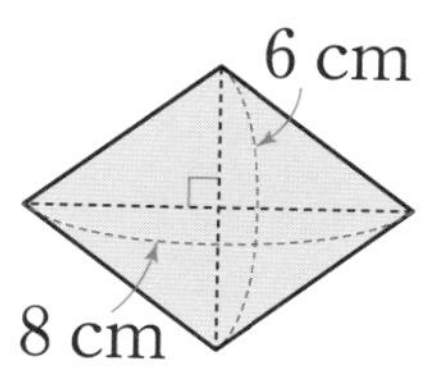

➔ $8\times6\div2=24$ (cm²)

6

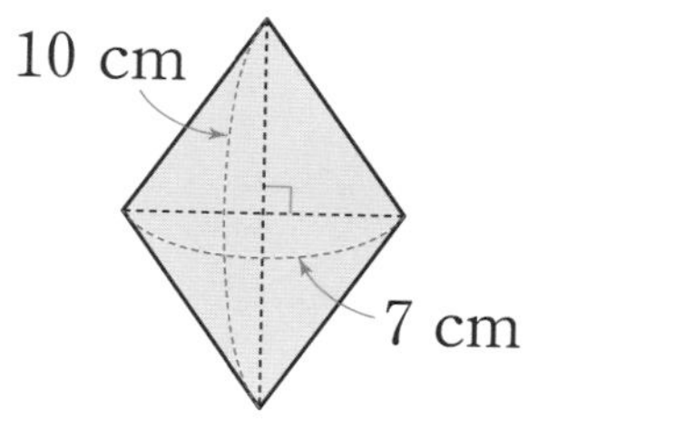

➔ ______ (cm²)

7

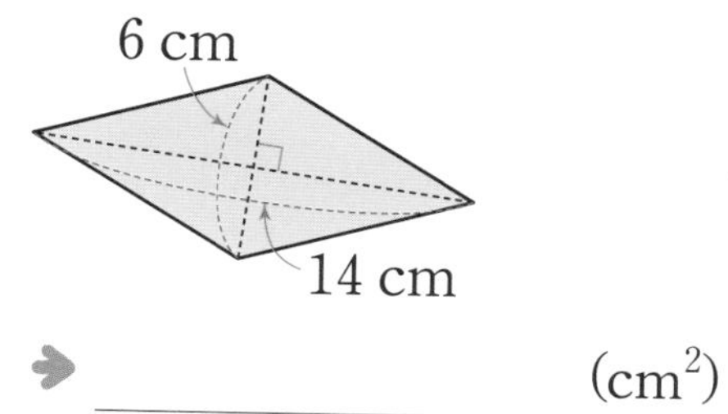

➔ ______ (cm²)

8

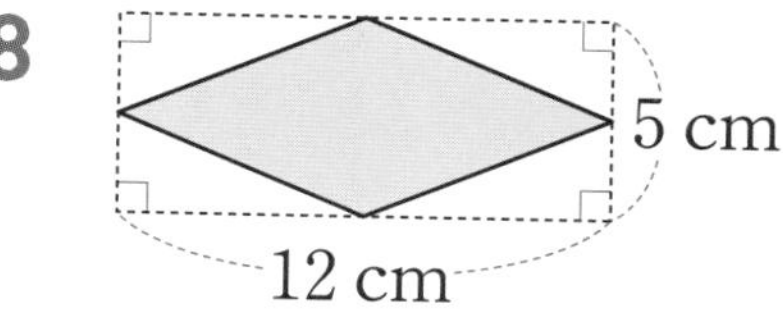

➔ ______ (cm²)

9

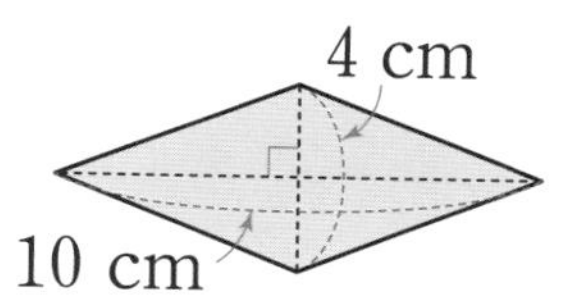

➔ ______ (cm²)

10

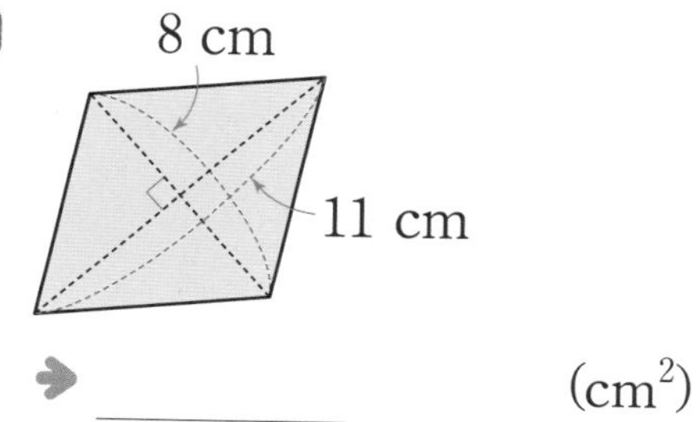

➔ ______ (cm²)

11

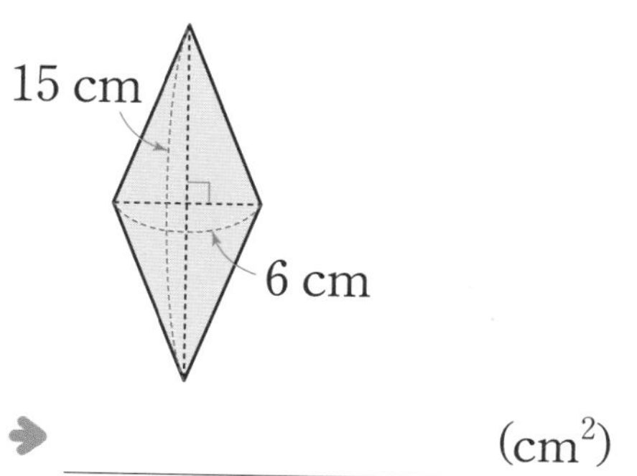

➔ ______ (cm²)

12

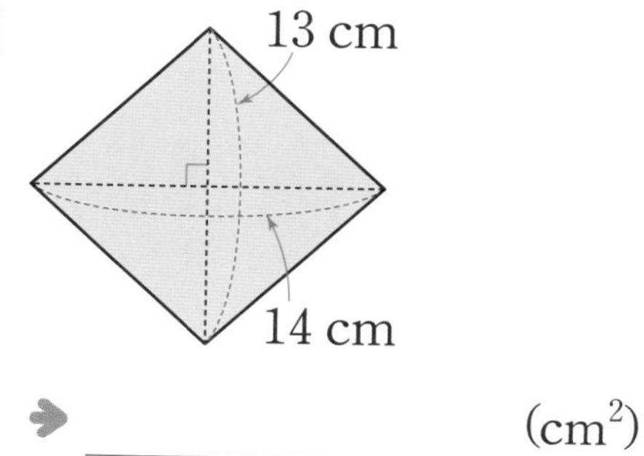

➔ ______ (cm²)

6. 마름모의 넓이

마름모의 넓이를 구하세요.

1

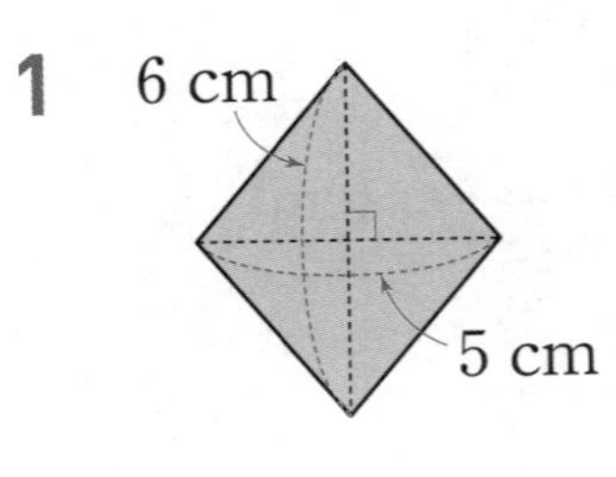

( ) cm^2

2

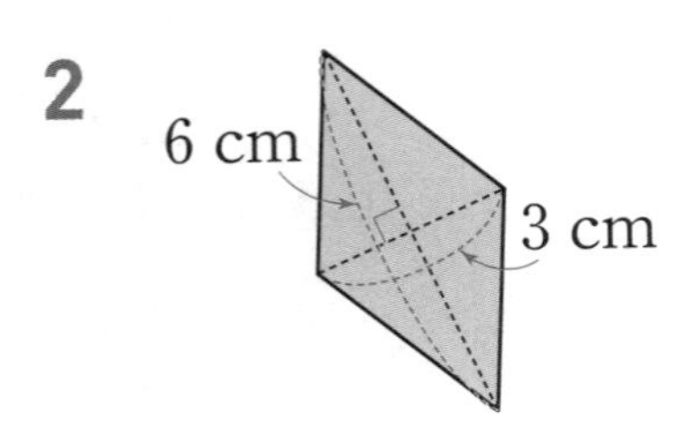

( ) cm^2

3

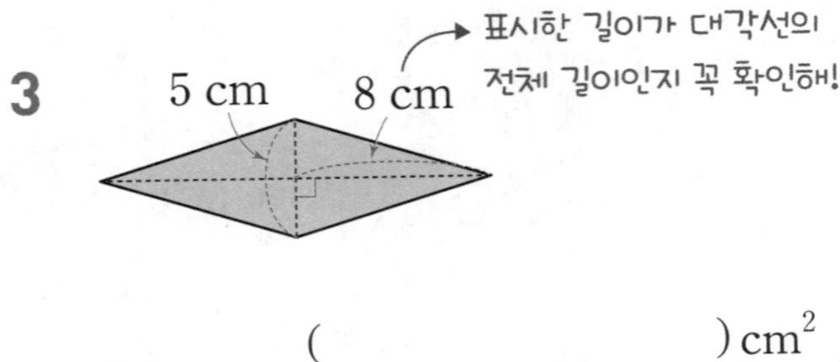

( ) cm^2

4

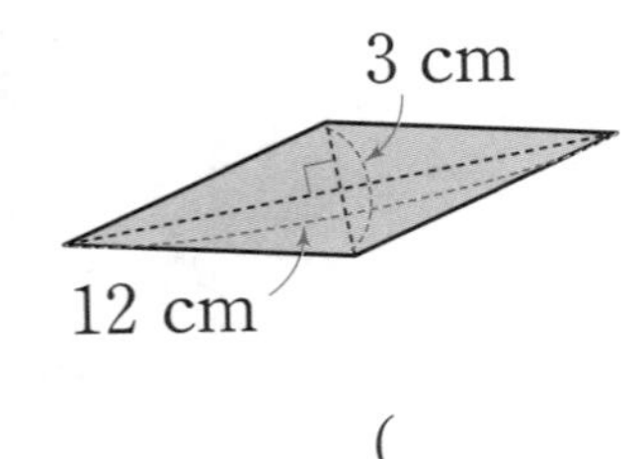

( ) cm^2

5

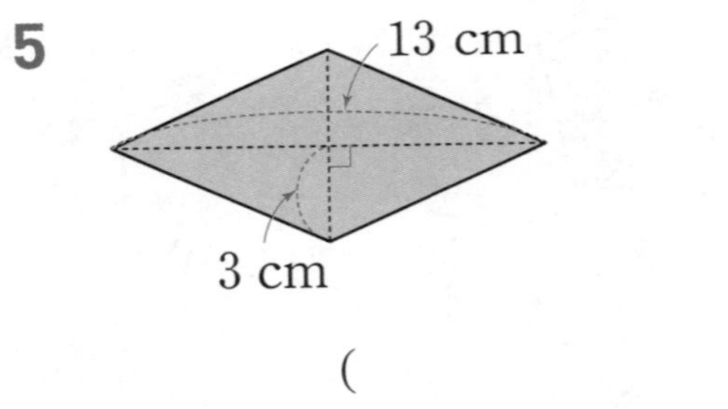

( ) cm^2

6

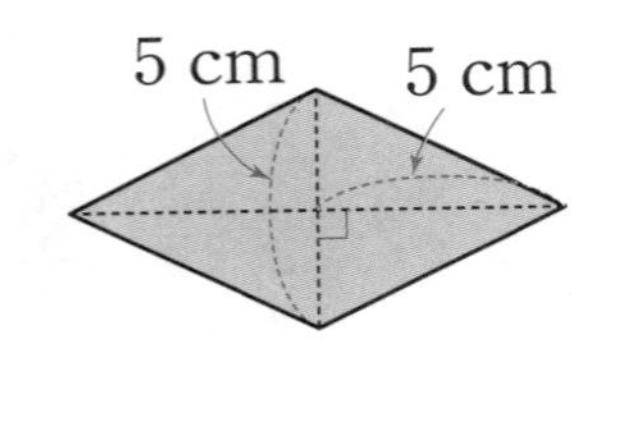

( ) cm^2

7

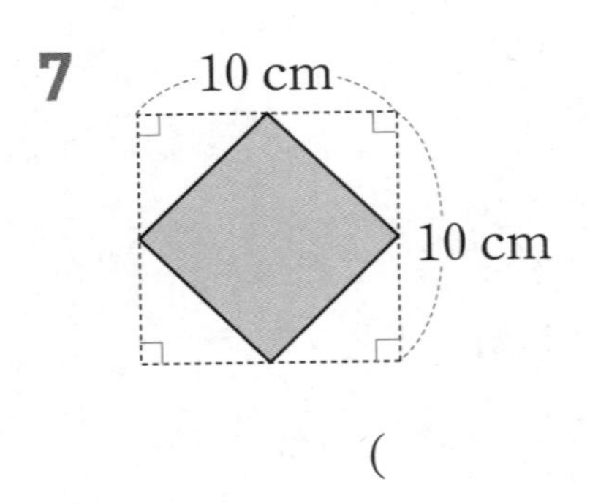

( ) cm^2

8

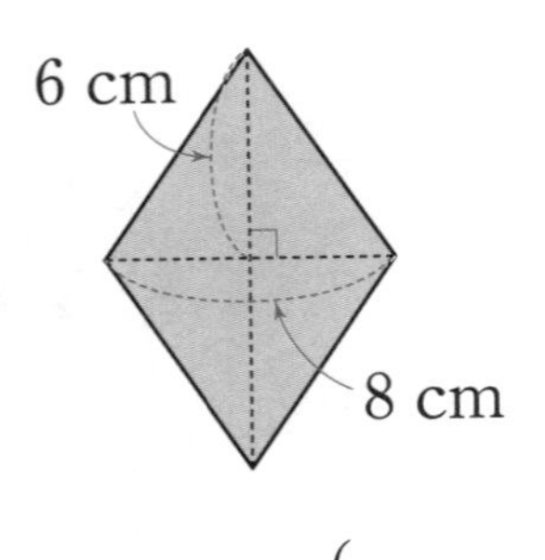

( ) cm^2

마름모의 넓이를 구하세요.

9

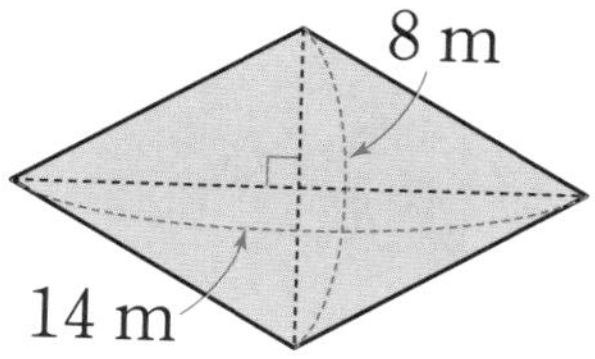

8 m
14 m

( ) m^2

10

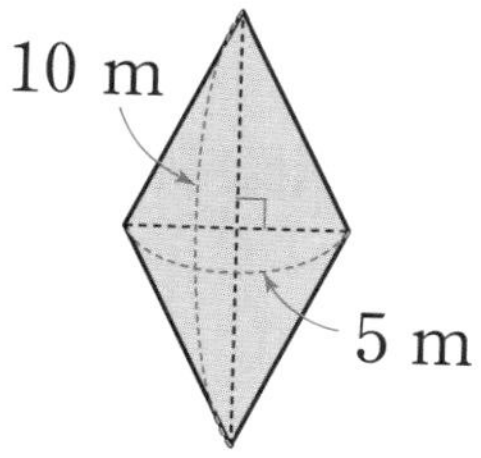

10 m
5 m

( ) m^2

11

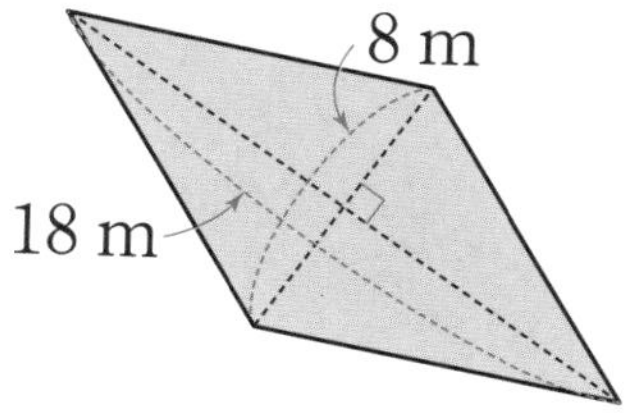

8 m
18 m

( ) m^2

12

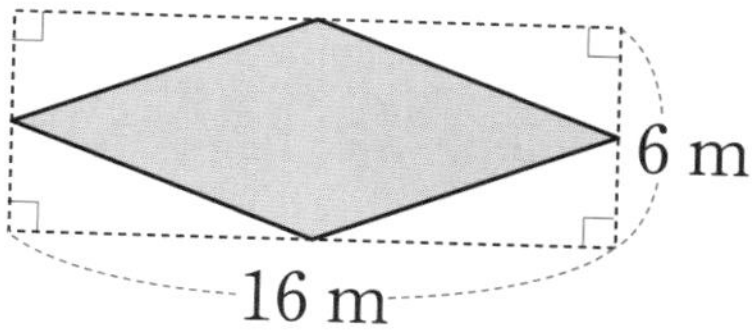

6 m
16 m

( ) m^2

13

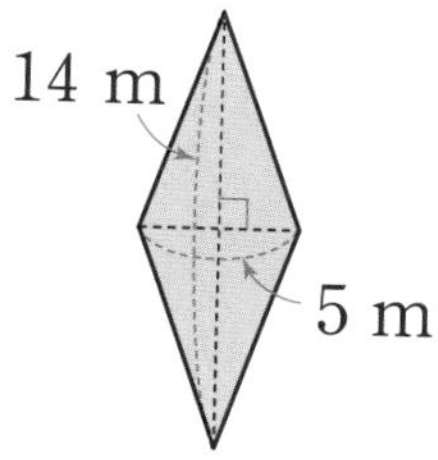

14 m
5 m

( ) m^2

14

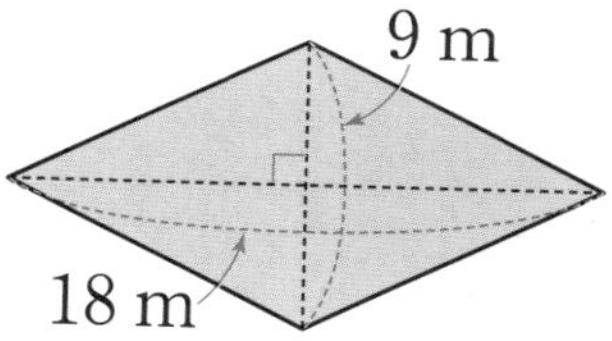

9 m
18 m

( ) m^2

15

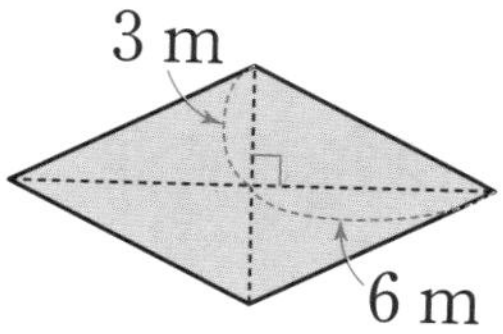

3 m
6 m

( ) m^2

16

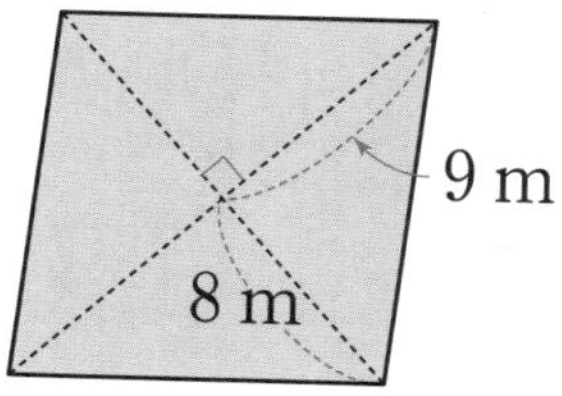

9 m
8 m

( ) m^2

6. 마름모의 넓이

 마름모 모양의 꽃밭의 넓이를 구하세요.

1

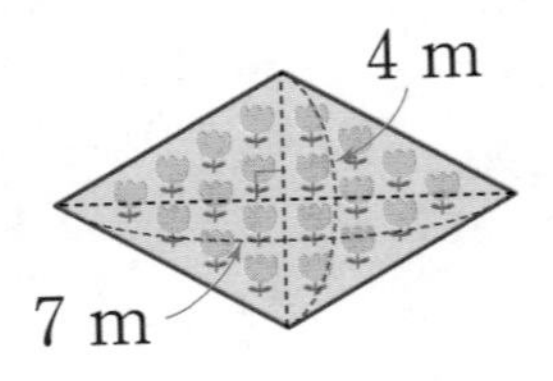

( ) m^2

2

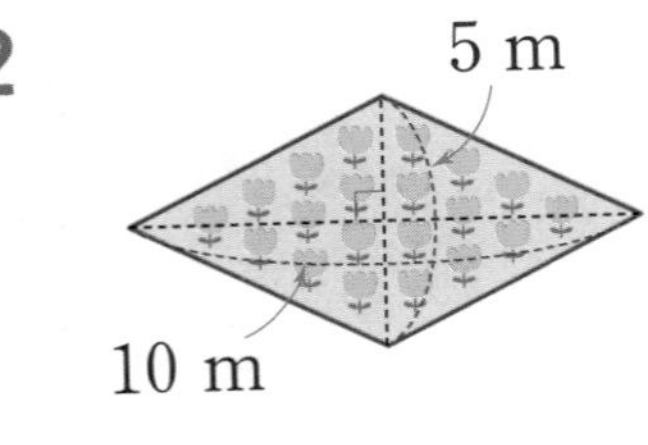

( ) m^2

3

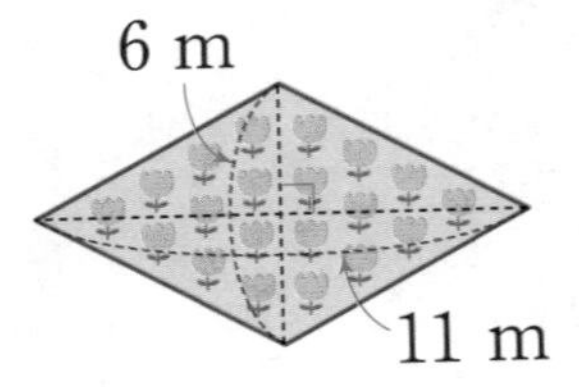

( ) m^2

4

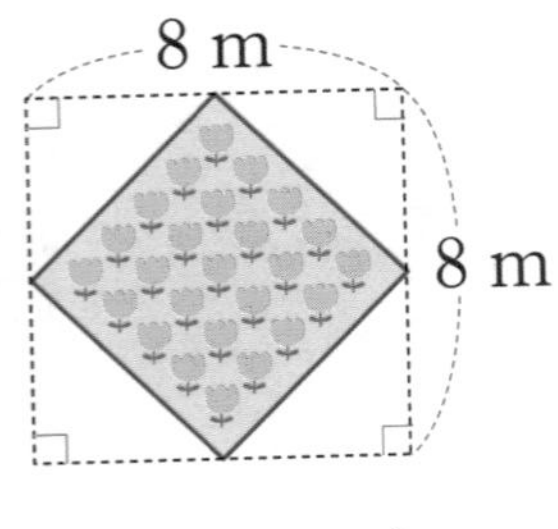

( ) m^2

5

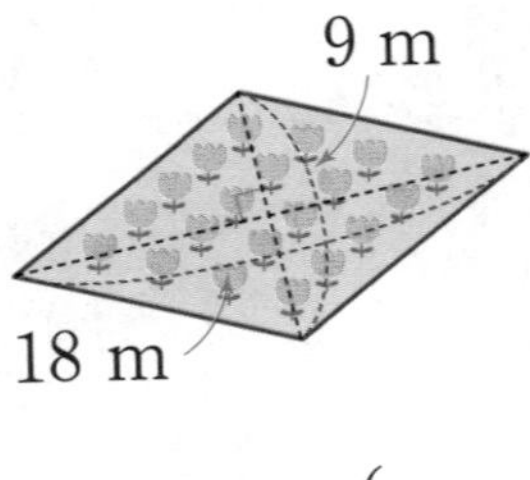

( ) m^2

6

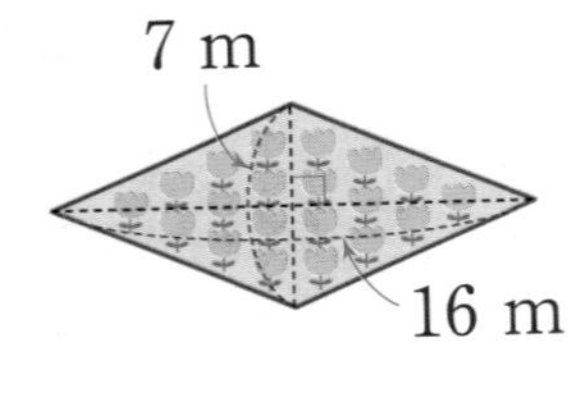

( ) m^2

7

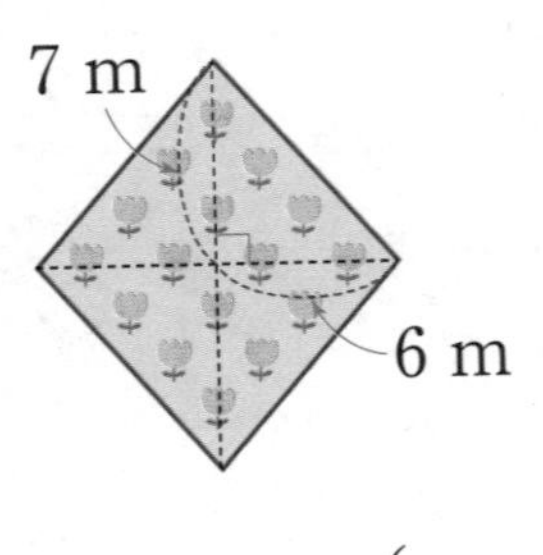

( ) m^2

8

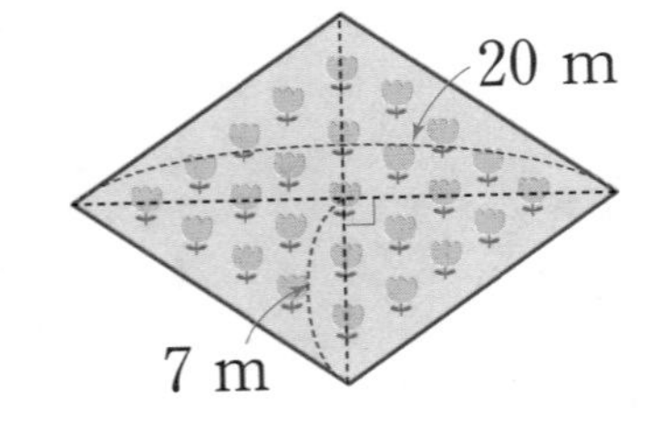

( ) m^2

마름모의 넓이를 구하세요.

9

한 대각선의 길이는 12 cm, 다른 대각선의 길이는 10 cm인 마름모

( ) cm^2

10

한 대각선의 길이는 18 cm, 다른 대각선의 길이는 16 cm인 마름모

( ) cm^2

11

한 대각선의 길이는 23 cm, 다른 대각선의 길이는 14 cm인 마름모

( ) cm^2

12

한 대각선의 길이는 19 cm, 다른 대각선의 길이는 24 cm인 마름모

( ) cm^2

13

한 대각선의 길이는 30 cm, 다른 대각선의 길이는 12 cm인 마름모

( ) cm^2

14

한 대각선의 길이는 20 cm, 다른 대각선의 길이는 30 cm인 마름모

( ) cm^2

생활 속 연산

지후는 마름모 모양의 와플을 만들었습니다. 대각선이 각각 12 cm, 8 cm일 때 와플의 넓이는 cm^2인지 구하세요.

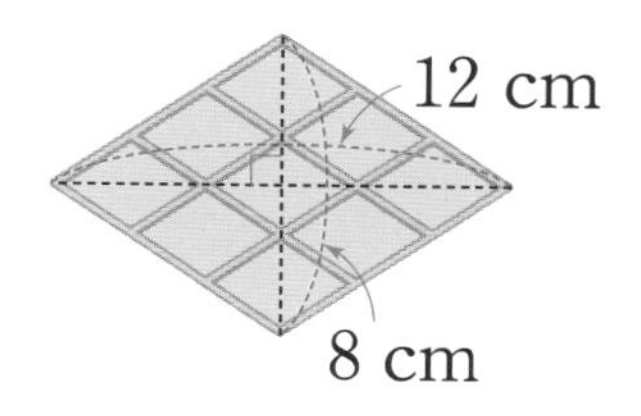

( )

7. 사다리꼴의 넓이

● 사다리꼴의 넓이 구하기

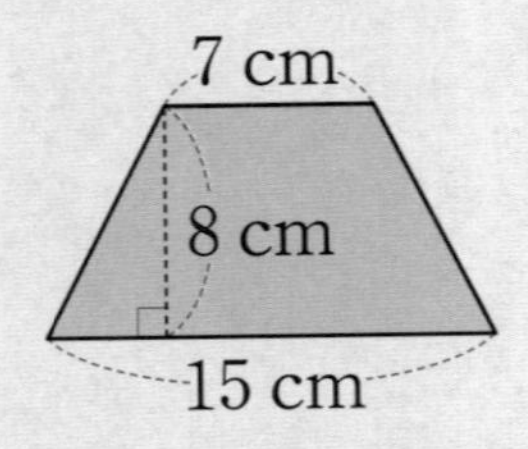

(사다리꼴의 넓이)＝((윗변의 길이)＋(아랫변의 길이))×(높이)÷2

$=(7+15)\times8\div2=88\ (cm^2)$

사다리꼴의 넓이를 구하려고 합니다. □ 안에 알맞은 수를 써넣으세요.

1

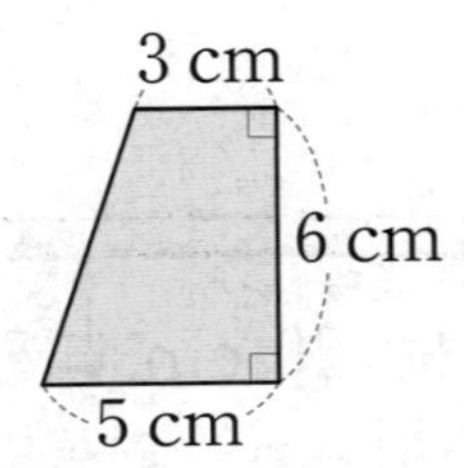

$(3+5)\times\square\div2=\square\ (cm^2)$

2

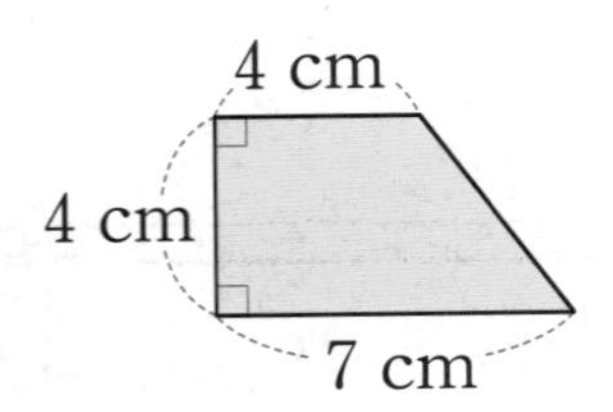

$(4+7)\times\square\div2=\square\ (cm^2)$

3

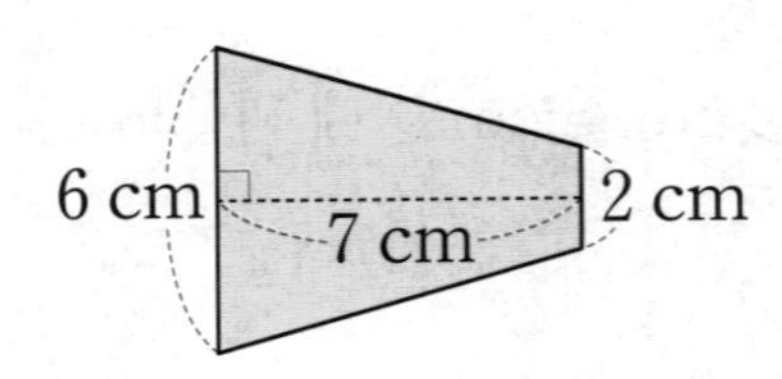

$(6+\square)\times7\div2=\square\ (cm^2)$

4

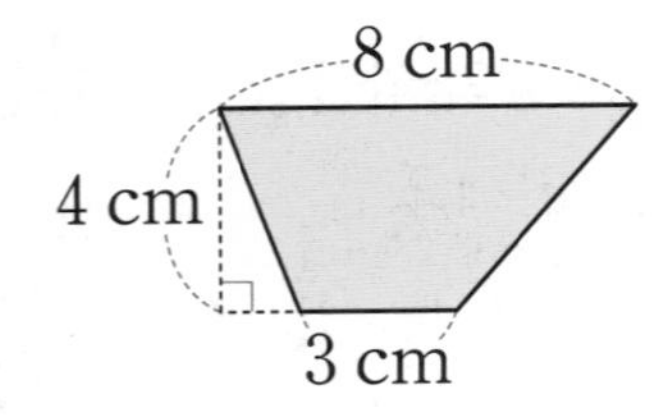

$(\square+3)\times4\div2=\square\ (cm^2)$

사다리꼴의 넓이를 구하세요.

5

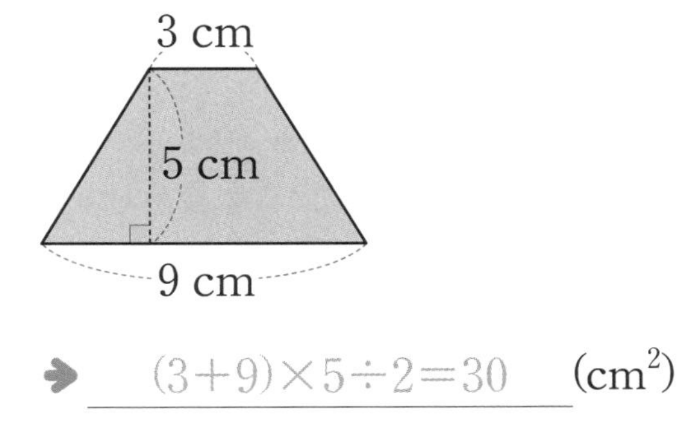

➔ $(3+9)\times5\div2=30$ (cm²)

6

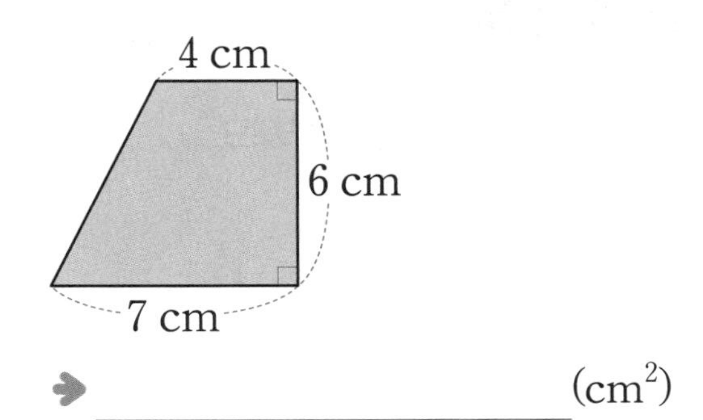

➔ ______ (cm²)

7

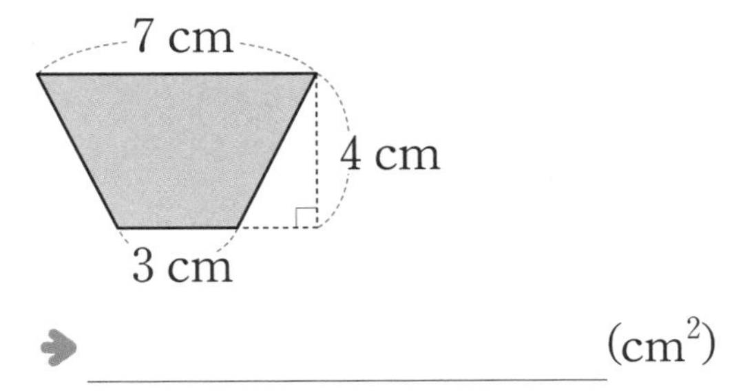

➔ ______ (cm²)

8

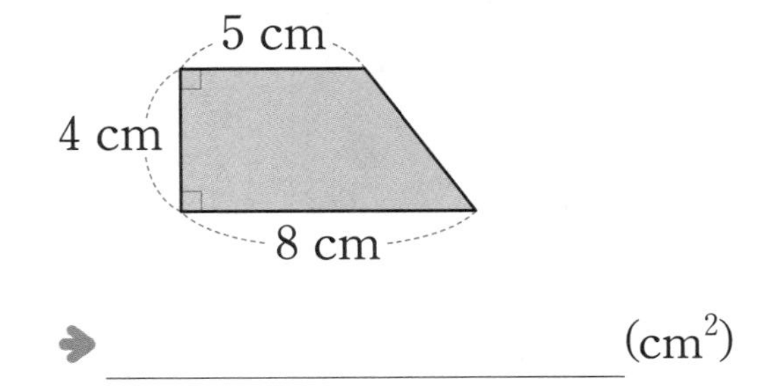

➔ ______ (cm²)

9

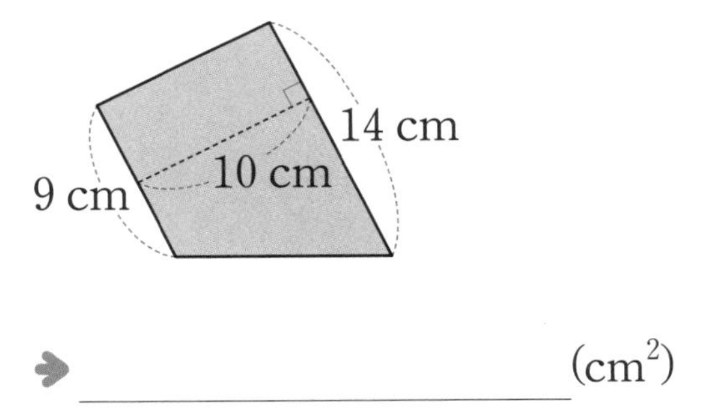

➔ ______ (cm²)

10

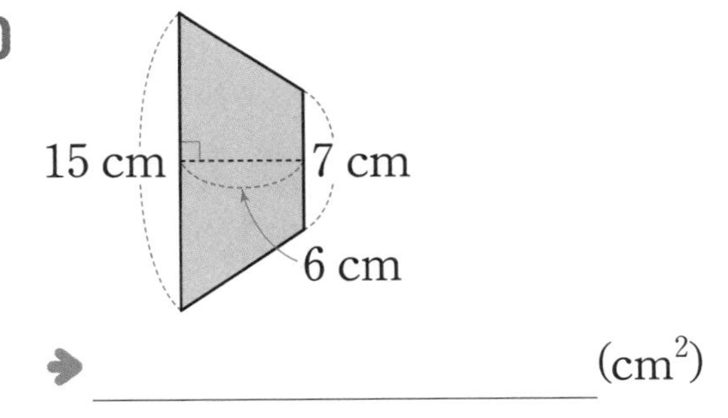

➔ ______ (cm²)

11

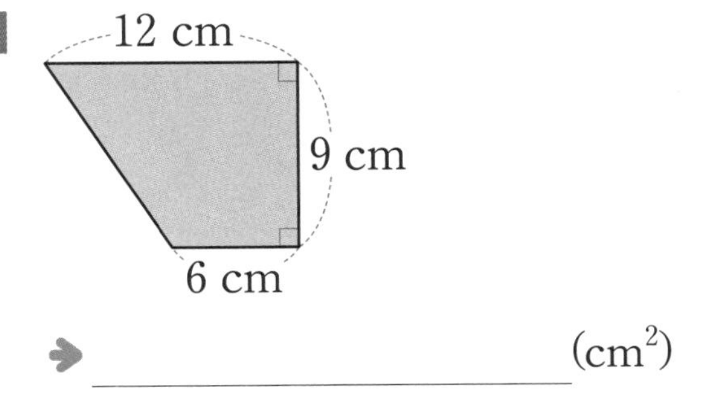

➔ ______ (cm²)

12

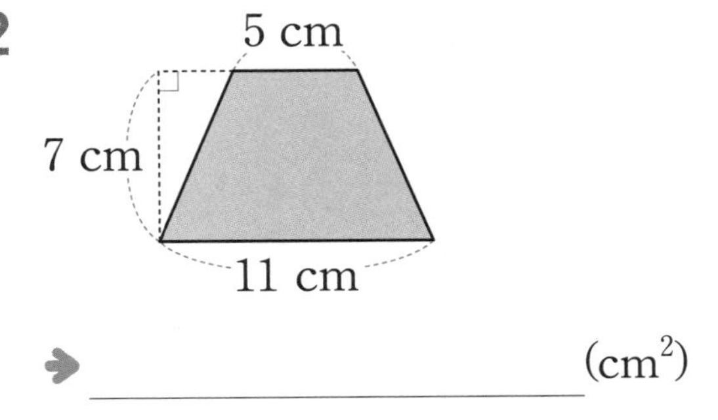

➔ ______ (cm²)

7. 사다리꼴의 넓이

사다리꼴의 넓이를 구하세요.

1

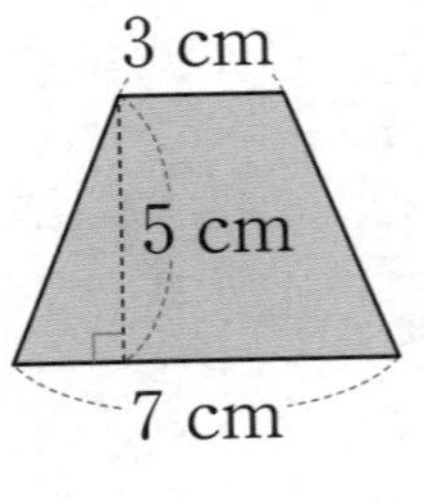

( ) cm^2

2

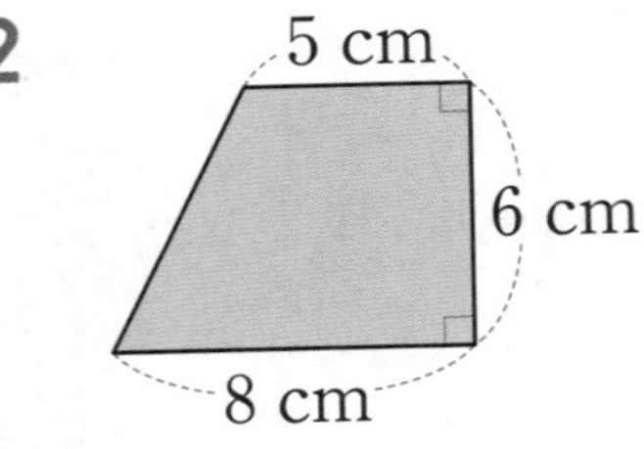

( ) cm^2

3

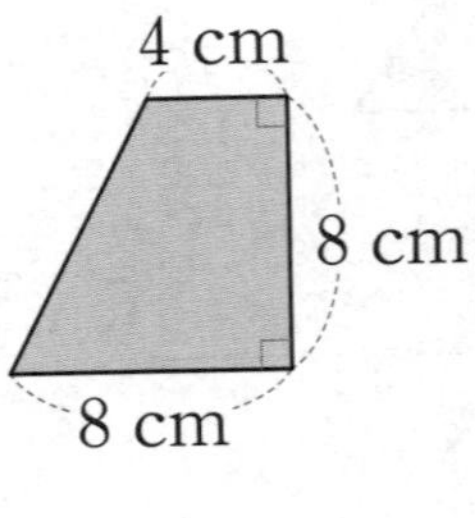

( ) cm^2

4

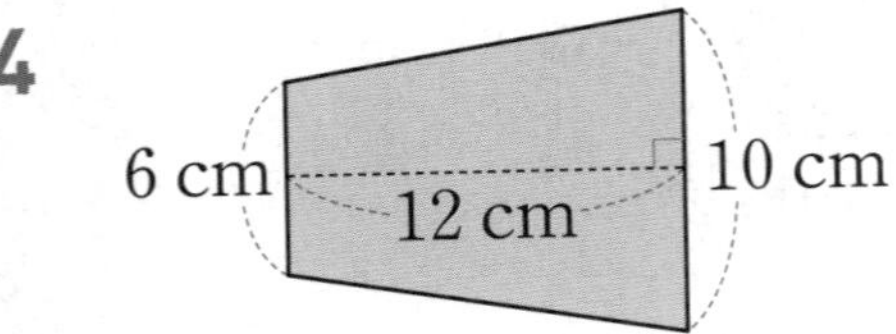

( ) cm^2

5

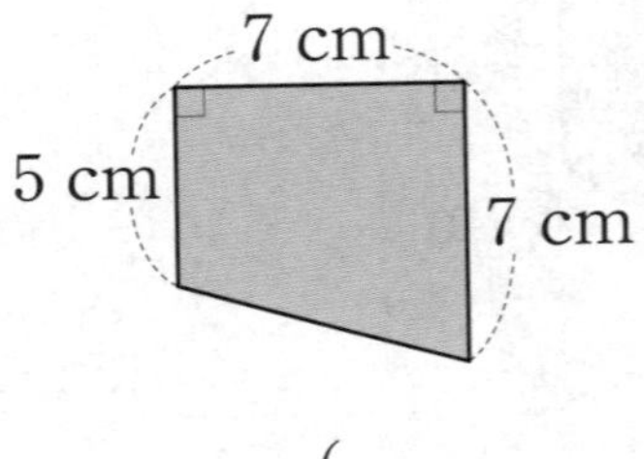

( ) cm^2

6

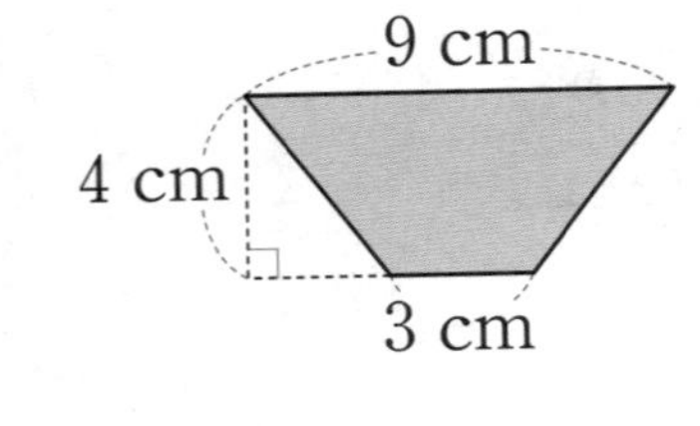

( ) cm^2

7

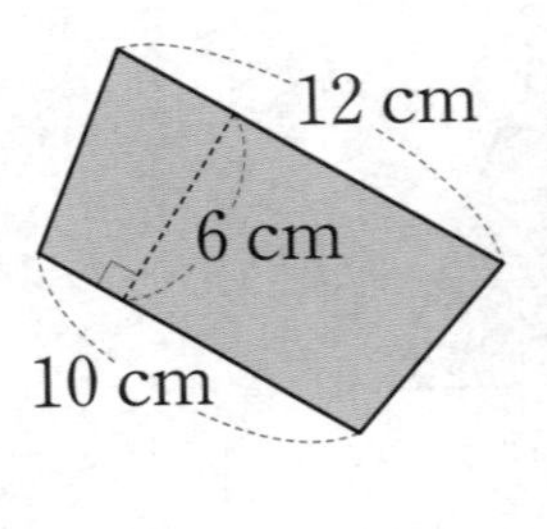

( ) cm^2

8

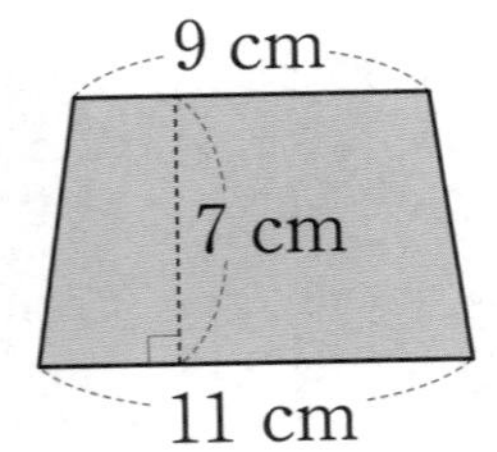

( ) cm^2

사다리꼴의 넓이를 구하세요.

9

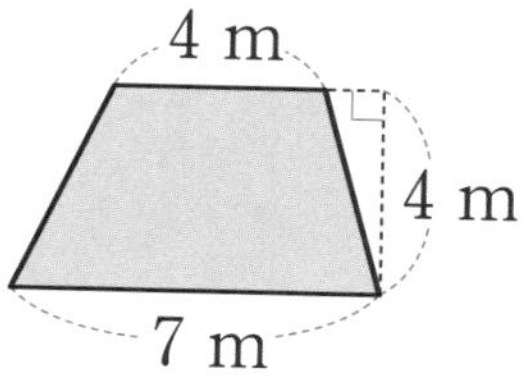

4 m, 4 m, 7 m

( ) m^2

10

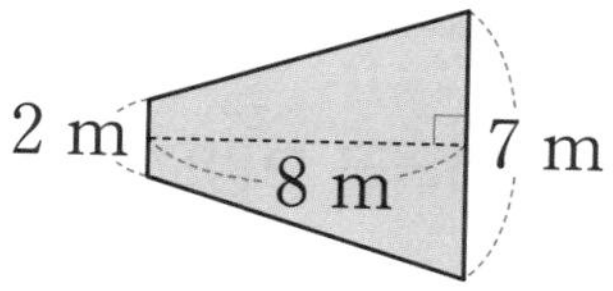

2 m, 8 m, 7 m

( ) m^2

11

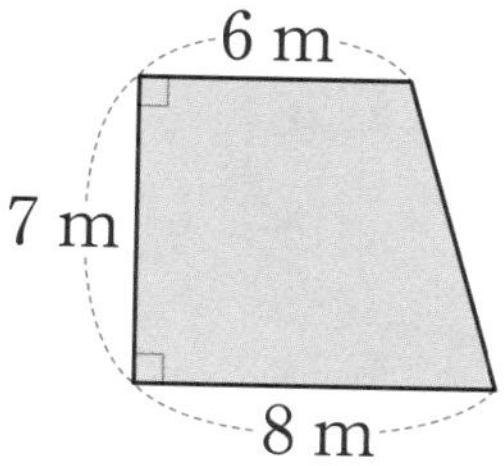

6 m, 7 m, 8 m

( ) m^2

12

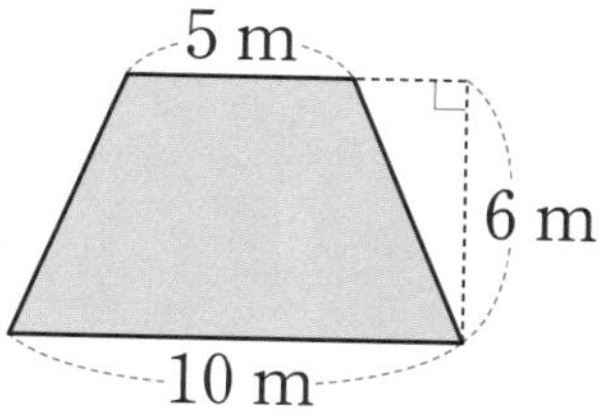

5 m, 6 m, 10 m

( ) m^2

13

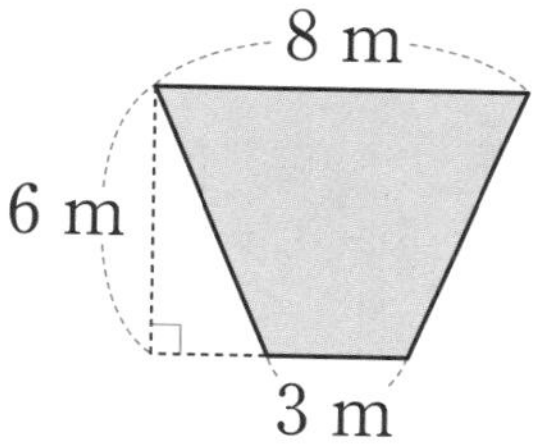

8 m, 6 m, 3 m

( ) m^2

14

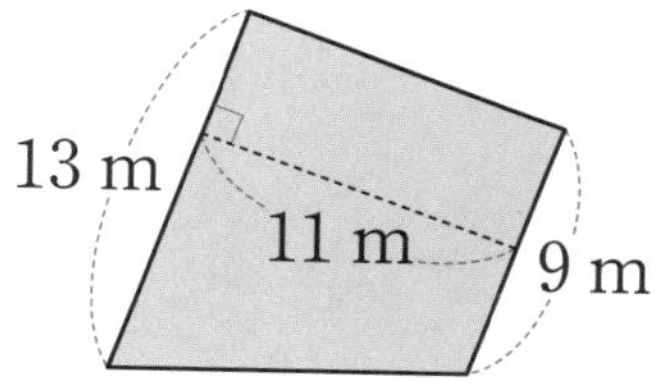

13 m, 11 m, 9 m

( ) m^2

15

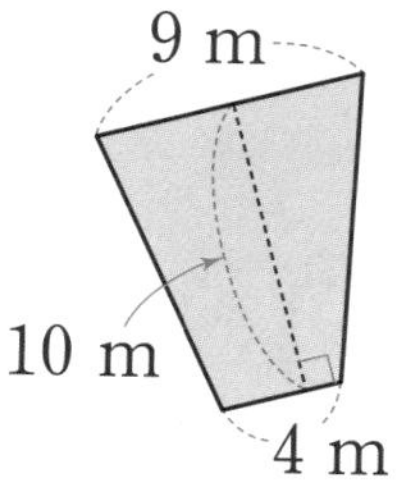

9 m, 10 m, 4 m

( ) m^2

16

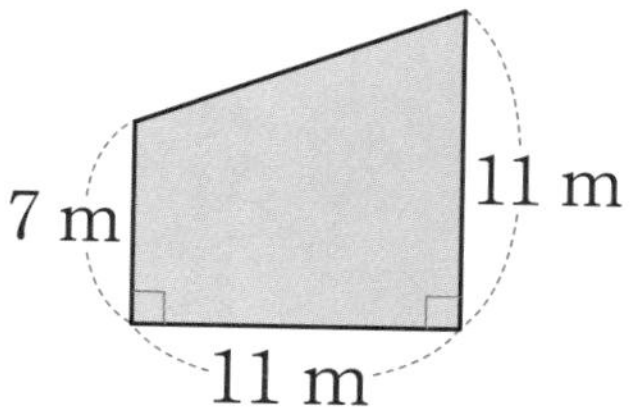

7 m, 11 m, 11 m

( ) m^2

7. 사다리꼴의 넓이

 민지가 색종이를 사다리꼴 모양으로 잘랐습니다. 색종이의 넓이를 구하세요.

1

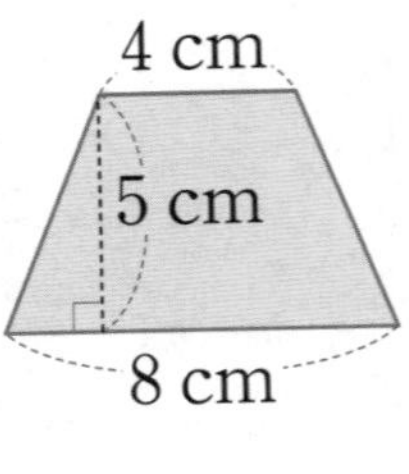

( ) cm^2

2

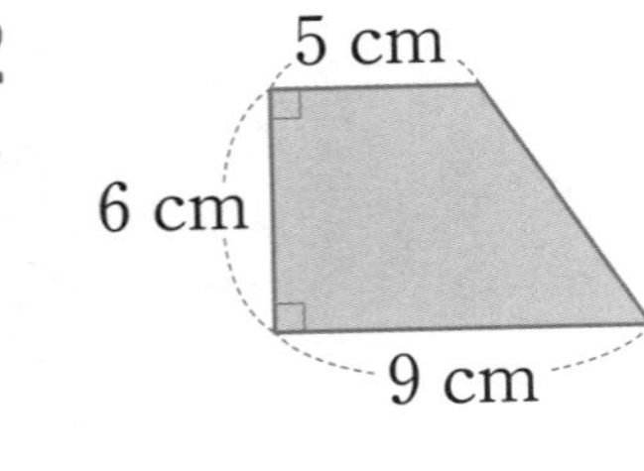

( ) cm^2

3

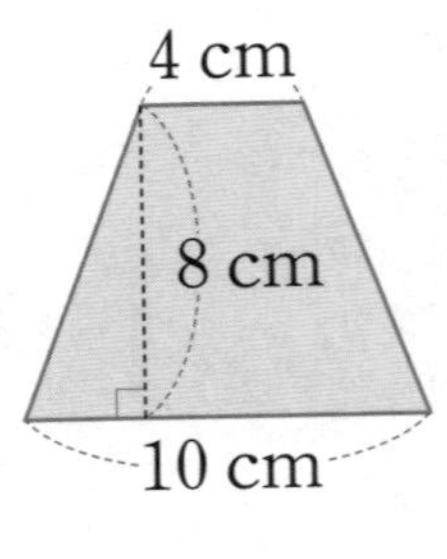

( ) cm^2

4

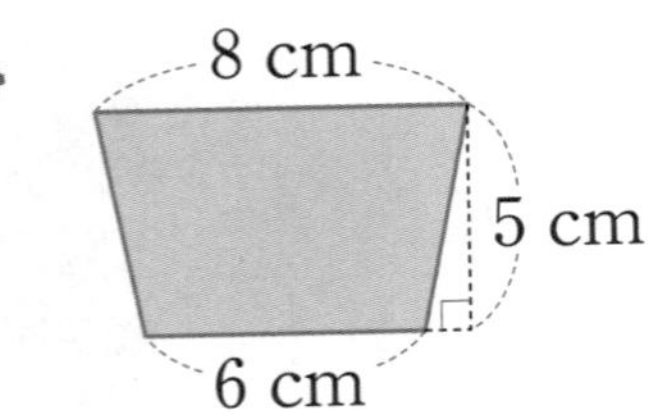

( ) cm^2

5

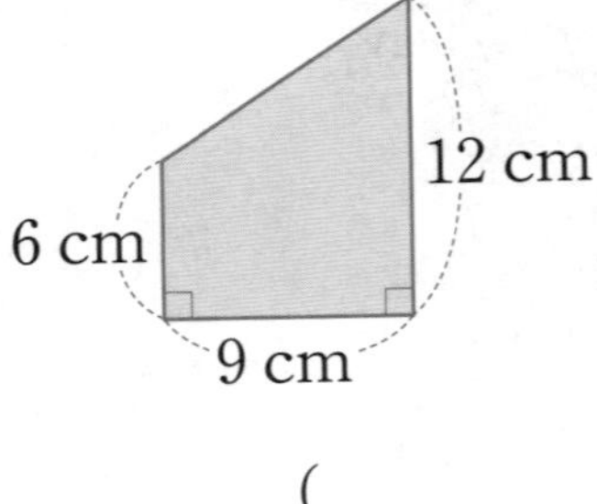

( ) cm^2

6

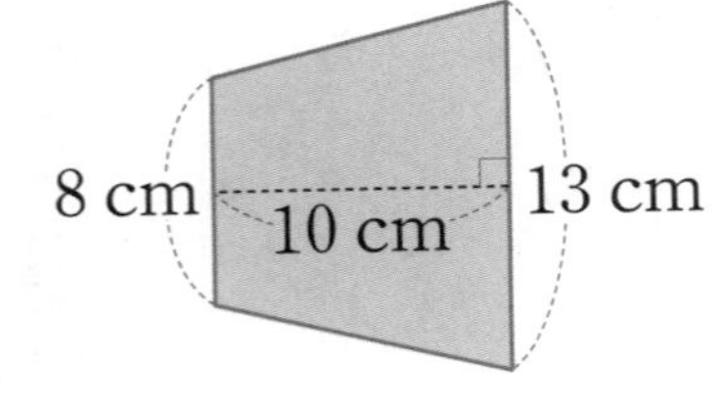

( ) cm^2

7

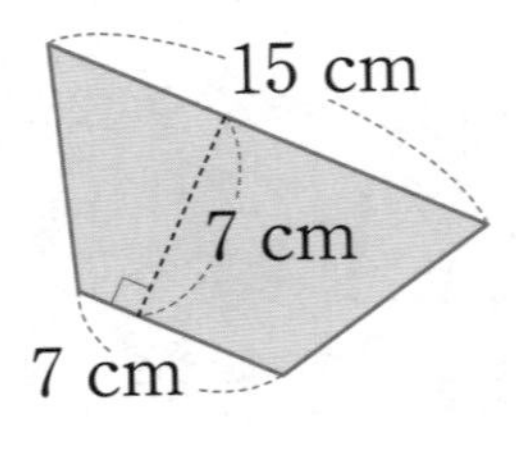

( ) cm^2

8

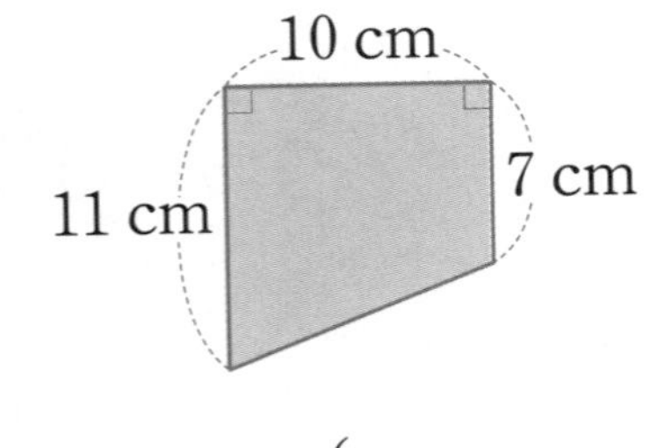

( ) cm^2

사다리꼴의 넓이를 구하세요.

9 윗변의 길이가 8 cm, 아랫변의 길이가 12 cm, 높이가 11 cm 인 사다리꼴

( ) cm^2

10 윗변의 길이가 13 cm, 아랫변의 길이가 11 cm, 높이가 7 cm인 사다리꼴

( ) cm^2

11 윗변의 길이가 14 cm, 아랫변의 길이가 18 cm, 높이가 9 cm인 사다리꼴

( ) cm^2

12 윗변의 길이가 18 cm, 아랫변의 길이가 10 cm, 높이가 13 cm인 사다리꼴

( ) cm^2

13 윗변의 길이가 20 cm, 아랫변의 길이가 17 cm, 높이가 12 cm인 사다리꼴

( ) cm^2

14 윗변의 길이가 23 cm, 아랫변의 길이가 19 cm, 높이가 14 cm인 사다리꼴

( ) cm^2

생활 속 연산

지원이는 학교 가는 길에 있는 보도블럭에서 그림과 같은 사다리꼴 모양을 찾았습니다. 지원이가 찾은 사다리꼴 한 개의 넓이는 몇 cm^2인지 구하세요.

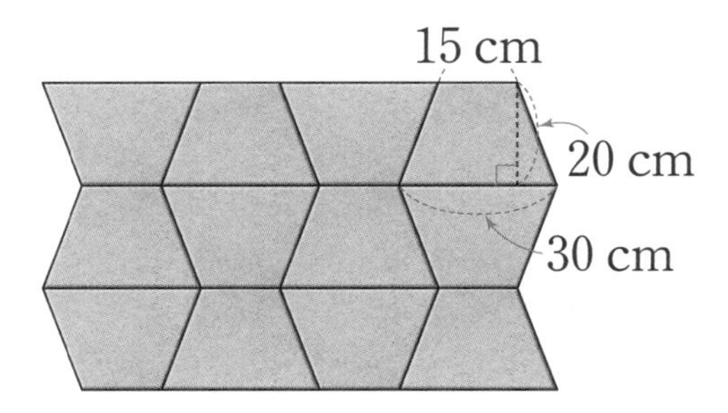

( )

마무리 연산

 정다각형의 둘레를 구하세요.

1

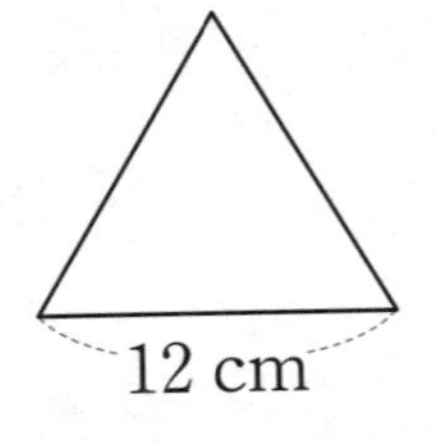

(　　　　　　　) cm

2

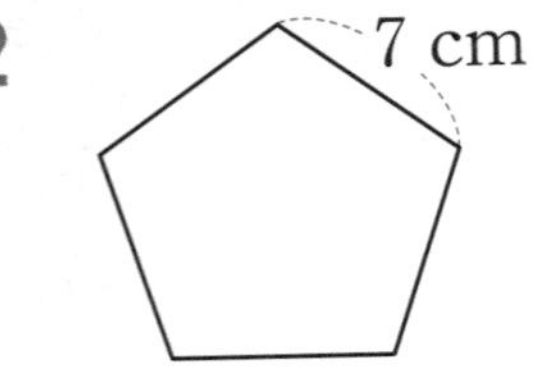

(　　　　　　　) cm

3

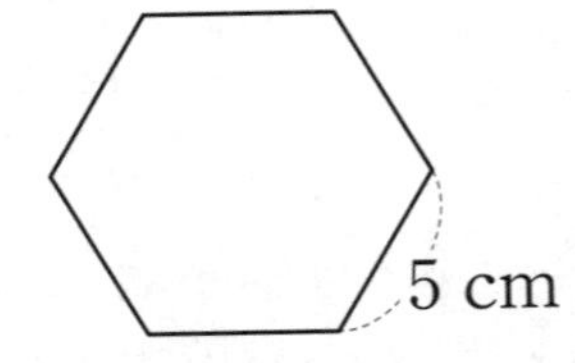

(　　　　　　　) cm

4

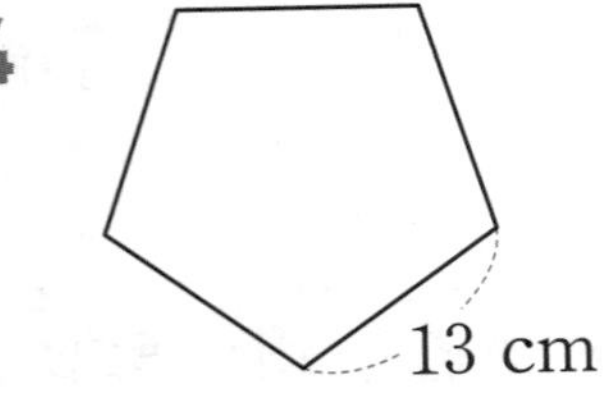

(　　　　　　　) cm

5

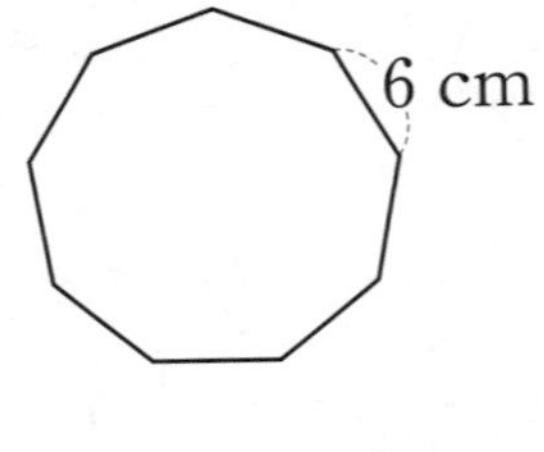

(　　　　　　　) cm

6

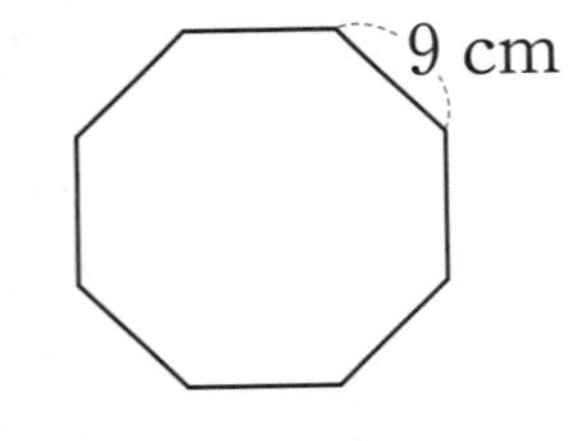

(　　　　　　　) cm

7

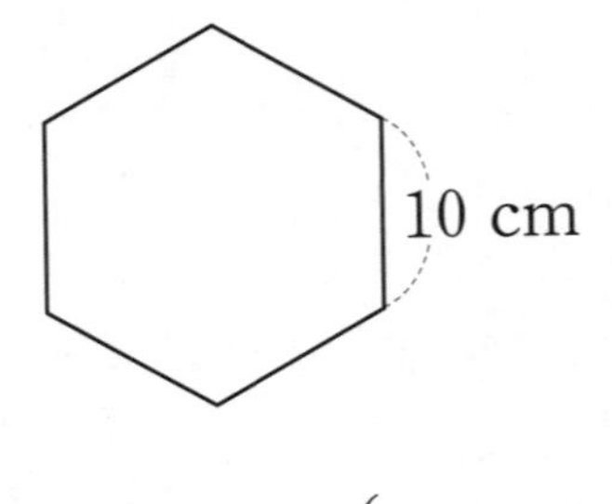

(　　　　　　　) cm

8

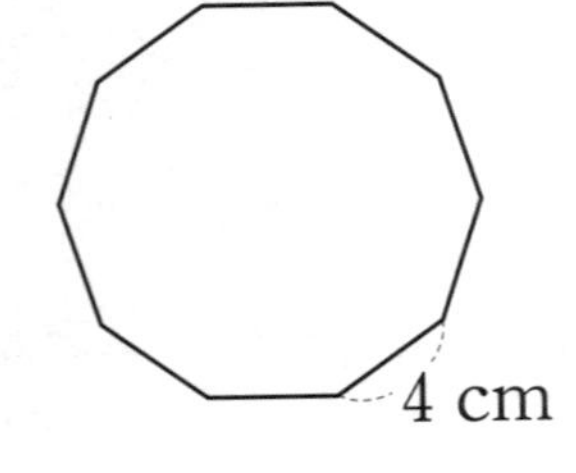

(　　　　　　　) cm

직사각형, 평행사변형, 마름모의 둘레를 구하세요.

9 5 cm, 9 cm 직사각형

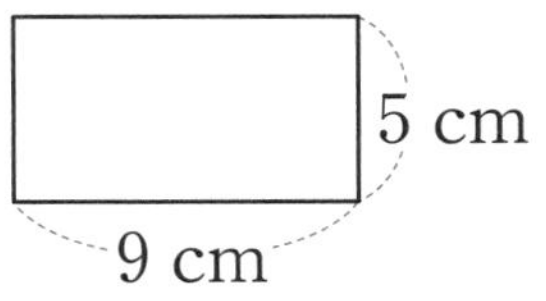

( ) cm

10 7 cm, 10 cm 직사각형

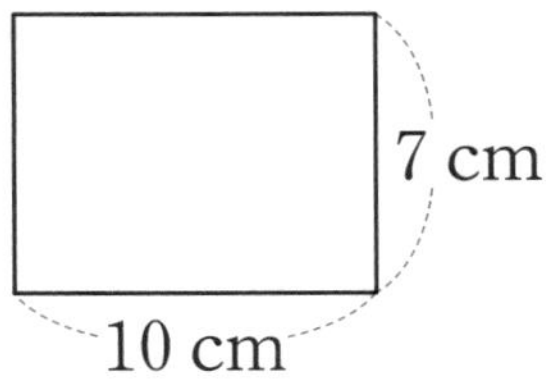

( ) cm

11 8 cm, 8 cm 직사각형

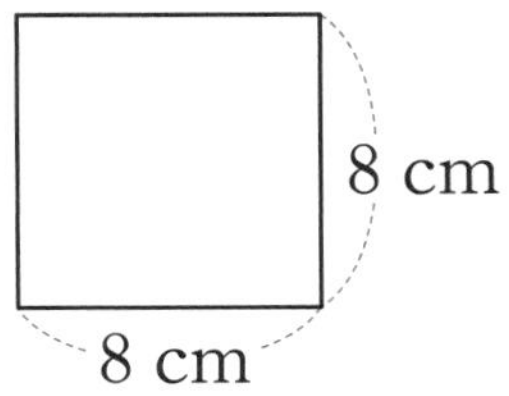

( ) cm

12 7 cm, 7 cm 직사각형

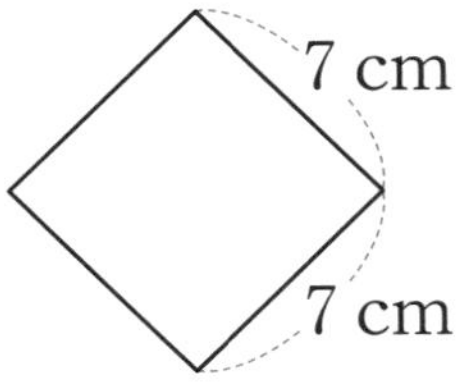

( ) cm

13 5 cm, 12 cm 평행사변형

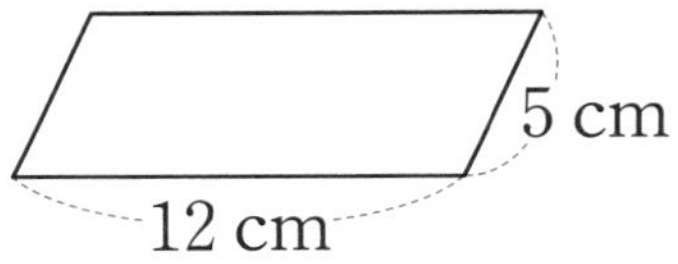

( ) cm

14 8 cm, 7 cm 평행사변형

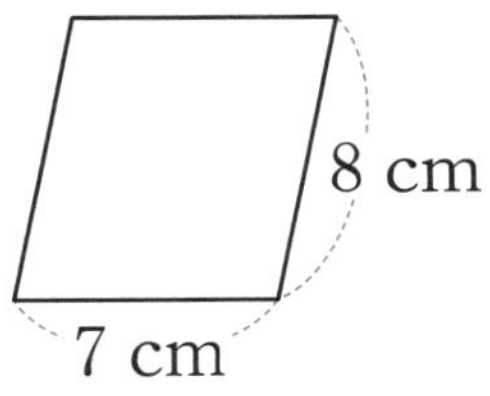

( ) cm

15 6 cm, 10 cm 평행사변형

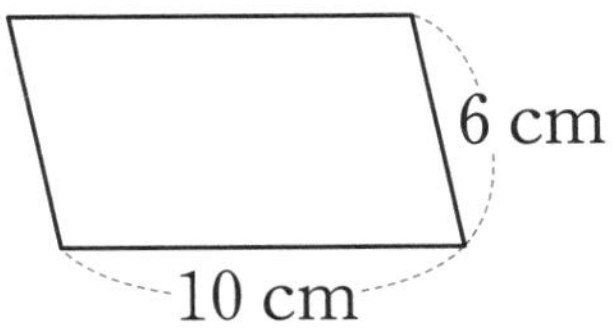

( ) cm

16 6 cm 마름모

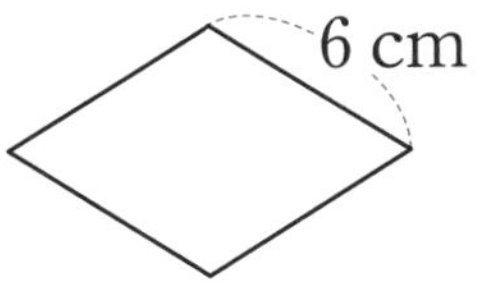

( ) cm

17 13 cm 마름모

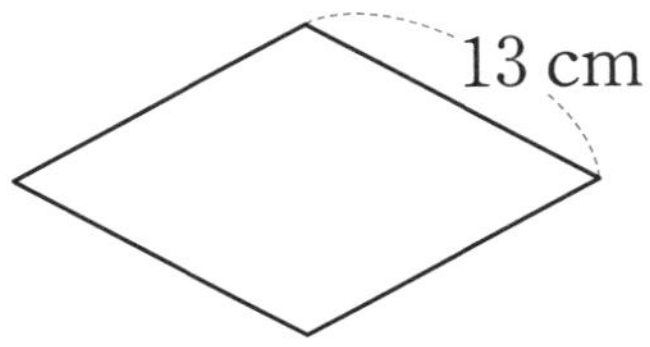

( ) cm

18 11 cm 마름모

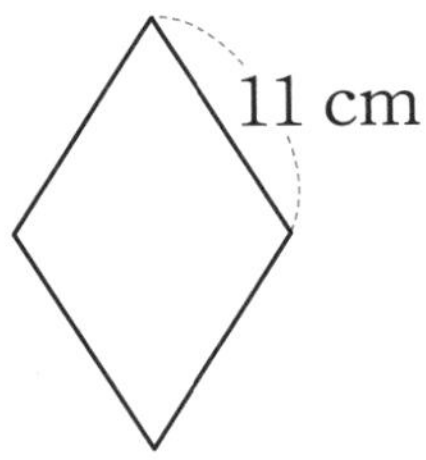

( ) cm

DAY
21

마무리 연산

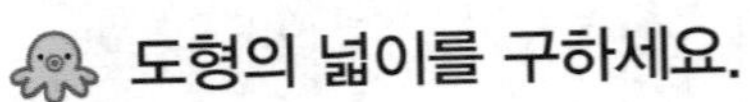
도형의 넓이를 구하세요.

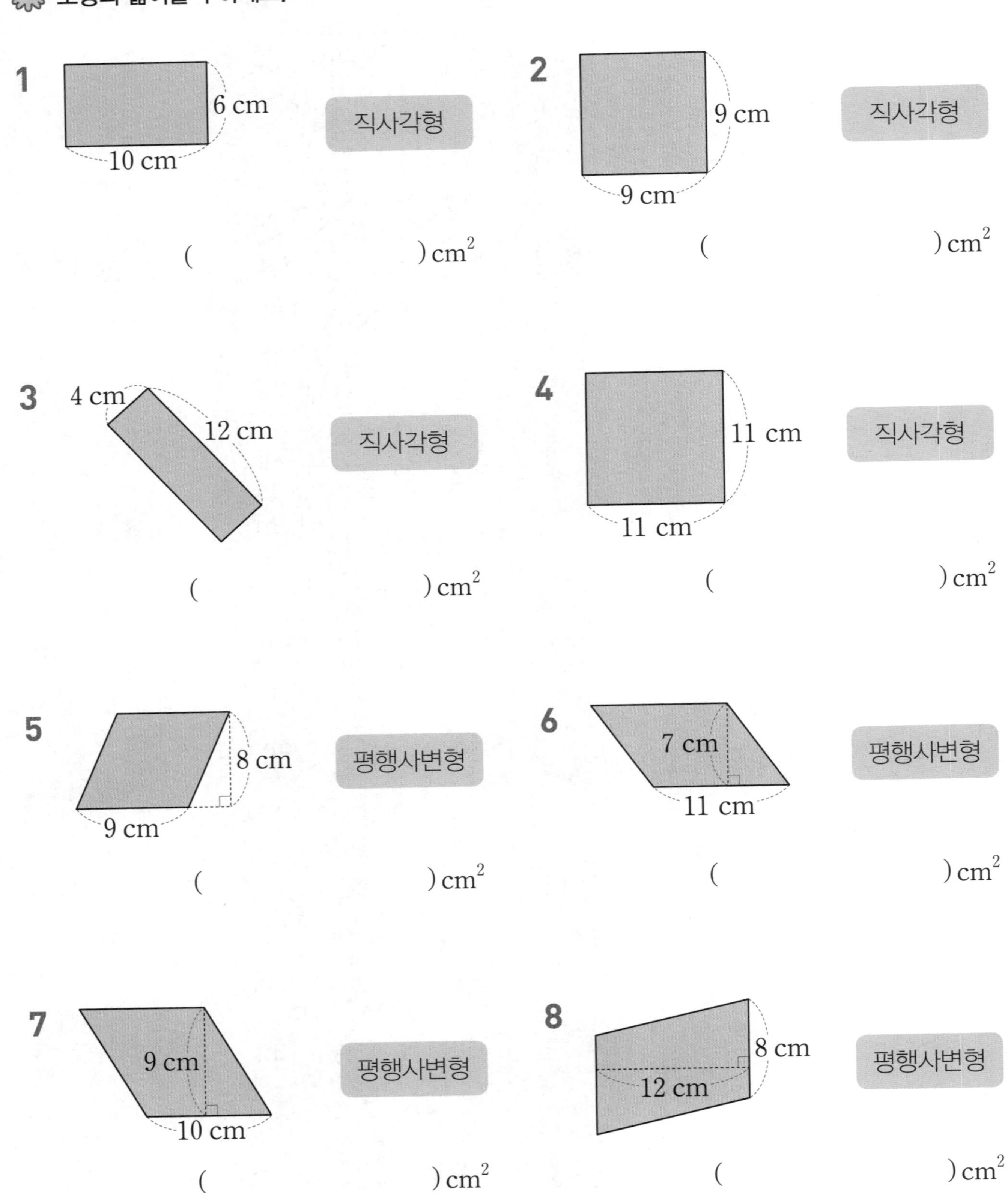
1
6 cm
10 cm
직사각형
( ) cm²
2
9 cm
9 cm
직사각형
( ) cm²
3
4 cm
12 cm
직사각형
( ) cm²
4
11 cm
11 cm
직사각형
( ) cm²
5
8 cm
9 cm
평행사변형
( ) cm²
6
7 cm
11 cm
평행사변형
( ) cm²
7
9 cm
10 cm
평행사변형
( ) cm²
8
8 cm
12 cm
평행사변형
( ) cm²

도형의 넓이를 구하세요.

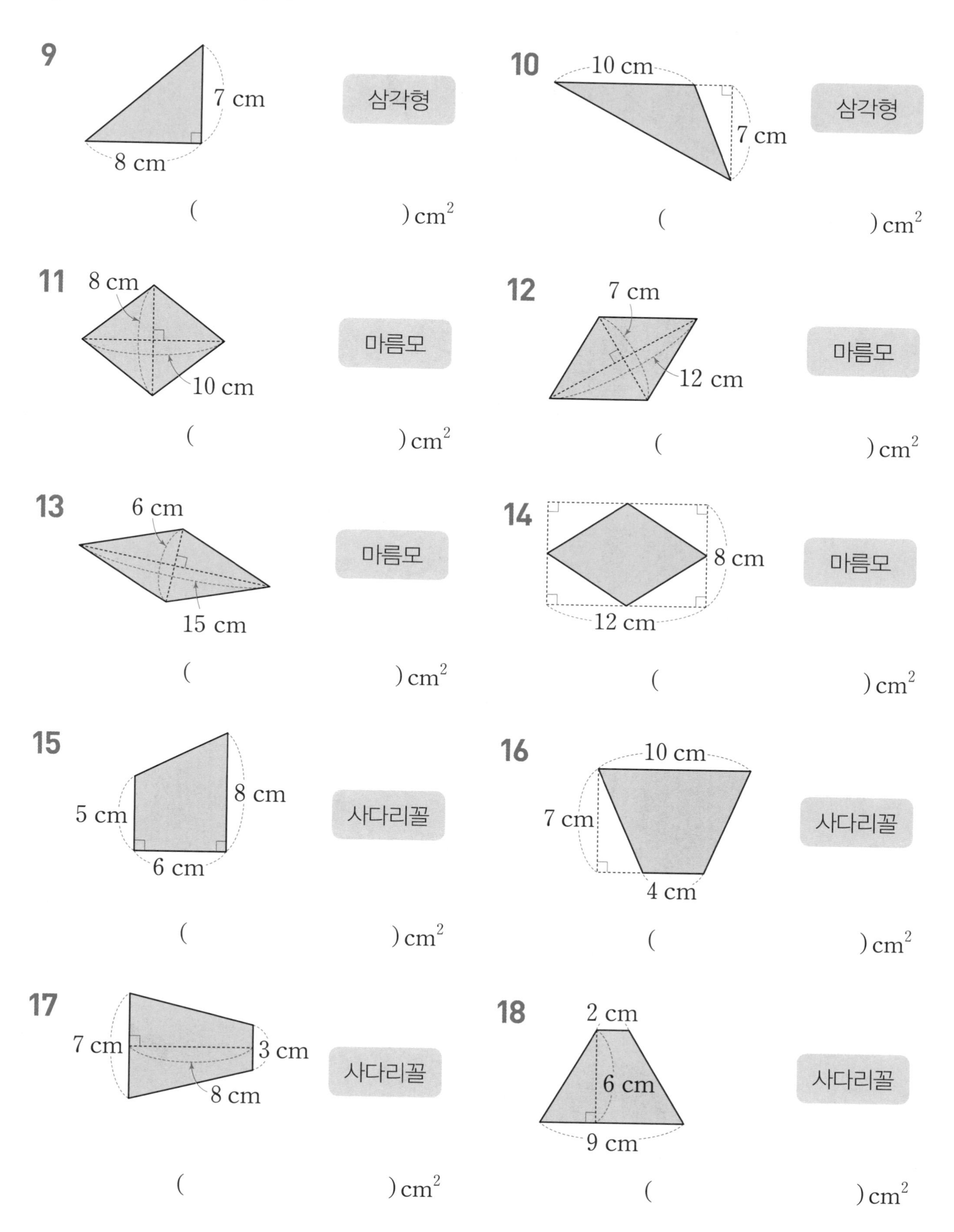
9
7 cm
8 cm
삼각형
( ) cm^2
10
10 cm
7 cm
삼각형
( ) cm^2
11
8 cm
10 cm
마름모
( ) cm^2
12
7 cm
12 cm
마름모
( ) cm^2
13
6 cm
15 cm
마름모
( ) cm^2
14
8 cm
12 cm
마름모
( ) cm^2
15
5 cm
8 cm
6 cm
사다리꼴
( ) cm^2
16
10 cm
7 cm
4 cm
사다리꼴
( ) cm^2
17
7 cm
3 cm
8 cm
사다리꼴
( ) cm^2
18
2 cm
6 cm
9 cm
사다리꼴
( ) cm^2

MEMO

MEMO

MEMO

힘수 연산으로 **수학** 기초 체력 **UP!**

이제 정답을
확인하러 가 볼까?

힘이 붙는 수학 연산

정답

초등 5A

금성출판사

차례

정답

초등 5A

1단계 자연수의 혼합 계산

DAY 01 8~9쪽

1. 덧셈과 뺄셈이 섞여 있는 식

1 $45+11-33=56-33=23$ (① $45+11$, ② $56-33$)

2 $36+12-19=48-19=29$ (① $36+12$, ② $48-19$)

3 $22-15+60=7+60=67$ (① $22-15$, ② $7+60$)

4 $78-32+22=46+22=68$ (① $78-32$, ② $46+22$)

5 $64+7-43+15=71-43+15$
$=28+15$
$=43$ (① $64+7$, ② $71-43$, ③ $28+15$)

6 $23-9+17-12=14+17-12$
$=31-12$
$=19$ (① $23-9$, ② $14+17$, ③ $31-12$)

7 57	8 59	9 38	10 29
11 32	12 46	13 14	14 30
15 27	16 26	17 58	18 68
19 69	20 15		

DAY 02 10~11쪽

1. 덧셈과 뺄셈이 섞여 있는 식

1 $44-(17+8)=44-25=19$ (① $17+8$, ② $44-25$)

2 $62-(22+15)=62-37=25$ (① $22+15$, ② $62-37$)

3 $87-(25+32)=87-57=30$ (① $25+32$, ② $87-57$)

4 $54-23+(12+9)=54-23+21$
$=31+21$
$=52$ (① $12+9$, ② $54-23$, ③ $31+21$)

5 $75-21-(6+34)=75-21-40$
$=54-40$
$=14$ (① $6+34$, ② $75-21$, ③ $54-40$)

6 $32+(63-47)-29=32+16-29$
$=48-29$
$=19$ (① $63-47$, ② $32+16$, ③ $48-29$)

7 12	8 21	9 19	10 32
11 37	12 15	13 29	14 14
15 21	16 25	17 17	18 16
19 32	20 17		

DAY 03 12~13쪽

1. 덧셈과 뺄셈이 섞여 있는 식

1 28/28	2 25/25	3 7	4 20
5 36	6 56	7 68	8 16

9 5　10 37

11　12　13

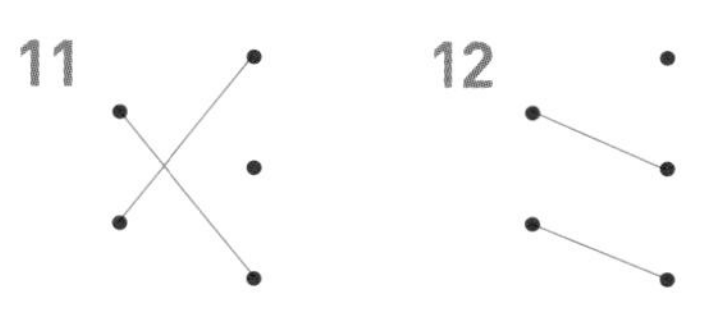

14　15　16

생활 속 연산 700원

DAY 04 14~15쪽

2. 곱셈과 나눗셈이 섞여 있는 식

1 $16\times5\div8=80\div8=10$ (① 16×5, ② $\div8$)

2 $9\times12\div4=108\div4=27$ (① 9×12, ② $\div4$)

3 $45\div15\times5=3\times5=15$ (① $45\div15$, ② $\times5$)

4 $56\div14\times8=4\times8=32$ (① $56\div14$, ② $\times8$)

5 $24\times3\div9\times11=72\div9\times11$
$=8\times11$
$=88$
(① 24×3, ② $\div9$, ③ $\times11$)

6 $84\div6\times5\div7=14\times5\div7$
$=70\div7$
$=10$
(① $84\div6$, ② $\times5$, ③ $\div7$)

7 33　8 3　9 20　10 28
11 84　12 8　13 18　14 45
15 39　16 9　17 3　18 140
19 9　20 10

DAY 05 16~17쪽

2. 곱셈과 나눗셈이 섞여 있는 식

1 $36\div(2\times6)=36\div12=3$ (① 2×6, ② $36\div$)

2 $60\div(5\times4)=60\div20=3$ (① 5×4, ② $60\div$)

3 $96\div(3\times4)=96\div12=8$ (① 3×4, ② $96\div$)

4 $16\times9\div(4\times6)=16\times9\div24$
$=144\div24$
$=6$
(① 4×6, ② 16×9, ③ $\div$)

5 $240\div4\div(3\times5)=240\div4\div15$
$=60\div15$
$=4$
(① 3×5, ② $240\div4$, ③ $\div$)

6 $252\div(9\times2)\div7=252\div18\div7$
$=14\div7$
$=2$
(① 9×2, ② $252\div$, ③ $\div7$)

7 6　8 4　9 6　10 14
11 8　12 5　13 40　14 63
15 18　16 24　17 30　18 135
19 20　20 6

DAY 06 18~19쪽

2. 곱셈과 나눗셈이 섞여 있는 식

1 27/27 2 24/24 3 128 4 3

5 8 6 36 7 72 8 20

9 85 10 104

11 12 13

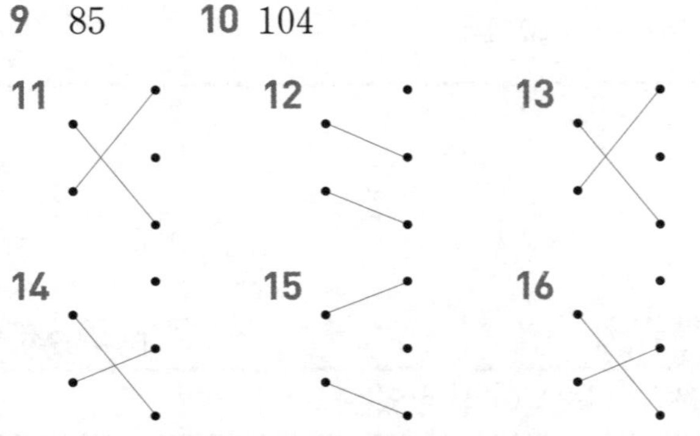

14 15 16

생활 속 연산 6일

14 $11+13\times2-21=11+26-21$
$=37-21$
$=16$
①②③

15 $65-42+8\times4=65-42+32$
$=23+32$
$=55$
②①③

16 $25+14-9\times3=25+14-27$
$=39-27$
$=12$
②①③

17 $22+14\times3-35=22+42-35$
$=64-35$
$=29$
①②③

18 $87-64+4\times18=87-64+72$
$=23+72$
$=95$
②①③

DAY 07 20~21쪽

3. 덧셈, 뺄셈, 곱셈이 섞여 있는 식

1 4×5에 ○표 2 6×7에 ○표

3 8×7에 ○표 4 9×5에 ○표

5 9×3에 ○표 6 8×6에 ○표

7 9×8에 ○표 8 4×9에 ○표

9 12×5에 ○표 10 11×4에 ○표

11 $13+7\times9-47=13+63-47$
$=76-47$
$=29$
①②③

12 $40-23+12\times3=40-23+36$
$=17+36$
$=53$
②①③

13 $22-6\times3+30=22-18+30$
$=4+30$
$=34$
①②③

DAY 08 22~23쪽

3. 덧셈, 뺄셈, 곱셈이 섞여 있는 식

1 $11+3$에 ○표 2 $35-17$에 ○표

3 $23-9$에 ○표 4 $16-9$에 ○표

5 $7+9$에 ○표 6 $15-6$에 ○표

7 $88-64$에 ○표 8 $32-17$에 ○표

9 $13-8$에 ○표 10 $11-7$에 ○표

11 $99-7\times(9+2)=99-7\times11$
$=99-77$
$=22$
①②③

12 $8\times(23-14)+14=8\times9+14$
$=72+14$
$=86$
①②③

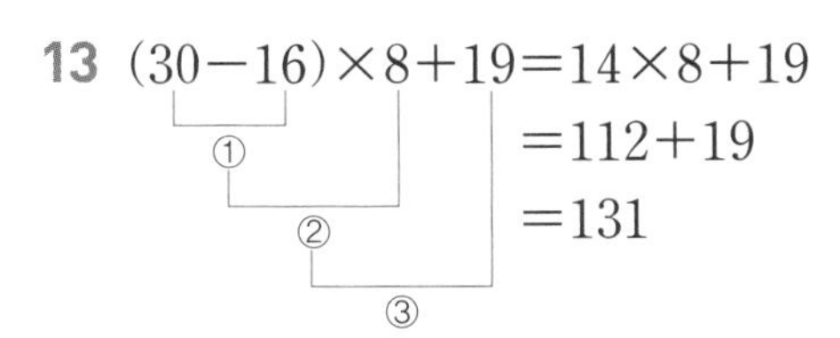

13 $(30-16)\times8+19=14\times8+19$
$=112+19$
$=131$

14 $41+5\times(32-21)=41+5\times11$
$=41+55$
$=96$

15 $77-(12+8)\times3=77-20\times3$
$=77-60$
$=17$

16 $13\times(14-9)+24=13\times5+24$
$=65+24$
$=89$

17 $9\times15-(14+47)=9\times15-61$
$=135-61$
$=74$

18 $28+6\times(31-15)=28+6\times16$
$=28+96$
$=124$

DAY 09 24~25쪽

3. 덧셈, 뺄셈, 곱셈이 섞여 있는 식

1 69	**2** 12	**3** 51	**4** 101
5 58	**6** 71	**7** 6	**8** 128
9 91	**10** 133	**11** 138	**12** 111
13 70/12	**14** 43/25	**15** 11/67	**16** 25/11
17 60/12	**18** 18/78		

생활 속 연산 23 km

DAY 10 26~27쪽

4. 덧셈, 뺄셈, 나눗셈이 섞여 있는 식

1 $24\div4$에 ○표	**2** $21\div7$에 ○표
3 $18\div2$에 ○표	**4** $54\div6$에 ○표
5 $72\div8$에 ○표	**6** $32\div4$에 ○표
7 $49\div7$에 ○표	**8** $81\div3$에 ○표
9 $72\div4$에 ○표	**10** $45\div15$에 ○표

11 $23-10+49\div7=23-10+7$
$=13+7$
$=20$

12 $30-42\div3+8=30-14+8$
$=16+8$
$=24$

13 $41+16\div2-15=41+8-15$
$=49-15$
$=34$

14 $54-22+63\div9=54-22+7$
$=32+7$
$=39$

15 $38+14-64\div4=38+14-16$
$=52-16$
$=36$

16 $81\div3-17+35=27-17+35$
$=10+35$
$=45$

17 $69-28\div4+11=69-7+11$
$=62+11$
$=73$

18 $73+96\div6-23=73+16-23$
$=89-23$
$=66$

DAY 11 28~29쪽

4. 덧셈, 뺄셈, 나눗셈이 섞여 있는 식

1 8+6에 ○표
2 4+20에 ○표
3 11−5에 ○표
4 13−9에 ○표
5 21+24에 ○표
6 12−4에 ○표
7 15−12에 ○표
8 2+6에 ○표
9 8+4에 ○표
10 12+13에 ○표

11 $(35+14)\div7-3=49\div7-3$
$=7-3$
$=4$

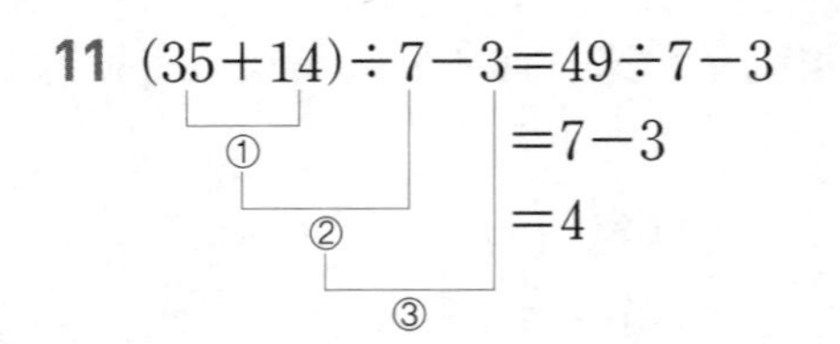

12 $29-(42+13)\div5=29-55\div5$
$=29-11$
$=18$

13 $46-84\div(11+3)=46-84\div14$
$=46-6$
$=40$

14 $15+(56-11)\div9=15+45\div9$
$=15+5$
$=20$

15 $81\div(12-3)+20=81\div9+20$
$=9+20$
$=29$

16 $48-(26+58)\div12=48-84\div12$
$=48-7$
$=41$

17 $(64+24)\div4-17=88\div4-17$
$=22-17$
$=5$

18 $51+92\div(27-4)=51+92\div23$
$=51+4$
$=55$

DAY 12 30~31쪽

4. 덧셈, 뺄셈, 나눗셈이 섞여 있는 식

1 25
2 22
3 9
4 52
5 49
6 48
7 56
8 45
9 66
10 1
11 29
12 85
13 13/7
14 49/46
15 14/22
16 65/29
17 11/13
18 15/20
19 6/2
20 22/2

생활 속 연산 5150원

DAY 13 32~33쪽

5. 덧셈, 뺄셈, 곱셈, 나눗셈이 섞여 있는 식

1 ㉡, ㉣, ㉠, ㉢
2 ㉠, ㉢, ㉡, ㉣
3 ㉡, ㉢, ㉠, ㉣
4 ㉠, ㉣, ㉡, ㉢
5 ㉡, ㉣, ㉠, ㉢
6 ㉠, ㉣, ㉡, ㉢

7 $20+3\times12\div6-17=20+36\div6-17$
$=20+6-17$
$=26-17$
$=9$

8 $35+21-40\div8\times7=35+21-5\times7$
$=35+21-35$
$=56-35$
$=21$

9 $60-4\times13+25\div5=60-52+25\div5$

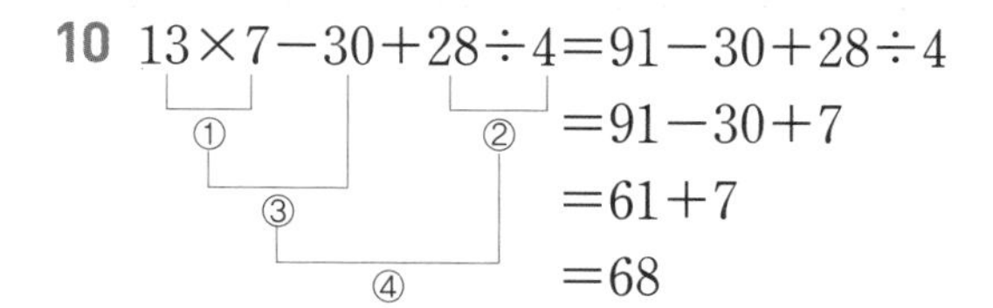

$=60-52+5$
$=8+5$
$=13$

10 $13\times7-30+28\div4=91-30+28\div4$
$=91-30+7$
$=61+7$
$=68$

11 $96\div12+3\times16-20=8+3\times16-20$
$=8+48-20$
$=56-20$
$=36$

12 $54+63\div9-18\times2=54+7-18\times2$
$=54+7-36$
$=61-36$
$=25$

13 $11\times7-72\div4+15=77-72\div4+15$
$=77-18+15$
$=59+15$
$=74$

14 $67+84\div12-3\times14=67+7-3\times14$
$=67+7-42$
$=74-42$
$=32$

DAY 14 34~35쪽

5. 덧셈, 뺄셈, 곱셈, 나눗셈이 섞여 있는 식

1 ㉢, ㉡, ㉣, ㉠ **2** ㉢, ㉡, ㉣, ㉠

3 ㉢, ㉠, ㉣, ㉡ **4** ㉠, ㉡, ㉣, ㉢

5 ㉢, ㉡, ㉣, ㉠ **6** ㉡, ㉠, ㉣, ㉢

7 $23+5\times(38-24)\div7=23+5\times14\div7$
$=23+70\div7$
$=23+10$
$=33$

8 $6\times14-(65+31)\div8=6\times14-96\div8$
$=84-96\div8$
$=84-12$
$=72$

9 $(12+4)\times3-75\div15=16\times3-75\div15$
$=48-75\div15$
$=48-5$
$=43$

10 $40-60\div(8+4)\times3=40-60\div12\times3$
$=40-5\times3$
$=40-15$
$=25$

11 $72\div8+2\times(20-15)=72\div8+2\times5$
$=9+2\times5$
$=9+10$
$=19$

12 $(41+63)\div4-3\times7=104\div4-3\times7$
$=26-3\times7$
$=26-21$
$=5$

13 $37+96\div(12-4)\times5=37+96\div8\times5$
$=37+12\times5$
$=37+60$
$=97$

14 $12\times6-(34+29)\div3=12\times6-63\div3$
$=72-63\div3$
$=72-21$
$=51$

DAY 15 36~37쪽

5. 덧셈, 뺄셈, 곱셈, 나눗셈이 섞여 있는 식

1	26/26	2	44/44	3	53	4	36
5	12	6	73	7	102	8	63
9	58	10	4				

11 13에 ○표 12 19에 ○표
13 32에 ○표 14 36에 ○표
15 62에 ○표 16 46에 ○표
17 72에 ○표 18 91에 ○표
19 44에 ○표 20 3에 ○표

DAY 16 38~39쪽

5. 덧셈, 뺄셈, 곱셈, 나눗셈이 섞여 있는 식

1	12	2	14	3	16	4	28
5	49	6	13	7	37	8	13
9	27	10	42	11	45	12	18
13	50/4	14	95/46	15	13/73	16	141/87
17	89/17	18	43/2	19	94/58	20	75/71

생활 속 연산 25 ℃

DAY 17 40~41쪽

마무리 연산

1	68	2	59	3	23	4	15
5	21	6	56	7	72	8	20
9	13	10	5	11	10	12	3
13	23	14	176	15	20	16	106
17	49	18	39	19	68	20	91
21	51	22	93	23	69	24	104

DAY 18 42~43쪽

마무리 연산

1	25	2	32	3	22	4	17
5	52	6	36	7	44	8	43
9	34	10	47	11	17	12	79
13	72	14	52	15	51	16	12
17	10	18	13	19	75	20	95
21	44	22	75	23	12	24	99

2단계 약수와 배수

DAY 01 46~47쪽

1. 약수와 배수

1 1, 2, 4, 8/1, 2, 4, 8

2 1, 3, 5, 15/1, 3, 5, 15

3 1, 3, 7, 21/1, 3, 7, 21

4 1, 2, 17, 34/1, 2, 17, 34

5 1, 2, 4, 5, 10, 20/1, 2, 4, 5, 10, 20

6 1, 3, 5, 9, 15, 45/1, 3, 5, 9, 15, 45

7 1, 2, 5, 10

8 1, 2, 7, 14

9 1, 2, 3, 6, 9, 18

10 1, 2, 3, 4, 6, 8, 12, 24

11 1, 5, 25

12 1, 2, 4, 8, 16, 32

13 1, 2, 3, 4, 6, 9, 12, 18, 36

14 1, 2, 4, 5, 8, 10, 20, 40

15 1, 2, 4, 7, 8, 14, 28, 56

16 1, 3, 9, 27, 81

DAY 02 48~49쪽

1. 약수와 배수

1 2, 4, 6, 8/2, 4, 6, 8

2 4, 8, 12, 16/4, 8, 12, 16

3 7, 14, 21, 28/7, 14, 21, 28

4 8, 16, 24, 32/8, 16, 24, 32

5 11, 22, 33, 44/11, 22, 33, 44

6 15, 30, 45, 60/15, 30, 45, 60

7 9, 18, 27, 36, 45

8 10, 20, 30, 40, 50

9 12, 24, 36, 48, 60

10 18, 36, 54, 72, 90

11 22, 44, 66, 88, 110

12 25, 50, 75, 100, 125

13 27, 54, 81, 108, 135

14 30, 60, 90, 120, 150

15 33, 66, 99, 132, 165

16 45, 90, 135, 180, 225

DAY 03 50~51쪽

2. 약수와 배수의 관계

1 7/21

2 4, 8/32

3 5, 9/45

4 3, 5/15

5 7, 9/63

6 6, 12/72

7 5, 10/5, 10

8 4, 6, 8, 12/4, 6, 8, 12

9 1, 2, 4, 8, 16/1, 2, 4, 8, 16

10 1, 2, 4, 7, 14, 28/1, 2, 4, 7, 14, 28

11 1, 2, 3, 5, 6, 10, 15, 30/1, 2, 3, 5, 6, 10, 15, 30

DAY 04 52~53쪽

2. 약수와 배수의 관계

1 ○　2 ×　3 ○

4 ×　5 ○　6 ○

7 ×　8 ○　9 ×

10 ○　11 ○　12 ㉮ 4

13 ㉮ 10　14 ㉮ 21　15 ㉮ 30

16 ㉮ 6　17 ㉮ 12　18 ㉮ 7

19 ㉮ 6

생활 속 연산 1, 2, 4, 7, 14

DAY 05 54~55쪽

3. 공약수와 최대공약수

1 1, 5/5　2 1, 2, 4/4

3 1, 7/7　4 1, 3, 9/9

5 1, 2, 3, 6/6　6 1, 2/2

7 1, 2/2

8 1, 2, 3, 4, 6, 12/1, 2, 3, 6, 9, 18/1, 2, 3, 6/6

9 1, 2, 4, 5, 10, 20/1, 2, 3, 5, 6, 10, 15, 30/1, 2, 5, 10/10

10 1, 2, 3, 4, 6, 8, 12, 16, 24, 48/1, 2, 4, 8, 16, 32, 64/1, 2, 4, 8, 16/16

DAY 06 56~57쪽

3. 공약수와 최대공약수

1 9　2 2, 2, 4

3 3, 3, 9　4 2, 3, 6

5 2, 2, 2, 8　6 2, 7, 14

7 $3\times7/5\times7/7$　8 $2\times5/3\times5/5$

9 $2\times2\times7/2\times2\times2\times2\times2/2\times2=4$

10 $3\times3\times3/3\times3\times5/3\times3=9$

11 $2\times7/2\times3\times7/2\times7=14$

12 $2\times2\times2\times5/2\times2\times2\times3\times3/2\times2\times2=8$

DAY 07 58~59쪽

3. 공약수와 최대공약수

1 4　2 3, 5, 15

3 3/2, 3, 6　4 2/2, 2, 4

5 2, 2/2, 2, 2, 8　6 3, 3/2, 3, 3, 18

7
3) 18 27
3) 6 9
2 3 /9

8
2) 24 30
3) 12 15
4 5 /6

9
2) 30 20
5) 15 10
3 2 /10

10
2) 36 48
2) 18 24
3) 9 12
3 4 /12

11
3) 63 42
7) 21 14
3 2 /21

12
5) 35 70
7) 7 14
1 2 /35

생활 속 연산 24상자

DAY 08 60~61쪽

4. 공배수와 최소공배수

1 12, 24, 36/12

2 24, 48, 72/24

3 54, 108, 162/54

4 6, 12, 18/6

5 ㉮ 15, 20, 25, 30, 35, 40, 45, 50, 55, 60……/
㉮ 12, 16, 20, 24, 28, 32, 36, 40, 44, 48, 52, 56, 60……/
20, 40, 60/20

6 ㉮ 8, 16, 24, 32, 40, 48, 56, 64, 72, 80, 88, 96, 104, 112, 120……/
㉮ 10, 20, 30, 40, 50, 60, 70, 80, 90, 100, 110, 120……/
40, 80, 120/40

7 ㉮ 15, 30, 45, 60, 75, 90, 105, 120, 135, 150, 165, 180 ……/
㉮ 20, 40, 60, 80, 100, 120, 140, 160, 180, 200……/
60, 120, 180/60

DAY 09 62~63쪽

4. 공배수와 최소공배수

1 18

2 30

3 2, 5, 80

4 2, 2, 84

5 2, 3, 36

6 3, 2, 60

7 $2\times5/2\times2\times3/2\times5\times2\times3=60$

8 $3\times5/2\times3\times3/3\times5\times2\times3=90$

9 $5\times5/2\times3\times5/5\times5\times2\times3=150$

10 $3\times3\times5/3\times3\times3/3\times3\times5\times3=135$

11 $2\times2\times2\times3/2\times2\times3\times3/$
$2\times2\times3\times2\times3=72$

12 $2\times3\times7/2\times5\times7/2\times7\times3\times5=210$

DAY 10 64~65쪽

4. 공배수와 최소공배수

1 48

2 2, 3, 60

3 5/5, 3, 45

4 3/4, 7, 168

5 2/2, 5, 80

6 3/3, 4, 144

7
2) 8 20
2) 4 10
2 5 /40

8
2) 28 42
7) 14 21
2 3 /84

9
2) 12 32
2) 6 16
3 8 /96

10
3) 27 18
3) 9 6
3 2 /54

11
2) 24 40
2) 12 20
2) 6 10
3 5 /120

12
2) 36 54
3) 18 27
3) 6 9
2 3 /108

생활 속 연산 28일 후

DAY 11 66~67쪽

마무리 연산

1 1, 2, 3, 6

2 1, 2, 7, 14

3 1, 2, 11, 22

4 1, 3, 5, 9, 15, 45

5 1, 2, 4, 8, 16, 32, 64

6 1, 3, 31, 93

7 9, 18, 27, 36, 45

8 11, 22, 33, 44, 55

9 14, 28, 42, 56, 70

10 23, 46, 69, 92, 115

11 30, 60, 90, 120, 150

12 45, 90, 135, 180, 225

13 3　14 9　15 21　16 6

17 4　18 14　19 22　20 30

21 8　22 15　23 16　24 9

DAY 12 　68~69쪽

마무리 연산

1 40　2 36　3 42　4 144

5 100　6 90　7 168　8 175

9 80　10 216　11 240　12 364

13 5/30　14 12/72

15 7/140　16 10/200

17 21/126　18 8/504

19 12/420　20 22/264

21 6/936　22 15/630

3단계 약분과 통분

DAY 01 　72~73쪽

1. 약분

1 2, 1　2 10, 5　3 3, 1

4 12, 4　5 15, 1　6 14, 1

7 6, 3　8 6, 2　9 4, 7

10 12, 10, 4　11 6, 5　12 15, 14, 7

13 18, 4　14 26, 6, 2　15 20, 9, 3

16 10, 10, 5　17 32, 14, 7　18 25, 18, 5

DAY 02 　74~75쪽

1. 약분

1 3　2 4, 3　3 5, 3

4 6, 4　5 7, 7, $\frac{1}{6}$　6 6, 6, $\frac{2}{5}$

7 15, 15, $\frac{1}{3}$　8 12, 12, $\frac{4}{5}$　9 $\frac{3}{5}$

10 $\frac{5}{6}$　11 $\frac{2}{3}$　12 $\frac{1}{7}$

13 $\frac{2}{5}$　14 $\frac{4}{9}$　15 $\frac{3}{8}$

16 $\frac{5}{7}$　17 $\frac{2}{9}$　18 $\frac{7}{8}$

19 $\frac{5}{6}$　20 $\frac{4}{7}$

DAY 03 76~77쪽

1. 약분

1 5　2 9　3 10, 4

4 18, 7　5 11　6 21, 4, 7

7 15, 4　8 9　9 24, 5

10 26, 4　11 27, 4　12 36, 14, 12

13 $\frac{4}{5}$　14 $\frac{3}{8}$　15 $\frac{4}{7}$

16 $\frac{2}{9}$　17 $\frac{1}{4}$　18 $\frac{5}{8}$

19 $\frac{5}{6}$　20 $\frac{11}{36}$

생활 속 연산 $\frac{4}{7}$

DAY 04 78~79쪽

2. 통분

1 6, 4　2 6, 8/$\frac{18}{48}$, $\frac{40}{48}$

3 4, 7/$\frac{12}{28}$, $\frac{21}{28}$　4 8, 7/$\frac{40}{56}$, $\frac{49}{56}$

5 9, 5/$\frac{18}{45}$, $\frac{20}{45}$　6 8, 9/$\frac{56}{72}$, $\frac{45}{72}$

7 $\frac{5}{10}$, $\frac{2}{10}$　8 $\frac{6}{21}$, $\frac{14}{21}$

9 $\frac{12}{54}$, $\frac{9}{54}$　10 $\frac{18}{24}$, $\frac{20}{24}$

11 $\frac{12}{32}$, $\frac{24}{32}$　12 $\frac{20}{28}$, $\frac{21}{28}$

13 $\frac{15}{18}$, $\frac{12}{18}$　14 $\frac{20}{75}$, $\frac{45}{75}$

15 $\frac{60}{96}$, $\frac{56}{96}$　16 $\frac{63}{98}$, $\frac{84}{98}$

17 $\frac{45}{150}$, $\frac{70}{150}$　18 $\frac{176}{192}$, $\frac{108}{192}$

DAY 05 80~81쪽

2. 통분

1 4, 3/4, 3　2 3, 4/$\frac{9}{24}$, $\frac{4}{24}$

3 5, 2/$\frac{15}{20}$, $\frac{14}{20}$　4 2, 3/$\frac{10}{24}$, $\frac{15}{24}$

5 2, 3/$\frac{16}{30}$, $\frac{21}{30}$　6 3, 2/$\frac{27}{42}$, $\frac{22}{42}$

7 $\frac{3}{6}$, $\frac{5}{6}$　8 $\frac{8}{36}$, $\frac{15}{36}$

9 $\frac{25}{40}$, $\frac{12}{40}$　10 $\frac{9}{12}$, $\frac{2}{12}$

11 $\frac{20}{56}$, $\frac{21}{56}$　12 $\frac{16}{36}$, $\frac{15}{36}$

13 $\frac{22}{30}$, $\frac{27}{30}$　14 $\frac{14}{36}$, $\frac{15}{36}$

15 $\frac{24}{75}$, $\frac{35}{75}$　16 $\frac{15}{48}$, $\frac{22}{48}$

17 $\frac{39}{90}$, $\frac{35}{90}$　18 $\frac{27}{66}$, $\frac{28}{66}$

DAY 06 82~83쪽

2. 통분

1 9, 8　2 50, 18　3 $\frac{18}{27}$, $\frac{12}{27}$

4 $\frac{15}{20}$, $\frac{8}{20}$　5 $\frac{42}{98}$, $\frac{63}{98}$　6 $\frac{50}{60}$, $\frac{42}{60}$

7 $\frac{10}{55}$, $\frac{44}{55}$　8 $\frac{36}{96}$, $\frac{56}{96}$　9 $\frac{36}{56}$, $\frac{42}{56}$

10 $\frac{48}{90}$, $\frac{75}{90}$　11 $\frac{84}{120}$, $\frac{110}{120}$　12 $\frac{35}{90}$, $\frac{54}{90}$

13 9, 10　14 35, 12　15 $\frac{10}{18}$, $\frac{3}{18}$

16 $\frac{25}{30}$, $\frac{14}{30}$　17 $\frac{9}{42}$, $\frac{10}{42}$　18 $\frac{27}{90}$, $\frac{65}{90}$

19 $\frac{27}{48}$, $\frac{22}{48}$　20 $\frac{16}{60}$, $\frac{33}{60}$　21 $\frac{51}{90}$, $\frac{44}{90}$

22 $\frac{95}{150}$, $\frac{81}{150}$

생활 속 연산 $\frac{9}{12}$, $\frac{10}{12}$

DAY 07 84~85쪽

마무리 연산

1 6, 1

2 10, 3

3 15, 4, 3

4 24, 2, 6

5 27, 16, 9

6 24, 3

7 $\frac{1}{2}$

8 $\frac{7}{10}$

9 $\frac{3}{4}$

10 $\frac{2}{3}$

11 $\frac{1}{3}$

12 $\frac{2}{5}$

13 $\frac{4}{5}$

14 $\frac{11}{18}$

15 $\frac{14}{35}$, $\frac{15}{35}$

16 $\frac{9}{36}$, $\frac{20}{36}$

17 $\frac{18}{48}$, $\frac{40}{48}$

18 $\frac{63}{70}$, $\frac{40}{70}$

19 $\frac{65}{117}$, $\frac{54}{117}$

20 $\frac{56}{96}$, $\frac{36}{96}$

21 $\frac{48}{160}$, $\frac{70}{160}$

22 $\frac{165}{210}$, $\frac{182}{210}$

23 $\frac{21}{28}$, $\frac{20}{28}$

24 $\frac{20}{45}$, $\frac{21}{45}$

25 $\frac{15}{40}$, $\frac{18}{40}$

26 $\frac{18}{60}$, $\frac{25}{60}$

27 $\frac{15}{42}$, $\frac{26}{42}$

28 $\frac{33}{54}$, $\frac{50}{54}$

29 $\frac{32}{60}$, $\frac{39}{60}$

30 $\frac{57}{72}$, $\frac{54}{72}$

4단계 분수의 덧셈과 뺄셈

DAY 01 88~89쪽

1. 분모가 다른 진분수의 덧셈

1 5, 3, 5, 6, 11

2 9, 4, 9, 16, 25

3 3, 12, 15, 12, 27, 3

4 14, 7, 28, 35, 63, 9

5 $\frac{5}{8}$

6 $\frac{8}{9}$

7 $\frac{31}{35}$

8 $\frac{31}{33}$

9 $\frac{9}{10}$

10 $\frac{13}{15}$

11 $\frac{53}{60}$

12 $\frac{19}{24}$

13 $\frac{71}{90}$

14 $\frac{31}{45}$

DAY 02 90~91쪽

1. 분모가 다른 진분수의 덧셈

1 5, 2, 5, 8, 13

2 5, 2, 5, 6, 11

3 3, 4, 21, 20, 41

4 3, 5, 24, 20, 44

5 $\frac{5}{6}$

6 $\frac{11}{12}$

7 $\frac{27}{40}$

8 $\frac{9}{14}$

9 $\frac{43}{55}$

10 $\frac{53}{80}$

11 $\frac{19}{36}$

12 $\frac{29}{36}$

13 $\frac{41}{50}$

14 $\frac{25}{42}$

DAY 03 92~93쪽

1. 분모가 다른 진분수의 덧셈

1 5, 3, 10, 9, 19, 4

2 4, 7, 16, 21, 37, 9

3 5, 6, 35, 54, 89, 1, 29

4 3, 5, 33, 35, 68, 1, 23

5 $1\frac{1}{10}$ 6 $1\frac{13}{24}$ 7 $1\frac{11}{21}$

8 $1\frac{7}{12}$ 9 $1\frac{1}{18}$ 10 $1\frac{11}{30}$

11 $1\frac{13}{40}$ 12 $1\frac{5}{42}$ 13 $1\frac{19}{48}$

14 $1\frac{17}{72}$

DAY 04 94~95쪽

1. 분모가 다른 진분수의 덧셈

1 $\frac{2}{3}$ 2 $\frac{14}{15}$ 3 $\frac{31}{35}$

4 $\frac{23}{36}$ 5 $1\frac{21}{40}$ 6 $1\frac{3}{10}$

7 $1\frac{5}{24}$ 8 $1\frac{1}{42}$ 9 $1\frac{13}{21}$

10 $1\frac{16}{45}$ 11 $1\frac{7}{96}$ 12 $1\frac{1}{60}$

13 $1\frac{5}{84}$ 14 $1\frac{49}{80}$ 15 $1\frac{7}{24}$

16 $1\frac{7}{15}$ 17 $\frac{17}{21}$ 18 $\frac{31}{60}$

19 $1\frac{1}{6}$ 20 $1\frac{7}{48}$ 21 $1\frac{1}{20}$

22 $1\frac{3}{56}$

생활 속 연산 $1\frac{3}{20}$컵

DAY 05 96~97쪽

2. 분모가 다른 대분수의 덧셈

1 2, 3, 2, 3, 2, 5, 2, 5

2 16, 21, 16, 21, 3, 37, 3, 37

3 4, 15, 4, 15, 4, 19, 4, 1, 1, 5, 1

4 $2\frac{7}{10}$ 5 $4\frac{5}{42}$ 6 $5\frac{5}{8}$

7 $3\frac{15}{16}$ 8 $4\frac{7}{15}$ 9 $3\frac{13}{30}$

10 $4\frac{1}{36}$ 11 $5\frac{21}{40}$ 12 $5\frac{13}{72}$

13 $3\frac{37}{75}$

DAY 06 98~99쪽

2. 분모가 다른 대분수의 덧셈

1 5, 8, 25, 32, 57, 2, 17

2 11, 7, 33, 28, 61, 2, 13

3 22, 11, 44, 33, 77, 4, 5

4 17, 21, 34, 63, 97, 4, 1

5 $3\frac{11}{14}$ 6 $3\frac{7}{20}$ 7 $3\frac{21}{25}$

8 $3\frac{17}{40}$ 9 $4\frac{2}{9}$ 10 $4\frac{1}{6}$

11 $6\frac{3}{10}$ 12 $4\frac{7}{16}$ 13 $3\frac{13}{60}$

14 $4\frac{4}{21}$

DAY 07 100~101쪽

2. 분모가 다른 대분수의 덧셈

1 $3\frac{13}{20}$	2 $4\frac{7}{8}$	3 $5\frac{7}{18}$
4 $3\frac{7}{15}$	5 $4\frac{19}{60}$	6 $4\frac{5}{21}$
7 $5\frac{19}{45}$	8 $5\frac{23}{24}$	9 $5\frac{23}{56}$
10 $4\frac{19}{45}$	11 $4\frac{11}{36}$	12 $3\frac{7}{48}$
13 $4\frac{13}{40}$	14 $6\frac{25}{36}$	15 $4\frac{17}{18}$
16 $2\frac{31}{40}$	17 $4\frac{7}{15}$	18 $3\frac{10}{21}$
19 $5\frac{13}{30}$	20 $5\frac{17}{24}$	21 $7\frac{13}{24}$
22 $4\frac{2}{75}$	23 $5\frac{31}{84}$	24 $4\frac{31}{72}$

DAY 08 102~103쪽

2. 분모가 다른 대분수의 덧셈

1 $2\frac{3}{4}$	2 $2\frac{7}{10}$	3 $3\frac{5}{9}$
4 $3\frac{39}{56}$	5 $4\frac{7}{12}$	6 $6\frac{9}{20}$
7 $5\frac{1}{36}$	8 $5\frac{47}{60}$	9 $4\frac{17}{42}$
10 $4\frac{71}{80}$	11 $4\frac{13}{70}$	12 $7\frac{7}{96}$
13 $4\frac{11}{40}$	14 $4\frac{8}{75}$	15 $4\frac{7}{12}$
16 $7\frac{2}{5}$	17 $4\frac{5}{12}$	18 $4\frac{34}{45}$
19 $6\frac{29}{40}$	20 $5\frac{25}{39}$	21 $5\frac{23}{56}$
22 $5\frac{13}{72}$	23 $7\frac{7}{12}$	24 $7\frac{17}{60}$

DAY 09 104~105쪽

3. 분모가 다른 진분수의 뺄셈

1 2, 3, 4, 3, 1

2 6, 5, 24, 5, 19

3 4, 8, 20, 8, 12, 3

4 8, 6, 40, 18, 22, 11

5 $\frac{3}{8}$	6 $\frac{4}{15}$	7 $\frac{7}{18}$
8 $\frac{17}{28}$	9 $\frac{9}{16}$	10 $\frac{23}{60}$
11 $\frac{11}{18}$	12 $\frac{1}{6}$	13 $\frac{5}{18}$
14 $\frac{11}{40}$		

DAY 10 106~107쪽

3. 분모가 다른 진분수의 뺄셈

1 2, 3, 10, 3, 7

2 5, 2, 15, 6, 9

3 4, 3, 20, 3, 17

4 3, 4, 33, 20, 13

5 $\frac{2}{9}$	6 $\frac{3}{10}$	7 $\frac{3}{8}$
8 $\frac{17}{36}$	9 $\frac{1}{12}$	10 $\frac{17}{24}$
11 $\frac{1}{15}$	12 $\frac{1}{48}$	13 $\frac{53}{72}$
14 $\frac{23}{56}$		

DAY 11 108~109쪽

3. 분모가 다른 진분수의 뺄셈

1 $\frac{7}{15}$ 2 $\frac{23}{40}$ 3 $\frac{13}{18}$

4 $\frac{5}{28}$ 5 $\frac{5}{16}$ 6 $\frac{11}{40}$

7 $\frac{9}{20}$ 8 $\frac{13}{36}$ 9 $\frac{19}{70}$

10 $\frac{3}{28}$ 11 $\frac{2}{15}$ 12 $\frac{43}{72}$

13 $\frac{23}{45}$ 14 $\frac{23}{50}$ 15 $\frac{1}{6}$

16 $\frac{3}{10}$ 17 $\frac{1}{6}$ 18 $\frac{11}{24}$

19 $\frac{14}{45}$ 20 $\frac{1}{2}$ 21 $\frac{10}{21}$

22 $\frac{13}{48}$ 23 $\frac{37}{63}$ 24 $\frac{11}{180}$

DAY 12 110~111쪽

3. 분모가 다른 진분수의 뺄셈

1 $\frac{1}{42}$ 2 $\frac{1}{5}$ 3 $\frac{5}{24}$

4 $\frac{4}{9}$ 5 $\frac{5}{34}$ 6 $\frac{3}{28}$

7 $\frac{23}{48}$ 8 $\frac{23}{40}$ 9 $\frac{17}{36}$

10 $\frac{11}{30}$ 11 $\frac{11}{15}$ 12 $\frac{5}{26}$

13 $\frac{1}{6}$ 14 $\frac{9}{56}$ 15 $\frac{1}{5}$

16 $\frac{3}{20}$ 17 $\frac{15}{34}$ 18 $\frac{7}{18}$

19 $\frac{13}{24}$ 20 $\frac{1}{10}$ 21 $\frac{23}{60}$

22 $\frac{11}{27}$ 23 $\frac{13}{30}$ 24 $\frac{4}{75}$

DAY 13 112~113쪽

4. 분모가 다른 대분수의 뺄셈

1 4, 3, 4, 3, 3, 1, 3, 1

2 40, 21, 40, 21, 1, 19, 1, 19

3 15, 4, 15, 4, 2, 11, 2, 11

4 $1\frac{1}{3}$ 5 $3\frac{4}{15}$ 6 $1\frac{5}{24}$

7 $3\frac{9}{20}$ 8 $1\frac{28}{45}$ 9 $4\frac{2}{9}$

10 $1\frac{11}{70}$ 11 $1\frac{17}{30}$ 12 $3\frac{1}{3}$

13 $3\frac{1}{6}$

DAY 14 114~115쪽

4. 분모가 다른 대분수의 뺄셈

1 3, 5, 18, 5, 18, 5, 1, 13, 1, 13

2 4, 5, 12, 5, 12, 5, 2, 7, 2, 7

3 10, 21, 45, 21, 45, 21, 2, 24, 2, 24

4 $1\frac{13}{15}$ 5 $2\frac{9}{10}$ 6 $1\frac{19}{36}$

7 $1\frac{13}{18}$ 8 $2\frac{5}{24}$ 9 $2\frac{19}{42}$

10 $2\frac{11}{15}$ 11 $2\frac{31}{48}$ 12 $2\frac{27}{40}$

13 $1\frac{23}{42}$

DAY 15 116~117쪽

4. 분모가 다른 대분수의 뺄셈

1 13, 8, 65, 32, 33, 1, 13

2 19, 7, 57, 28, 29, 1, 5

3 19, 27, 95, 54, 41, 2, 1

4 7, 16, 63, 32, 31, 1, 13

5 $\frac{9}{20}$ **6** $2\frac{1}{4}$ **7** $2\frac{29}{40}$

8 $1\frac{32}{39}$ **9** $2\frac{26}{45}$ **10** $2\frac{7}{15}$

11 $1\frac{11}{21}$ **12** $1\frac{79}{80}$ **13** $2\frac{19}{36}$

14 $2\frac{37}{72}$

DAY 16 118~119쪽

4. 분모가 다른 대분수의 뺄셈

1 $2\frac{3}{28}$ **2** $3\frac{3}{10}$ **3** $2\frac{11}{24}$

4 $3\frac{4}{9}$ **5** $2\frac{3}{4}$ **6** $3\frac{11}{40}$

7 $3\frac{23}{30}$ **8** $3\frac{19}{45}$ **9** $2\frac{11}{36}$

10 $3\frac{31}{48}$ **11** $1\frac{5}{6}$ **12** $4\frac{41}{44}$

13 $2\frac{19}{24}$ **14** $2\frac{71}{100}$ **15** $2\frac{3}{7}$

16 $1\frac{7}{72}$ **17** $\frac{17}{20}$ **18** $3\frac{49}{60}$

19 $1\frac{56}{75}$ **20** $1\frac{3}{14}$ **21** $2\frac{17}{56}$

22 $2\frac{71}{72}$

생활 속 연산 준서, $2\frac{5}{12}$컵

DAY 17 120~121쪽

5. 세 분수의 덧셈과 뺄셈

1 (앞에서부터) $\frac{1}{30}$, $\frac{1}{30}$

2 (앞에서부터) $\frac{7}{24}$, $\frac{7}{24}$

3 (앞에서부터) $\frac{10}{21}$, $\frac{9}{14}$, $\frac{9}{14}$

4 (앞에서부터) $\frac{37}{72}$, $2\frac{19}{72}$, $2\frac{19}{72}$

5 $1\frac{1}{12}$ **6** $\frac{11}{24}$ **7** $\frac{1}{9}$

8 $\frac{71}{72}$ **9** $\frac{7}{15}$ **10** $\frac{8}{45}$

11 $2\frac{37}{42}$ **12** $1\frac{7}{24}$ **13** $2\frac{13}{18}$

14 $1\frac{9}{20}$

DAY 18 122~123쪽

5. 세 분수의 덧셈과 뺄셈

1 6, 8, 3, 11 **2** 18, 4, 15, 37, 13

3 25, 12, 3, 16, 8 **4** 21, 10, 4, 27, 3, 1

5 $\frac{11}{20}$ **6** $1\frac{5}{12}$ **7** $\frac{13}{36}$

8 $\frac{28}{45}$ **9** $\frac{43}{70}$ **10** $\frac{19}{42}$

11 $\frac{1}{2}$ **12** $2\frac{3}{8}$ **13** $3\frac{43}{63}$

14 $1\frac{19}{20}$

DAY 19 124~125쪽

5. 세 분수의 덧셈과 뺄셈

1 $\frac{4}{9}$ 2 $\frac{17}{24}$ 3 $\frac{31}{56}$
4 $\frac{19}{60}$ 5 $1\frac{3}{10}$ 6 $\frac{19}{36}$
7 $2\frac{23}{40}$ 8 $1\frac{2}{3}$ 9 $2\frac{1}{4}$
10 $1\frac{17}{40}$ 11 $4\frac{1}{8}$ 12 $2\frac{1}{48}$
13 $5\frac{10}{63}$ 14 $2\frac{34}{35}$ 15 $1\frac{31}{42}$
16 $\frac{1}{4}$ 17 $\frac{35}{36}$ 18 $\frac{5}{36}$
19 $\frac{1}{36}$ 20 $\frac{7}{20}$ 21 $2\frac{5}{12}$
22 $3\frac{9}{56}$

생활 속 연산 $1\frac{13}{20}$컵

DAY 20 126~127쪽

마무리 연산

1 $\frac{5}{12}$ 2 $\frac{8}{9}$ 3 $\frac{38}{45}$
4 $\frac{37}{40}$ 5 $1\frac{3}{20}$ 6 $1\frac{8}{21}$
7 $1\frac{5}{24}$ 8 $1\frac{1}{45}$ 9 $1\frac{17}{30}$
10 $1\frac{2}{5}$ 11 $1\frac{1}{21}$ 12 $1\frac{19}{84}$
13 $1\frac{31}{70}$ 14 $1\frac{59}{120}$ 15 $3\frac{1}{2}$
16 $4\frac{1}{30}$ 17 $5\frac{3}{8}$ 18 $5\frac{3}{40}$
19 $2\frac{23}{36}$ 20 $5\frac{1}{36}$ 21 $5\frac{1}{45}$
22 $6\frac{17}{48}$ 23 $3\frac{23}{30}$ 24 $3\frac{7}{24}$
25 $6\frac{52}{75}$ 26 $6\frac{11}{21}$ 27 $7\frac{8}{35}$
28 $9\frac{23}{72}$

DAY 21 128~129쪽

마무리 연산

1 $\frac{4}{15}$ 2 $\frac{7}{18}$ 3 $\frac{1}{8}$
4 $\frac{8}{15}$ 5 $\frac{23}{60}$ 6 $\frac{2}{21}$
7 $\frac{13}{30}$ 8 $\frac{5}{36}$ 9 $2\frac{1}{24}$
10 $1\frac{5}{18}$ 11 $3\frac{1}{6}$ 12 $1\frac{13}{15}$
13 $2\frac{35}{48}$ 14 $2\frac{7}{24}$ 15 $2\frac{7}{18}$
16 $1\frac{43}{56}$ 17 $2\frac{3}{20}$ 18 $\frac{47}{60}$
19 $3\frac{31}{38}$ 20 $4\frac{1}{80}$ 21 $\frac{19}{24}$
22 $\frac{1}{9}$ 23 $\frac{47}{56}$ 24 $\frac{1}{4}$
25 $1\frac{2}{3}$ 26 $6\frac{5}{8}$ 27 $3\frac{11}{48}$
28 $3\frac{3}{4}$

5단계 다각형의 둘레와 넓이

DAY 01 132~133쪽

1. 정다각형의 둘레

1 12
2 5, 30
3 4, 36
4 6, 42
5 8, 40
6 7, 56
7 $9\times3=27$
8 $13\times4=52$
9 $12\times5=60$
10 $11\times6=66$
11 $9\times7=63$
12 $10\times8=80$
13 $15\times4=60$
14 $9\times5=45$

DAY 02 134~135쪽

1. 정다각형의 둘레

1 24
2 77
3 40
4 30
5 56
6 108
7 75
8 64
9 32
10 50
11 54
12 60
13 84
14 80

생활 속 연산 48 m

DAY 03 136~137쪽

2. 사각형의 둘레

1 26
2 2, 40
3 10, 2, 34
4 4, 32
5 $(11+7)\times2=36$
6 $(15+6)\times2=42$
7 $(6+14)\times2=40$
8 $(12+9)\times2=42$
9 $(10+13)\times2=46$
10 $(7+11)\times2=36$
11 $11\times4=44$
12 $20\times4=80$

DAY 04 138~139쪽

2. 사각형의 둘레

1 40
2 34
3 28
4 24
5 48
6 34
7 32
8 60
9 50
10 50
11 32
12 34
13 52
14 68

생활 속 연산 370 m

DAY 05 140~141쪽

3. 직사각형의 넓이

1 4, 24
2 5, 25
3 5, 7, 35
4 9, 9, 81
5 $9\times7=63$
6 $6\times6=36$
7 $5\times8=40$
8 $10\times10=100$
9 $10\times14=140$
10 $13\times13=169$
11 $16\times8=128$
12 $15\times15=225$

DAY 06 142~143쪽

3. 직사각형의 넓이

1 55	2 98	3 60	4 60
5 72	6 70	7 120	8 117
9 49	10 25	11 100	12 64
13 121	14 36	15 144	16 400

DAY 07 144~145쪽

3. 직사각형의 넓이

1 28	2 40	3 81	4 44
5 80	6 65	7 169	8 168
9 288	10 418	11 392	12 891
13 768	14 574	15 625	16 256

생활 속 연산 420 m^2

DAY 08 146~147쪽

4. 평행사변형의 넓이

1 6, 54	2 6, 6, 36
3 12, 6, 72	4 5, 8, 40
5 $8\times4=32$	6 $7\times10=70$
7 $5\times9=45$	8 $8\times8=64$
9 $4\times10=40$	10 $11\times5=55$
11 $7\times8=56$	12 $6\times5=30$

DAY 09 148~149쪽

4. 평행사변형의 넓이

1 54	2 48	3 50	4 35
5 60	6 81	7 66	8 108
9 24	10 90	11 24	12 77
13 96	14 80	15 117	16 84

DAY 10 150~151쪽

4. 평행사변형의 넓이

1 48	2 88	3 240	4 182
5 144	6 135	7 156	8 187
9 160	10 247	11 352	12 414
13 420	14 546		

생활 속 연산 300 cm^2

DAY 11 152~153쪽

5. 삼각형의 넓이

1 5, 15	2 8, 6, 24
3 14, 7, 49	4 12, 8, 48
5 $10\times5\div2=25$	6 $8\times7\div2=28$
7 $8\times5\div2=20$	8 $8\times8\div2=32$
9 $15\times12\div2=90$	10 $14\times7\div2=49$
11 $8\times16\div2=64$	12 $18\times12\div2=108$

DAY 12 154~155쪽

5. 삼각형의 넓이

1 12	2 20	3 30	4 40
5 54	6 44	7 36	8 60
9 21	10 28	11 35	12 36
13 48	14 36	15 81	16 80

DAY 13 156~157쪽

5. 삼각형의 넓이

1 56	2 28	3 20	4 102
5 96	6 55	7 60	8 80
9 63	10 99	11 150	12 238
13 225	14 288		

생활 속 연산 98 cm^2

DAY 14 158~159쪽

6. 마름모의 넓이

1 6, 27	2 8, 20
3 16, 12, 96	4 14, 10, 70
5 $8\times6\div2=24$	6 $7\times10\div2=35$
7 $14\times6\div2=42$	8 $12\times5\div2=30$
9 $10\times4\div2=20$	10 $8\times11\div2=44$
11 $6\times15\div2=45$	12 $14\times13\div2=91$

DAY 15 160~161쪽

6. 마름모의 넓이

1 15	2 9	3 40	4 18
5 39	6 25	7 50	8 48
9 56	10 25	11 72	12 48
13 35	14 81	15 36	16 144

DAY 16 162~163쪽

6. 마름모의 넓이

1 14	2 25	3 33	4 32
5 81	6 56	7 84	8 140
9 60	10 144	11 161	12 228
13 180	14 300		

생활 속 연산 48 cm^2

DAY 17 164~165쪽

7. 사다리꼴의 넓이

1 6, 24	2 4, 22	3 2, 28	4 8, 22

5 $(3+9)\times5\div2=30$

6 $(4+7)\times6\div2=33$

7 $(7+3)\times4\div2=20$

8 $(5+8)\times4\div2=26$

9 $(9+14)\times10\div2=115$

10 $(15+7)\times6\div2=66$

11 $(12+6)\times9\div2=81$

12 $(5+11)\times7\div2=56$

DAY 18 166~167쪽

7. 사다리꼴의 넓이

1 25	2 39	3 48	4 96
5 42	6 24	7 66	8 70
9 22	10 36	11 49	12 45
13 33	14 121	15 65	16 99

DAY 19 168~169쪽

7. 사다리꼴의 넓이

1 30	2 42	3 56	4 35
5 81	6 105	7 77	8 90
9 110	10 84	11 144	12 182
13 222	14 294		

생활 속 연산 $450\ \text{cm}^2$

DAY 20 170~171쪽

마무리 연산

1 36	2 35	3 30	4 65
5 54	6 72	7 60	8 40
9 28	10 34	11 32	12 28
13 34	14 30	15 32	16 24
17 52	18 44		

DAY 21 172~173쪽

마무리 연산

1 60	2 81	3 48	4 121
5 72	6 77	7 90	8 96
9 28	10 35	11 40	12 42
13 45	14 48	15 39	16 49
17 40	18 33		

MEMO

초등 **5A**